日本中枢の崩壊

経済産業省
大臣官房付
古賀茂明

講談社

まえがき——東日本大震災で見えた「日本中枢」のメルトダウン

私は現役官僚でありながら、民主党政権による国家公務員制度改革の後退を、個人の立場で、国会やマスメディアを通じて批判した。当然、民主党政権、霞が関の私への風当たりは強く、一年以上もの間、「大臣官房付」というポストに置かれて仕事を与えられない状態にされ、マスコミはこれを「幽閉」などと報じた。霞が関に残るのはかなりむずかしい状況に置かれてしまった。

公然と政府の政策に異論を唱えたのだから、それなりの反響は想定していた。しかし、当初、私はそれほど大それたことをしているつもりはなかった。「このまま放置すれば日本国がたいへんなことになる、だから警鐘を鳴らさなければ」という気持ちを素直に語っただけだったからだ。

自分がいっていることは普通の国民から見れば至極《しごく》当たり前のことだし、民主党がマニフェストに掲げた脱官僚などのスローガンと方向性は完全に一致している。ただ、民主党政権が官僚に騙されているだけだと思ったのだ。

だから、誰かが声を上げれば政治家の多くは理解するはずだと思った。むしろ、分かっていて黙っているほうが罪が重いと思ったくらいだ。ところが、私はまったく甘かった。民主党は騙されているのではなく、むしろ確信犯的に路線を変更していたからだ。

そうだとすれば、その政策を批判すればどのような憂き目に遭《あ》うか、現役官僚の私には容易に想像がつく。それでもなお覚悟を持って、あえて実名で広く訴え続けようとしたのは、一人でも多くの方々に、日本再生に直接結びつく公務員制度改革の必要性を知っていただきたいからである。

二〇一一年三月一一日に発生した東日本大震災に続く東京電力の福島第一原子力発電所の大事故も、いってみれば「人災」。経済産業省とその傘下にある原子力安全・保安院、そして東電の癒着が引き起こした惨事である。こうした癒着のマイナス面を多くの国民が理解し、それが世論となれば、時の政権もその声に応えざるを得ない。公務員制度改革が再び正常な軌道に乗り、急ピッチで進むことを私は願っている。

いや、それが実現しなければ、福島原発事故のような惨事が多発し、国民は自らの税金で養っている公務員によってその生活基盤を奪われてしまうことにもなりかねない。

私を駆り立てているもの、それを一言で表現すれば「危機感」である。私には、現在、日本は沈没するか否《いな》かの瀬戸際にあるという強い危機感がある。それは、東日本大震災があったからではない。

世界の変化は年々、加速度を上げ、一〇年前と比べれば、日本を取り巻く環境は一変している。世界の国々は、凄《すさ》まじい変化に対応するため、常に変革を繰り返してきた。ところが、われわれの国、日本では、変革は遅々として進まず、閉塞状態に陥《おちい》っている。

たとえてみれば、海外の国々が新幹線で競走しているのに、日本だけが古い蒸気機関車で走っているようなものだ。日本は急激に国際競争力を失い、経済は沈下してしまった。しかし、「平成の維新」「第三の開国」の必要性が叫ばれながらも、いまだに変革のスピードは一向に上がらない。

日本の国という列車を牽引《けんいん》している政治、行政のシステムがあまりにも古びていて、世界の変化に対応できないのだ。

民主党はこの状況を「政治主導」で変えるといい、国民から支持を得た。しかし、行政は政治家だけでは動かない。公務員が、国民、国家のために死に物狂いで働いて初めて、思い切った改革がスピーディに進められる。

あえて誤解を恐れずにいえば、国家公務員の「天下り」そのものは必ずしも悪だとは思っていない。官僚OBが、天下りして、その後、渡りを繰り返し、高給を貪《むさぼ》っていたとしても、行政が素晴らしく、国富は増大し、国民も幸せで満足いく生活を送っていれば、天下りはさほど問題にならなかったであろう。だが、実際はそうはなっていない。

その最大の原因が霞が関の内向きの、すなわち省益にとらわれる論理である。そして、官僚がそうした内向き志向になっていく仕組みこそが問題の本質だ。その象徴として天下りがある。だから、天下りは悪でしかない、ということになるのだ。

現在の国家公務員制度の本質的問題は、官僚が国民のために働くシステムになっていないという点に尽きる。大半の官僚が内向きの論理にとらわれ、外の世界からは目をそむけ、省益誘導に血道《ちみち》を上げているとどうなるか。昨今の日本の凋落《ちょうらく》ぶりが、その答えだ。

すなわち、すべての改革を迅速かつ効果的に推進させるための大前提が、公務員制度改革なのだ。従って、山積する日本の課題のなかでも真っ先に取り組むべきテーマは公務員制度改革だと私は考えている。

日本の没落はいまに始まったことではない。情勢の変化に対応せず放置してきたため、近年、顕著になったに過ぎない。いってみれば、過去の政策の必然の帰結として、現在の日本の凋落があるのだ。

衰退が誰の目にも明らかになったときは、もう手遅れである。いまはその一歩手前の切羽詰《せっぱつ》まったところまで日本は追い込まれている。

ところが、この国をリードする「中枢」に危機感が乏しい。この日が来ることを予測していた私は、最悪のシナリオだけは避けるべく改革の必要性を訴えてきた。後で触れるように、私が取り組んできた国家公務員制度改革は、単に官僚機構の仕組みの変革だけを目指したものではなく、政治と行政をセットとして考えている。

だが、日本国の「中枢」の危機感が希薄で、公務員制度改革は一進一退を繰り返した。民主党政権に変われば、改革は一気に進むのではないかと淡い期待を抱いたが、進むどころか逆流してしまった……。

時は残されていない。変化のスピードがどんどん速くなっているいま、現在の一年は、一〇年前の二年、三年に匹敵する。国民のみなさんが、「中国に抜かれたとしても、まだまだGDP世界第三位の経済大国ではないか」と高《たか》をくくって行動を起こさないと、気がついたときにはすでに手遅れで、日本国を立て直せない状況になっているに違いない。

過去の成功体験や老朽化したシステムにしがみついていては、日本は凄まじい勢いで衰退していく。しかし、時ここに至っても、政治も行政も、弊害《へいがい》ばかりが目立つ老朽化したシステムにしがみつき、目覚めない。日本国の「中枢」が改革する心を失い、危機を感じ取る感性さえない。そのことこそが、この国の最大の危機の正体ではないかと思う。

そう、「日本中枢」のシステムそのものが、もはや崩壊しているのだ。経済も、政治も、行政も……。

一刻も早く、官民をあげて過去と非連続の改革を成し遂げ、新しい国作りに着手しなければならない。これが私の抱く危機感であり、本書を上梓《じょうし》する目的でもある。

二〇一〇年一一月、私はインターネット放送「ニコニコ動画」の生番組に出演した。双方向のインターネットメディアだけに、刻々と視聴者の意見や感想、疑問など反応がテロップで流れ、番組の途中には視聴者から寄せられた質問に答えた。

意外だったのは、公務員制度の改革という硬いテーマなのに、一〇代の視聴者が少なくなかったということだった。一七歳の女子高生からの質問も交じっている。高校生も、直感的にこの国の将来に不安を感じているのだ。

私はこの国の行政に携《たずさ》わってきた者として、若い人たちに心配をかけるような国にして申し訳ないと思った。私の危機感の原点は、官僚としての使命感や義憤といった大げさなものではない。「愛する私たちの子供らが、おじいさんやおばあさんになっても幸せに暮らせる日本であって欲しい」という思いだけである。

一官僚の私の影響力など微々たるものだ。一人でも多くの方が、この国を変革するため、国会、そして政府に働きかけてほしい。

この本の最終原稿チェック中の二〇一一年三月一一日、マグニチュード九・〇の巨大地震で東日本大震災が起こり、二万数千人もの死者・行方不明者を出した。この震災で、福島第一原子力発電所には津波が押し寄せ、施設を破壊。ＩＡＥＡ（国際原子力機関）の基準では最悪のものとなるレベル7《セブン》の原発事故が発生した。目に見えない放射能を恐れ、読者の方々も、テレビの前で事態の推移を固唾《かたず》を呑んでご覧になっていたのではなかろうか。

この事故で一つの事実が思い起こされる。

先述の通り、原子力安全・保安院は経済産業省の傘下《さんか》にある。そして、原子力行政を進める側の資源エネルギー庁も同じ。つまり、監視する側と進める側が、実は同じ屋根の下に同居しているのだ。二〇一一年一月には、前資源エネルギー庁長官の東京電力への天下りが認められた。代々続く癒着構造……。

しかもここにきて、原子力安全・保安院は、原子力の専門家集団でもなんでもないことが明らかになってきた。

「日本中枢」で国を支えているはずの官僚は、実はかくも信頼できないものでありながら、しかし自己保身と利権維持のための強固な連携力だけは備えている。ここに、国民によって、強固な制御棒を打ち込まなければならない。さもなくば、老朽化した原子炉を持つ「日本中枢」の崩壊とともに、日本国全体がメルトダウンしてしまうであろう……。

改革が遅れ、経済成長を促す施策や産業政策が滞《とどこお》れば、税収の不足から、政府を動かす資金すらなくなる。そう、一九九五年から翌年まで続いた、アメリカのクリントン政権下における「政府閉鎖」すら起こりかねないのだ。

いや、正確にいえば、そうした危機感を煽《あお》って大増税が実施され、日本経済は奈落の底へと落ちていくだろう。そのための「救国大連立」の動きさえ表面化した。しかしこれは、「亡国大連立」にほかならないのだ。タイムリミットは、ねじれ国会を解消するための参議院議員選挙がある二〇一三年、私はそう踏んでいる。

未曾有《みぞう》の危機に見舞われた日本――われわれは、いまこそ、最後の決断をしなければならない。

目次◉日本中枢の崩壊

第二章　公務員制度改革の大逆流

第三章　霞が関の過ちを知った出張

第四章　役人たちが暴走する仕組み

第五章　民主党政権が躓いた場所

第六章　政治主導を実現する三つの組織

第七章 役人——その困った生態

第八章　官僚の政策が壊す日本

終章　起死回生の策

日本中枢の崩壊

序　章　福島原発事故の裏で

賞賛される日本人、批判される日本政府

二〇一一年三月一一日に発生した東日本大震災——。

その後、テレビに映し出される想像を絶する被害、刻々と送られる津波の映像。寒さに震える一〇万単位の被災者がいる。そして、福島第一原発では名もない勇者たちが命がけで作業を続けている。

自分にも何かできないか……。お金ではない、いまは物だ、という報道を聞いて、知り合いのボランティアグループに救援物資を送る。それでも、何もできないという無力感にとりつかれる。

他方で、ここは大丈夫なのだろうか、放射能汚染はどこまで広がるのだろう——こんな心配をする自分がいる。そんなことを考えることで、原発の近くで必死に災害復旧のために戦っている方々に申し訳ないという後ろめたさが心を覆う。何をしても手につかない。そうこう思いを巡らせているあいだも、刻々とニュースが飛び込んでくる。

被災地から離れた場所にいる方々の多くは、そんな状況だったのではないか。

三万人近い死者・行方不明者——これだけの惨事のなか唯一の光明《こうみょう》は、われわれ日本人が世界中から賞賛される素晴らしい民であるという事実に改めて気づくことができたことであろう。

身を犠牲にして人々を津波から守ろうとした勇者たち、そして忍耐強く秩序を守り、自力で立ち上がろうとする人々、苦しいなかでも思いやりと助け合いの心を行動で示す被災者たち……。世界のメディアが賞賛し、世界中に共感と支援の輪が広がった。涙が出るほど嬉しいことだった。

他方、地震後の日本政府の対応には世界中から非難の声が集中した。日本政府を賞賛する論評は、残念ながら、私は見たことがない。原発事故対応を含め、日本のメディアが政府批判を抑えるなか、海外の論調は総じて厳しかった。

私がもっとも驚いたのは、震災が起きるやいなや、信じられないことに、これを増税のための千載一遇のチャンスととらえる一群の人たちが即座に動き始めたことだ。震災対応よりもはるかにスピーディな反応。驚くというより悲しかった。

一方、震災直後の週末を挟んだ三月一五日、「無」計画停電実施発表の混乱が続くなか、関東各地の税務署には長蛇の列ができていた。政府の心ない連中が自らの利権維持に汲々《きゅうきゅう》としつつ国民に負担増を求めようとしているのに、地震でも、停電でも、真面目《まじめ》に納税しようという市民の涙ぐましい姿だ。私は、この国の民はなんと素晴らしい人たちなのだろうと思うと同時に、行政府の一員として本当に申し訳ない気持ちになった。

絶対に安心と聞かされてきた原発――どんな地震でも大丈夫だと、われわれは思い込まされてきた。反論したいと思ったことは何度もある。しかし、それだけの根拠となるデータを持ち合わせていなかった。

四基で、いや、六基といっていいだろう、同時に生じた大事故。眼前の事実はすべての迷信をいとも簡単に覆《くつがえ》した。

それでも、政府は当初、「事故」ではなく「事象」といい続けた。「爆発」が起きても、「大きな音が聞こえた」「白煙が上がるのが目撃された」「しかし何が起きたのかは分からない」という東京電力に対して、「情報が遅い」といって総理が怒ったという話が流れた。永田町と霞が関の悪いところが集中的に出てしまっている、そう感じた。

しかし、私は当初、こういう事態は経験のないことだから、いくつかの不手際が起きてもやむを得ないと思った。失敗をあげつらうより、いま何をすべきかに集中すべきだと思ったのだ。心を一つにして国難に立ち向かうべきだと。

そして、マスコミも批判を抑え、国民に冷静な対応を呼びかけ続けた。国民が一致協力してがんばろうというキャンペーンを展開した。

「想定外の地震」「想定外の津波」「想定外の原発事故」……、すべてが「想定外」の一言で許される、そんな空気が支配した。

みんな必死で戦っている。自分のためだけではない、みんなのために戦っている。国民はそう信じた。

しかし、そうしたなか、最初の数日で、私の心のなかにどうしようもない違和感が募《つの》っていった。

官房副長官「懇談メモ」驚愕の内容

「節電啓発等担当大臣に蓮舫《れんほう》大臣」「災害ボランティア担当総理補佐官に辻元清美《つじもときよみ》議員」「菅総理が現地を視察」、そして「菅総理の会見」……しかし、そのいずれも危機対応のための具体的な措置ではなく、政権浮揚のためのパフォーマンスではないか。私にはもっとも大事な初動の数時間、政府の危機感が伝わってこなかった。こうした一連の行動を見て、安心感が高まったという国民はいただろうか。

むしろ、この震災を「政権浮揚」の最大の機会と考えているのではないかとさえ感じた人々も多かったのではないか。地震の直前まで外国人献金問題で追及を受けていた菅政権。そこに未曾有の大震災。緊迫した政局にとりあえずタオルが投げ込まれた、という感覚を持つのは不謹慎ではあるが、政治家であればある意味自然だったかもしれない。

しかし、マスコミから回ってきた官房副長官の一人の懇談メモを見て私は驚いた。「これは間違いなく歴史の一ページになるよ」と高揚した発言。開いた口が塞《ふさ》がらないとはこのことだ。

現場や東電、原子力安全・保安院、そして官邸で起きていることが目の前に浮かぶ。おそらく、この最初の数時間で、東電や官僚の官邸に対する不信感は瞬く間に頂点に達したであろう。そうなれば、官邸もまた彼らに不信感を持つ。負のスパイラルだ。

これほどの危機にありながら、以後おそらくすべての連携がうまくいかなくなる。そして、対応が後手後手に回るだろうという確信が芽生えた。

危機管理の要諦はいくつかある。アメリカの人気テレビドラマの「24」をご覧になった方は多いだろう。常に危機管理の話なのだが、それは日本でも同じはずだ。事が起きたらまず何をするか——二〇一一年三月の原発事故に当てはめると、次のようになるだろう。

まず、現場に総理直結のスタッフが真っ先に飛ぶ。最高の能力と体力と度胸《どきょう》も兼ね備えた、総理が無条件で信頼できる者でなければならない。総理との関係は分からないが、イメージだけでいえば、民主党では、たとえば馬淵澄夫《まぶちすみお》氏のようなタイプだろう。

実際にはその代わりに総理自らが原発に飛んだ。しかし、もちろん現地に政府の基地を設置したわけではない。もし、そのときに爆発などが起きていたらと思うと、ぞっとする。

次に官邸との直接の通信手段確保のため基地局を設け、テレビ回線で常時会議が現地とのあいだでできるようにする。こうすれば現地の情報がリアルタイムで官邸に届く。このときは東電にはそのシステムがあったが、官邸にはなかった。しかも、官邸は驚くことに、当初、東電の情報を経産省原子力安全・保安院を通して収集していたという……。

東電は民間企業とはいえ、お役所体質と隠蔽体質ではおそらく役所以上であることは累次の原発不祥事を追及してきた民主党の政治家が知らないはずがない。情報は、社内を出るまでに何重ものスクリーニングを経なければならず、しかも、一番重要な、すなわち悪い情報ほど出てきにくいシステムになっているはずだ。

経産省でも、入ってきた情報はまず、幹部に上げなければならない。それから官邸に届く。菅総理が、情報が遅いと怒鳴ったという報道があったり、官房長官も情報伝達が迅速にいかないことに苦言を呈する場面があったが、これは本来あってはならないことである。

国民のあいだに、「この人たちは何が起きているのかよく分かっていないのだ」「東電は情報を隠しているのか」という疑心暗鬼が広がり、ただでさえ不安に駆られている国民を、さらに心配させてしまうからだ。アメリカの大統領なら、万全の情報収集態勢を敷いたうえで、「みなさん安心してください。われわれはすべての情報をリアルタイムで把握しています。必要な情報は直ちにみなさんにお伝えします」といったであろう。

次に大事なことは、関係者間の情報の共有と共通認識に基づいた対応策の決定である。アメリカのテレビドラマ「24」でよく目にする場面。テレビ画面の前で、閣僚や軍の幹部が一堂に会し、スタッフが情報を、画像で示されたデータを駆使しながら詳細に報告。対応策のオプションについて議論し、方針を大統領が決断する。

こうすれば、情報と認識が幹部や主要スタッフのあいだで共有されるので、その後の行動に不整合が生じず、迅速な対応が可能となる。

報道された総理動静を見ていると、時折会議は開かれるが、それもセレモニー的。具体的な対応策について議論したり決定したりしているというより、パフォーマンス的な色彩が強く感じられた。むしろ、個別に各省幹部や専門家が呼び込まれ、その都度、総理から指示がなされていたようだ。

これでは、一糸乱れぬ迅速な対応は期待できない。

その後の原発事故対応を見ても、さまざまな問題点が浮かび上がる。

総理が現地に飛んだことは、初動対応で極めて負荷が高くなっていた官邸スタッフにさらなる負荷をかけた。総理の意図がどうであったにせよ、対応の準備ができていない段階でいきなり総理が現地に入るとなれば、そのときの官邸スタッフは、あらゆる準備をしなければならない。相当な労力がそこに割かれることになる。その間、当然ながら他の業務の処理速度は遅くなる。

原発に関する情報が思うように入らなかったからといって、総理が現地に行く必要があるか。答えはNOだ。トップ自らが現地に乗り込み政治主導をアピールしようとしたという説もあるが、そうだとすると、政治主導のはき違えもはなはだしい。

その後、総理は既存の原子力安全・保安院や原子力安全委員会への不信感から、同窓の東京工業大学卒の専門家の助言を得ることにした。しかし、これは政治主導ではなく、個人としての「政治家」主導に過ぎない。もちろんさまざまな意見を聞くのは良いが、国家の組織を動かせない総理が果たして国難に対処できるのか。この答えも、もちろんNOだ。

民主党の政治家のなかには、政治主導を官僚排除と同義だと考えている人たちが多いようだ。政務三役のなかには、自ら電卓をたたくパフォーマンスを見せた人もいるくらいである。天下太平の世の中ならそれでも良いのかもしれないが……。

「ベント」の真実

三月末から四月にかけて一時「ベント」をめぐる官邸と東電の争いがあった。争いといっても表向きではなく、おたがいマスコミに対してそれぞれの主張を宣伝し合うというかたちで展開された。

詳しい事情は不明だが、報道によれば、福島第一原発一号機の圧力容器内の圧力が上昇し、容器の破損が懸念《けねん》された。そうした深刻な事態を防ぐため、容器内の水蒸気を外部に逃がすベントという作業を行うことになった。官邸では当初、三月一一日深夜に、その方向性が事実上決まっていたのだが、実施されたのは翌一二日午前一〇時過ぎ。

三月下旬になって、この遅れは、総理の現地視察の準備に追われたため、あるいは、総理が現地にいるあいだは放射性物質を放出できなかったため、などという憶測がなされ、官房長官の会見でも質問された。当初はあまり真面目に取り合わなかった官房長官だったが、マスコミからの批判は日に日に強まった。すると一転、ベントを総理が指示していたにもかかわらず、東電がそれを遅らせたのだという解説が官邸筋から流され、テレビ朝日の「報道ステーション」に出演した寺田学《てらたまなぶ》・前総理補佐官もそう説明した。

しかし、もし総理がどうしてもベントが必要だと判断したのなら、ただ東電に法律（原子炉等規制法）に基づいた命令を発すれば良かった。

ベントによって何をするかといえば、放射性物質を外部に出すのだ。どれくらいの濃度かも分からない。軽々にやって、事故が小規模で終わったとしたら、後で「なぜベントしたのか」と怒られるかもしれない。世論だけでなく、政府だって掌《てのひら》を返して東電を批判するかもしれない。普通はそう思うだろう。だからこそ、「政府が責任を取るから心配しないで開けなさい」というメッセージを送る「命令」が用意されているのだ。

それをなぜすぐに使わなかったのか。命令できることを知らなかったのか。官僚が知らないはずはない。総理にそれを上げなかったのか。だとすればサボタージュだということになるし、総理の信頼するスタッフが無能だったということになる。知っていたが、東電の判断でやれといったのかもしれない。だとすれば責任逃れである。

政治主導とは、本来、官僚排除ではない。政治と官僚のどちらが主導するかという話である。官僚主導など本来はあってはならない。政治が主導し、官僚はそれをサポートし、それに従って政策を実施する。当たり前のことができていなかったようだ。

そして、リーダーの一番大事な資格——それは、リスクを取って判断し結果責任を負う、ということだ。総理にその覚悟がなかったのか、あるいは官僚が自分たちの責任を逃れるために東電に判断を押しつけようとしたのか……。

東電の序列は総理よりも上なのか

ところで、正式な命令がなかったとしても、時の総理が指示したのなら、普通は黙って従いそうな気もするが、なぜそうならないのか。

もちろん、東電がお役所体質であり、形式を整えないと動けない、そして自分でリスクを取れない、そんな組織だったという面もあると思う。しかしそれよりも、東電は、時の総理の指示を相当軽く考えていたのではないか——これが私の見方だ。

私は過去に電気事業関係のポストに就いた経験のある同僚から、「東電は自分たちが日本で一番偉いと思い込んでいる」という話を何回か聞いたことがある。その理由は後にも書くが、主に、東電が経済界では断トツの力を持つ日本最大の調達企業であること、他の電力会社とともに自民党の有力な政治家をほぼその影響下に置いていること、全国電力関連産業労働組合総連合（電力総連）という組合を動かせば民主党もいうことを聞くという自信を持っていること（電力総連会長から連合会長を務めた笹森清《ささもりきよし》氏は菅政権の内閣特別顧問）、巨額の広告料でテレビ局や新聞などに対する支配を確立していること、学界に対しても直接間接の研究支援などで絶大な影響力を持っていること、などによるものである。

簡単にいえば、誰も東電には逆らえないのである。

テレビ局の報道も、福島原発の事故が発生した当初は、東電を批判する論調ではなかった。経営幹部の影響下にある軟弱なプロデューサーは、東電批判につながる内容になると、直ちに批判色をなくすよう現場に強力な命令を下したという。

ところが、おもしろいことに、河野太郎《こうのたろう》衆議院議員がブログなどで東電とテレビ局の癒着を糾弾《きゅうだん》すると、視聴者からの批判が相次ぎ、癒着批判を恐れたテレビ局が、急に掌を返したように東電批判を始めたのである。しかし、その背景には、当初はまだ東電の力は侮《あなど》れないと思っていたテレビ局も、四月に入ると、その経営が今後苦しくなるという見通しを持ち始め、スポンサーとしての価値がないと判断したという面もある。

いずれにしても、少なくとも事故発生当初は大惨事になるとも思わず、過去の自分たちの力を信じて、「総理といえども相手にせず」と考えていたとしてもまったく不思議ではない。それは、事故後に「血圧が高くなった」などという理由で一週間も入院してみせた社長の態度に如実に表れているのではないか。

だからこそ、官邸は、一刻も早く伝家の宝刀である法律に基づく命令を出す必要があったのである。

天下りを送る経産省よりも強い東電

「まえがき」にも書いたが、二〇一一年一月、世間の耳目を集めた話題として、前年の夏まで資源エネルギー庁長官を務めていた経産官僚が東電に天下ったという事実がある。

この事実は、経産省がその電力事業に対する規制権限を背景にして天下りを押しつけたというように見える。しかし、天下りの多くの場合がそうなのだが、通常、天下りは双方にとってメリットがある。つまり東電側は、規制に関して経産省がさまざまな便宜をはかってくれると期待している、こう考えるのが普通だ。

だから、持ちつ持たれつ、といいたいところだが、少し事情は違う。通常の時期はそうした平和な状態が続くのだが、こと電力の規制緩和というような大きな問題になると、両者は時に衝突することもある。過去何回か、電力の規制緩和が推進された時期がある。そしてそのたびに、両者の間に主導権争いがあり、政治家や学者、マスコミを巻き込んだ大戦争が起きた。そして、必ずといっていいほど毎回、経産省内の守旧派が力を増し、改革派がパージされるという歴史が繰り返されてきた。

当初はいつも改革派がリードする。マスコミもこれを支援する。しかし、大詰めを迎えるといつも、なぜか審議会では優勢だった改革派の多くが妥協案に乗り、最後までがんばれる委員はほとんどいなくなる。

電力業界には競争がない。ここに競争を導入して電力コストを下げることは、消費者にとっても産業界にとっても望ましい。

自由化の議論のもっとも先鋭的なものが、後に書く通り、発電会社と送電会社を分離する発送電分離。このテーマについて本気で推進しようとした官僚が何人かいた。あるいは核燃料サイクルに反対しようとした若手官僚もいた。しかし、ことごとく厚い壁に跳ね返され、多くは経産省を去った。後述するが、私も十数年前、発送電分離をパリのＯＥＣＤで唱えたことがあるが、危うく日本に召喚されてクビになるところだった。その理由とは何だったのか——。

そして逆に、東電とうまく癒着できた官僚は出世コースに残ることが多かった。東電ならば、政治家への影響力を行使してさまざまなかたちで経産省の人事に介入したり、政策運営に介入したりすることも可能だといわれている。

こうした巨大な力を見せつけられてきた経産官僚が、本気で東電と戦うのは命懸けだ。つまり、政治家も官僚も東電には勝てない。そう東電が過信していたからこそ、福島原発事故で初動の躓《つまず》きが生じたのかもしれない。

「日本中枢の崩壊」の縮図

東電の問題を今後どう解決するのか——私は一つの私案をまとめて経産省の官房長や資源エネルギー庁の担当課長などにそれを伝えた。そして、それを経済誌『エコノミスト』に寄稿しようとした。しかし、それは官房から止められた。

「そんな売名行為は認められない」というのだ……。思いもよらない批判に対して、なるほどそういう見方があるのだなと驚くと同時に、締め切り間際だったということもあり、調整の時間もなかったので、そのときは引き下がった。

しかし、経産省内部の密室で議論するよりも、早い段階でさまざまな論点を国民の前に出し、それをもとに議論をしてもらうことは有益だと思った。私は電力関係を担当しているわけではなく、まったく所管外だから、それが経産省の立場だと誤解されることもないだろう。個人の意見として、一国民の意見として提言することは悪いことではないし、むしろ社会に貢献することになると思う。

「売名行為だというのは、その人がそういう願望を持っているからそう見えてしまうんだよ、気にすることないよ」と、ある財界人はいってくれた。そのとき官房長に送った資料は巻末に補論として添付した。

さて、ここまで、福島原発事故の最初の一日のごく一部の出来事を振り返りながら、いくつかの問題に触れた。日本の政治行政にはさまざまな問題があると痛感し、不安を感じた読者も多かったのではなかろうか。

ちょっと思い出してみただけでも、次のように多くの論点が出てくる。

まず、総理のリーダーシップの問題と政治主導の在り方。民主党に政治主導ができないのはなぜか。リーダーシップ発揮のための条件は何か――。第一章で述べる国家戦略スタッフのような自前の強力なスタッフが必要なのである。これがあれば大分ちがった展開になったのではないか。

リーダーシップとして重要な要素、それは、危急時にこそリスクを取って判断し、責任を取る姿勢だ。そして、その姿勢を官僚をはじめとする他のプレイヤーが信じられるかどうか、これが問題になる。

日本の政治家や官僚の組織力の問題もある。緊急時に、日本の美徳「チームワーク」だけで乗り切れるのか。がんばっている証《あか》しが徹夜徹夜の勤務という評価軸では、かえって時間を浪費して決断できないという罠《わな》に陥る。

そして、モノ作りや技術力への偏重と過信もある。日本の原子力発電は絶対に安全だといっていたが、それがいかに空虚なものだったか。アメリカのいう通りに原子炉を冷却し、窒素を注入するなど、まったく主体性は見えなかった。それ以外でも、日本の膜技術は世界一といっていたが、放射能除去技術でフランス企業に教えを請う。ロボット技術は世界一と自慢していたが、結局なかなか使えない……。

官僚の情報隠蔽体質が所管業界にまで蔓延《まんえん》している事実も挙げなければならない。安全規制が、国民のための安全規制ではなく、官僚自らの安全を守る規制になっていることもそうだ。

二〇一一年四月三〇日に内閣官房参与を辞任した東京大学教授の小佐古《こさこ》敏荘《としそう》氏は、放射性物質の健康への影響や放射線防護策の専門家として、福島県内の小学校や幼稚園などでの被曝限度を年間二〇ミリシーベルトと設定したことを、「とても許すことができない」と批判した。約八万四〇〇〇人の放射線業務従事者のなかでも二〇ミリシーベルトもの大量の被曝をする者は、平常時では極めて少ない、というのだ。これなども、政府や文部科学省の官僚が責任を問われないようにあらかじめ上限を引き上げておこうとしたのだとすれば、国民はなんのために税金を払っているのかわからない。

福島原発の事故処理を見て、優秀なはずの官僚がいかにそうではないか明白になった。いや、無能にさえ見えた。専門性のない官僚が、もっとも専門性が要求される分野で規制を実施している恐ろしさ。安全神話に安住し、自らの無謬《むびゅう》性を信じて疑わない官僚の愚かさ。想定外を連呼していたが、すべて過去に指摘を受けていた。ただ、それに耳を貸さなかっただけ。「想定外症候群」と呼べる。

原子力村という閉鎖空間にどっぷりつかってガラパゴス化した産官学連合体も恐ろしい。

しかし、これらの問題は、決して今日に始まったことではない。何十年間という歳月をかけて築かれた日本の構造問題そのものである。未曾有の危機だから、それが極めて分かりやすいかたちで、国民の目の前に晒《さら》されたに過ぎない。「日本中枢の崩壊」の一つの縮図が、この危機に際して現れた、そういって良いだろう。

第一章　暗転した官僚人生

官房長官の恫喝に至る物語

「さっきの古賀さんの上司として、一言先ほどのお話に私から話をさせていただきます」

「私は、小野《おの》議員の今回の、今回の、古賀さんをこういうところに、現時点での彼の職務、彼の行っている行政と関係のないこういう場に呼び出す、こういうやり方ははなはだ彼の将来を傷つけると思います……優秀な人であるだけに大変残念に思います」

二〇一〇年一〇月一五日の参議院予算委員会、仙谷由人《せんごくよしと》官房長官のしわがれた声が議場に響いた。と、その瞬間、「何をいっているんだ。（参考人の）出席は委員会が決めたことだ！」「恫喝《どうかつ》だ！」という怒声が飛び交い、議場は騒然となった。

その後、繰り返しテレビで放映されることとなったこの場面。私は、驚き、困惑して事態を見守っているしかなかった。

この日の朝、私は出張先の四国から急遽《きゆうきよ》、呼び戻された。午後の予算委員会の小野次郎《じろう》議員の質疑に出席を求められたからだ。どうして、このような事態に立ち至ったのか。実は長い物語がある……。

それは、当時の自民党衆議院議員・渡辺喜美《わたなべよしみ》氏（現・みんなの党代表）が、二〇〇六年一二月に行政改革・規制改革担当大臣となったときに遡《さかのぼ》る。

後でも詳しく触れるが、私は、改革を目指す政策を推進していたため、守旧派の経済産業省幹部に疎《うと》まれ、その年の七月に中小企業基盤整備機構という独立行政法人に飛ばされていた。しかも、それまでのストレスがたたったのか、同じ月に大腸がんの手術をして、抗がん剤を飲みながら闘病を続けていた。

そのような状況にあった私のもとに、渡辺大臣から、「ぜひ会いたい」という電話が入った。大臣室を訪れると、「今度大臣に就任したので、補佐官として自分を助けて欲しい」という要請だった。

私はそれ以前から渡辺大臣とは親しくさせていただいていた。尋常でない馬力を持ち、信念と実行力のある、最近では珍しい政治家だと思っていたので、思い切った改革に身を投じるには絶好の機会だと思った。ゆえに、本来であれば二つ返事で馳《は》せ参じたであろう。

しかし、私のそのときの状況は、それを許すほど甘いものではなかった。手術後に腸閉塞《ちょうへいそく》を患《わずら》うなど経過が思わしくなく、体力は極限にまで落ち込んでいた。抗がん剤の副作用で、電車通勤するだけでも全精力を使い果たしてしまうと感じる毎日であった。

「手伝いたいのはやまやまだ、しかも、これから急速に体力が回復するかもしれない」――その場で様々な考えが頭のなかを駆け巡る。しかし、自分がやりたいという熱意だけで引き受けるのは無責任だ。もし、途中で私が倒れれば、まったく経緯を知らない代役を立てて官僚と戦わなければならなくなる。しかもそのリスクはかなり高い。そんな状態でこの大役を引き受けるわけにもいかず、このときは涙を呑んで断った。

しかし、後にそれが大正解だったことが分かる。私は翌年三月、また腸閉塞で倒れ、虎の門病院に担ぎ込まれたからだ。ちょうど渡辺大臣のチームが国家公務員法改正案をまとめて、まさに官僚と大戦争を行っている最中である。苦しさにあえぎながらも、「やっぱり受けなくて良かったな」と、自分の判断の正しさに妙に感心していたのを思い出す。

ただ私は、渡辺大臣のオファーを断るときに、「私よりももっと役に立つ男がいます」といって、代わりにある若手官僚を渡辺大臣に紹介していた。それが、後に渡辺大臣の補佐官に就任し、自民党の参議院幹事長だった片山虎之助《かたやまとらのすけ》参議院議員や、財務官僚で官邸を事実上牛耳《ぎゅうじ》っていた坂篤郎《さかあつお》官房副長官補と大立ち回りを演じて勇名を馳せた原英史《はらえいじ》氏（現・政策工房社長）である。

私が経産省の取引信用課長時代、原氏は隣の消費経済課の課長補佐。一緒に法律改正などをした仲だった。しかし、私と彼はそれほど親しい間柄ではなかった。ともに法律改正を行う課長と課長補佐なら普通、補佐のほうから調整のため、いろいろと話を持ってきたり、国会回りをするときには課長に気配りしたりするので、当然、ある程度親しくなっていく。しかし、原氏は、他の補佐とはまったく違って、必要なこと以外は一切話さない。「ずいぶんクールな奴だ」と思っていた。しかし、仕事は飛びきりできるのである。

実は、こういう素質が重要なのだ。つまり、仕事はできるが、上に変におもねることはなく、筋の通らないことを頼まれたら平気で断る、そんな人間。芯がしっかりしているのに加えて、できる男にありがちな出世願望もない。彼の能力とともに、この独特の強さは、渡辺喜美氏に通じるものがあると感じた。

おもしろいことに、渡辺大臣と原氏にはもう一つ似たところがあった――即断即決だ。

私が原氏に電話で事情を説明し、「渡辺大臣の補佐官になる気があるか」と聞いたとき、もちろん即答は期待していなかった。しかし、彼は二つ返事で「ああ、やりますよ」と即答したのだ。一瞬たりとも考える様子はなかった。私は大いに心配になって、「これをやると霞が関すべてを敵に回すことになるかもしれない。嫌だったら遠慮なく断っていいんだよ」といったが、「いや、大丈夫です」と一言。何の迷いもないかのようだ。

私は、「こんなに簡単に決めていいのか、もっと考えたほうがいいのに」「自分が声をかけたがために、彼はとんでもなく困難な人生に身を投じることになるのではないか」と、少し後悔したが、彼の微塵《みじん》の迷いもない声を聞いて、すぐに渡辺大臣に彼を紹介することにした。

渡辺大臣に原氏を紹介したのは内閣府の大臣室であった。渡辺大臣は、私が紹介したというだけで完全に原氏を信頼している。一〇分程度雑談しただけで、「よろしく頼む」と採用を決めた。そして、すぐに経産省に電話し、彼を一本釣りしたのだ。「よくもこんなに簡単に、自分にとって一番重要な人事を決めるものだ」と、そのとき私は心底驚いた。このように、渡辺大臣も即断即決の人なのだ。

官房長室への呼び出し

しかし、一つ誤算があった。私が原氏と一緒に大臣室に入ったという情報は、その日のうちに内閣官房、経産省や財務省に流れていた。このため、後になって私が原氏を渡辺大臣に紹介したことが明らかになり、その後原氏が活躍すればするほど、私の霞が関での評判は悪くなっていったのだ。

私は原氏一人にこの大役を押しつけるのは申し訳ないと思い、原氏をサポートする若手を一人つけるべきだとも思った。それが、金指壽氏《かなざしひさし》だ。私の部下として働いたこともあり、どこに出しても恥ずかしくない超一級の能力を持つ若手。彼も「ぜひやりたい」ということで、原氏をサポートすることになった。

しかし、ここでおさまらないのが経産省の幹部である——。

省内の職員の人事は大臣官房の仕事だ。たとえ管理職の人事であっても、大臣の意向などほとんど関係ない。すべて事務方がお膳立てして、大臣はそれを追認するだけ。ところが、あろうことか、自分の大臣でない、しかも自分たちが「改革派の跳ねっ返りだ」と馬鹿にしていた渡辺氏が、大臣になったその勢いで、よその役所の役人、すなわち自分たちの部下を勝手に連れていく——とんでもないことだ。

しかも当時、原氏と金指氏はともに中小企業庁に属し、法律改正などの重要な職務についていた。それを二人まとめて一本釣りされたのだ。通常は、一本釣りなどしないで、経産省の官房長などに打診をして、もし難色を示されれば、「じゃあ他の人を推薦してくれよ」という手順を踏む。嫌だというのに無理やり連れていけば、その後、経産省との関係は悪くなるから、普通の大臣は諦《あきら》めるのだ。現に、その後、私を使いたいといってきたある政治家は、経産省に打診して断られたら、あっさり諦めて、他の職員を登用した。

しかし渡辺大臣は、そもそも経産省に打診する前に、本人たちと会って採用を内定してしまったのである。役所から見れば言語道断のやり方。ただ悲しいかな官僚は、他省庁の大臣とはいえ、本気になられると表立って刃向かうわけにはいかない。あるいは、経産省はその程度の力しかないと見ても良いだろう。

官僚にとってもっとも重要な権限である人事権を政治家に蹂躙《じゅうりん》されておもしろいはずがない。その矛先《ほこさき》は私に向かった。

ある日、私は経産省の官房長室に呼ばれた。「渡辺大臣とは仲がいいのか」「渡辺大臣室に行かなかったか」「原君を紹介しなかったか」など、そんなことを遠回しにねちねちと聞いてくる。本当は私が二人を紹介したと確信しているのに、証拠がないからはっきりそうとはいわない。私は適当にはぐらかしながら、最後はこういった。

「でも、官房長、良かったですね。行政改革とか公務員制度改革とか、これからの政府の最重要課題ですよ。その担当大臣に経産省の職員を使ってもらえるんだから、本当に名誉なことですよ。そうでしょ?」

私は心底そう思っていたのだが、相手からすれば、実はこれは最大級の嫌がらせである。なぜなら、建て前上は、私のいうことは正しい。官房長としてはこれを否定したいが、もし否定してそれが外に伝われば、「改革を妨害する」といって叩かれる。他方、「その通りだ」といってしまったのでは人事権を放棄したことになるし、私の行為を事実上追認してしまうことになり、官房長としての沽券《こけん》にかかわる。完全にディレンマに陥るのだ。

結局、官房長は、黙ったまま苦虫《にがむし》を噛み潰したような顔をしていた。

安倍総理退任の裏で官僚は

さて本題に戻ろう。公務員制度改革の流れは、実は安倍晋三《あべしんぞう》内閣から始まっている。ただ、二〇〇六年に政権に就いた安倍総理は当初、公務員制度改革にはさほど熱心ではないと見られていた。著書の『美しい国へ』のなかで公務員制度改革に言及した部分はなかった。

そもそも自民党政権は、公務員制度改革に積極的だったわけではない。改革の権化《ごんげ》のようにいわれる小泉純一郎《こいずみじゅんいちろう》総理でさえ、天下りをはじめとする公務員制度改革には遂に手をつけることはなかった。それほどの難題になぜ安倍晋三総理が取り組んだのか——。

ここから先は、私の推測だが、安倍総理は「戦後レジームからの脱却」を掲げて教育改革など様々な分野で野心的な施策を打ち出そうとしていた。しかし、戦後レジームからの脱却というほどの大改革を実行しようとしたとき、最大の障害になるのが、まさに戦後レジームの中核である官僚システムであるということに気づいたのだろう。

大きな改革を行えば、必ず現行のシステムに寄生した既得権グループが被害を受ける。業界も族議員も、そしてそれと一体となった官僚も被害者になる。さらに、既得権グループが本気で抵抗してくるときに、抵抗のための理論的支柱を提供し、世論対策や国会対策等すべての面で高度な戦略を立て、事実上の司令部となるのが霞が関の官僚システムである、ということに改めて気づいたのではないか。大きな改革を成し遂げるには、なによりも抵抗勢力の中心的存在である官僚システムを変えなければ、結局、改革は絵に描いた餅に終わる。

そして、もう一つ、安倍政権の「美しい国、日本」として掲げられた政策アジェンダが必ずしも国民の心に響かず、逆に民主党の「消えた年金」攻撃などによって支持率が下がるなか、実は公務員制度改革が国民に受ける数少ない政策テーマだということが明らかになってきたことがある。それを如実に示したのが、渡辺喜美行政改革担当大臣の公務員制度改革への猪突猛《ちよとつもう》進《しん》ぶりと、その姿勢に対する国民の高い支持だった。

渡辺大臣が「過激」といわれる（実際には過激でも何でもなくごく当たり前の改革案だったのだが）国家公務員法の改正案を手に官僚と真っ向から対峙《たいじ》し、また、官僚に依存しきった自民党の長老たちの抵抗と戦う姿を、マスコミは時間と紙面を割いて大きく報道し続け、それに国民は大声援を送った。安倍総理はその勢いを見て意を強くし、最後は腹をくくって大改革に賭けたのだろう。

安倍総理といえば退任時の痛々しい姿ばかりを記憶する方が多いかもしれないが、最後に成し遂げた国家公務員法改正は、公務員による天下りの斡旋《あっせん》を禁止するという、霞が関から見ればとんでもない禁じ手を実現したもの。当然、これに対する霞が関の反発は尋常ではなく、それが官僚のサボタージュを呼び、政権崩壊の一因となったといわれている。

前代未聞、安倍総理の離れ業

さて、渡辺チーム発足時に話を戻そう。自民党の多数派である守旧派と官僚が結びついた政官連合に対して、渡辺大臣は原、金指というわずか二人の精鋭部隊で立ち向かうことになる。

そのときの改革の内容は、大きく分けて二つ。省庁による天下り斡旋禁止、そして年功序列を廃して能力実績主義を導入することだ。両方とも現在の官僚システムの本丸に楔《くさび》を打ち込む極めて重要な改革である。

当然のことながら、これに対する官僚の抵抗には凄まじいものがあった。そのエピソードには事欠かない。詳細は原英史氏の著書『官僚のレトリック』に譲ることにして、ここでは一つだけ紹介しよう。

一言で天下り禁止といっても、禁止するなら禁止すべきなんらかの行為を特定しなければいけない。民間企業に行くことすべてを禁止するのは明らかに行き過ぎだろう。そこで、ヘッドハンティングなど自分の実力で転職することは良いが、省庁がその権限や予算を背景として天下りを押しつけるのが問題で、こうした天下りの斡旋だけを禁止すれば良いのではないか、という議論が出てくる。

他方、そもそも省庁が斡旋するとなぜ、企業や団体がそれを受け入れるのか。やはり、裏には必ず権限や予算を背景とした無言の圧力を感じるからではないか、という考え方がある。そうだとすれば、省庁が斡旋することはすべて禁止したほうが良い、という考え方に至る。

つまり、禁止するのは省庁による天下りの「斡旋」すべてなのか、そうではなくて、予算や権限を背景としたことが分かる「押しつけ的な斡旋」に限るのか、という争いだ。

単純に考えれば悪い斡旋だけを禁止すればいいのだから、「押しつけ的な斡旋」だけ禁止すればいいように見えるが、そうしてしまうと、実は禁止の効果はほとんどゼロになってしまう。なぜなら、そもそも押しつけているかどうかを証明するのが極めてむずかしい。受け入れ企業は無言の圧力を感じているから、「押しつけられました」とは口が裂けてもいえない。役所の側は、「企業がぜひに、というので、その要請に応えただけです」という。そうなれば、押しつけはなかったということになってしまう。現に、官僚たちは、役所が押しつけ的な斡旋をしたことなど一度もないという立場を一貫して取ってきた。

途中何度も落とし穴に嵌《は》まりそうになりながらも、原・金指チームの頭脳とがんばりに支えられた渡辺大臣は、最後まで「斡旋」すべてを禁止する方針を貫いた。

途中、各省の事務次官がスクラムを組んで抵抗する場面もあった。これに対し安倍総理は、次官会議の議論を無視するという当時としては前代未聞の離れ業《わざ》で応じた。最後はこうした尋常ならぬ総理のリーダーシップで、この画期的な国家公務員法の改正案を成立させるのである。

私はこの動きを裏から見ていた。当初は、原チームが本当に官僚連合軍と戦えるのか不安に思ったりもした。現に金指氏は、最初のうち私に頻繁に連絡を寄越し、その苦境を伝えてきた。私はそんな彼を勇気づけ、また、ときにはアドバイスもした。

こんなことがあった。

省庁による天下りの斡旋を禁止する場合、それに違反したときにどういう罰を与えるか。刑事罰にすれば捜査当局の強制的な捜査で立件できる。しかし、単なる懲戒処分にとどまるなら、懲戒権を持つ人事当局が調査することにしかならない。天下りの斡旋をするのは人事当局だから、それが問題になったとき、人事当局がその人事当局を調査することになり、これでは泥棒が泥棒に「泥棒したか」と聞いているようなものである。従って、刑事罰の対象にすべきだと私は考えた。

原チームもそれを目指して動いていたが、法務省も警察ももちろん協力的ではない。そこで私は、東京地検の特捜部に籍を置く友人の検事に相談した。どのような条文にすれば実際に使えるか、現場の意見を求めたのだ。その結果を金指氏に伝えた。しかし、天下り斡旋を禁止するだけでも官僚から見れば天地がひっくりかえるような暴挙だ。それを刑事罰にするのは当時としてはハードルが高すぎた。結局、刑事罰にすることはできなかった。この点は原氏も残念がっていた。

二〇〇九年秋、日本郵政の社長に元大蔵次官の齋藤次郎《さいとうじろう》氏が、副社長にも先述の元財務官僚、坂篤郎氏が就任した。これは閣僚が行ったことだから「省庁職員」による天下りの斡旋ではないと民主党は強弁したが、実はそのときもう一つ疑念を呼ぶ「渡り」人事が行われていた。日本郵政の副社長に就任した坂氏が就いていた日本損害保険協会の副会長ポストに元国税庁長官（財務官僚）が就任したのだ。これは閣僚による人事ではない。現職の官僚が絡《から》んでいるのではないかと国会でも問題になった。

その後半年近くたってから、民主党は「調査の結果、省庁による斡旋はなかった」と答弁した。どのように調べたかと聞かれて、金融庁の課長が損保協会に問い合わせたという。まさに心配していたことが起きたのだ。役人が調べてしらを切る。それ以上は実効性のある調査はできない。

さらに、二〇一一年の正月の紙面を賑《にぎ》わせた、資源エネルギー庁長官が退任四ヵ月後に所管の東京電力に天下りした事件でも、やはり枝野幸男《えだのゆきお》官房長官は、「経済産業省の秘書課長が東京電力に聞いたところ、役人による斡旋はなく、本人に企業が直接要請したということなので、天下りの斡旋はなかった」と、胸を張った。これまた泥棒に調査をさせてしまったのだ。

少し脱線してしまったが、原チームは、一、二ヵ月もすると完全に独り立ちし、私への連絡も次第に頻度が低くなっていった。大変な成長ぶりだ。私はこのとき思った。

若い人たちの能力とはそういうものだ。ミッションと権限を与えれば、能力のある者は年齢に関係なく大きな力を発揮する。しがらみがない分、年長者よりも大胆な改革に邁進《まいしん》できるのだ。やはり、若手を抜擢《ばってき》する仕組みを作らなければいけない。

中曾根元総理の「これは革命だよ」

さて、その後、安倍政権は渡辺大臣の奮闘の成果である国家公務員法改正を成し遂げたものの、民主党の消えた年金攻撃の前に支持率が低下、参議院議員選挙に惨敗し、最後は安倍総理の体調不良も重なって、二〇〇七年八月二七日に退陣に追い込まれる。

その後を継いだ福田康夫《ふくだやすお》総理は奇をてらう政策を嫌うオーソドックスな自民党の政治家である。われわれ改革派は、公務員制度改革は大きく後退するだろうと予想した。案の定《じょう》、福田総理は公務員制度改革についてはほとんど熱意を示さないばかりか、むしろ官僚の側について、渡辺大臣の改革案の実現に抵抗したようである。

安倍内閣のときに「公務員制度の総合的な改革に関する懇談会」（有識者懇談会）という総理の諮問機関ができていた。有識者懇談会には堺屋太一《さかいやたいち》、屋山太郎《ややまたろう》、佐々木毅《ささきたけし》といった改革に熱心な論者が参加。堺屋氏が官僚を排除し、その後の公務員制度改革の基本構想を報告書としてまとめ上げた。後の「国家公務員制度改革基本法」のベースになるものだ。

官僚から見ると驚天動地《きょうてんどうち》の内容を含んだ究極の改革案に対して、おそらく官邸官僚にその危険性を吹き込まれたのだろう福田総理は、その報告書の案を渡辺大臣に示されたときに受け取りを拒否したほどだったという。最後にはこの報告書を受け取るのだが、そのときも、「日本は政治家が弱いんですよ。こういう国では官僚は強くなければいけないんですね」という迷言を残したそうだ（この間の経緯は渡辺喜美氏の著書『絶対の決断』に詳しい）。

この間、官邸の官僚はもちろん全省庁の官僚が敵に回ったのは当然としても、政府内でも官房長官などが官僚側に立って、渡辺大臣の改革の足を引っ張ったという。自民党の行政改革推進本部も同様だった。つまり、政府与党が官僚と一体となって渡辺大臣の改革をつぶしにかかったのだ。

詳しいことは後に述べるが、国家公務員制度改革基本法は、抜本的な公務員制度改革の哲学を示すとともに、「国家戦略スタッフの創設」「内閣人事局の創設」「キャリア制度の廃止」「官民人材交流の促進」などを柱とし、実際に改革すべき項目そしてスケジュールを網羅的に盛り込んだものだ。公務員制度改革の歴史のなかで、ここまで踏み込んだ改革の議論がなされたことはない。中曾根《なかそね》康弘《やすひろ》元総理が「これは革命だよ」といったそうだが、霞が関の抵抗は並大抵でなく、福田政権で孤軍奮闘、公務員制度改革を推進する渡辺喜美大臣の周囲には悲壮感さえ漂っていた。

何度も頓挫《とんざ》しそうになりながらも、渡辺大臣の情熱と原補佐官らの緻密《ちみつ》なサポート、マスコミを巻き込む作戦が功を奏して、国家公務員制度改革基本法は、なんとか成立にこぎつける。二〇〇八年六月六日、この法律が衆議院内閣委員会で可決された後のインタビューで、渡辺大臣が涙をこぼしたのを見ても、この法律の誕生がいかに難産であったか、想像がつこうというものである。

渡辺大臣と仙谷大臣の違い

国家公務員制度改革基本法の成立は、堅く閉ざされた伏魔殿の扉をようやくこじ開け、これから続くであろう茨《いばら》の道の出発点にやっと立てたという段階に過ぎない。大きな一歩ではあったが、本当の正念場がやってくるのは成立後だった。そして、その茨の道を、私が一人で歩くことになるとは夢にも思っていなかった。

基本法では、総理をトップとする閣僚クラスで構成される国家公務員制度改革推進本部を設置し、そこに顧問会議という外部有識者の会議を設けて具体化への検討を始めることになっていた。また改革推進本部には事務局を設け、その作業をサポートする体制となっていた。この顧問会議と事務局がいわば実行部隊である。ここが今度は霞が関との激しい攻防の場となる。

基本法に則《のっと》った改革が成功するか否か、その一つの鍵を握っているのは、改革推進本部事務局のメンバー選定だった。普通、事務局は各省から出向した官僚で構成する。しかし、事が公務員制度改革ゆえ、官僚中心の事務局であれば、改革は骨抜きにされかねない。

それが痛いほど分かっている渡辺大臣は、民間出身者を数多く起用するなど、民間の活力を入れた。しかし、霞が関のこずるいやり方を知らない民間出身者がいくら束になってかかっても、官僚スタッフにうまくやられる恐れが強かった。

そこで渡辺大臣が事務局幹部の一人として強力に推薦したのが私だった。当時、急進的な改革派とのレッテルを貼られている私の抜擢《ばってき》には、官邸や財務省に根強い拒絶感があったと聞いている。

渡辺大臣に当時聞いた話では、福田総理も私の登用に難色を示したという。私は耳を疑った。私は福田総理とは一度も会ったことがなかった。二橋正弘《ふたはしまさひろ》官房副長官が反対しているとも聞いたが、二橋氏とも面識はなかった。つまり、二橋氏以外の官邸官僚が私の採用を阻止しようとしたのだ。後に仙谷行政刷新担当大臣が私を登用しようとして断念したのと酷似《こくじ》した状況である。

にもかかわらず、私の起用が決まったのは、渡辺大臣の熱意が勝ったからだ。官僚の差し金を跳ね返しての強攻策である。後に述べる通り、仙谷行政刷新担当大臣は当初、私を登用しようとしたが、霞が関の反対に遭うと、あっさりと方針を転換したという。ここが仙谷大臣と渡辺大臣の力の差である。覚悟の違いといってもいいだろう。

改革を成し遂げる人と妥協で道を誤る人。両方を私は目の前で見たことになる。貴重な体験だ。

卑劣な手段に出た元総務次官

かくして私は、二〇〇八年七月に発足した国家公務員制度改革推進本部事務局の審議官に就任した。しかし、その出だしが、実は私の官僚人生暗転の始まりだとは、夢想だにしていなかった。

官邸でのすったもんだがあったため他の幹部はすでに着任しており、私だけ遅れて七月二八日に着任した。事務局内の管理職で改革派とはっきり分かっていたのは、原英史、石川和男《いしかわかずお》（元経済産業省）、磯谷俊夫《はたたにとしお》（元オリックス球団代表）、菅原晶子《すがはらあきこ》（経済同友会部長）各氏（いずれも企画官）と、その他一部の民間人と数名の若手官僚くらいである。後はほとんどが守旧派または事なかれ派だとすぐに分かった。五分話せば分かるほどはっきりしていたといってい い。各省が既得権確保のために送り込んだ、いわば精鋭部隊だ。

もちろん若手には、他にも改革の気概に燃えている者がいたかもしれないし、議論していけば改革の意味を理解してくれる人もいただろう。しかし、守旧派のオルグも徹底していた。いずれにしても少数派に甘んじるしかない。それでも、渡辺大臣のリーダーシップのもとで少数派が主導権を握る、それが私の作戦だった。

ところが、である。それから数日も経《た》たない八月一日、福田政権の内閣改造によって渡辺大臣は退任させられてしまうのだ……。

守旧派の防波堤の役割を果たしてくれるはずの渡辺大臣の退任が決まって、私は途方に暮れた。当時の気分を振り返れば、無人島に島流しにされたような、といえばいいか。気を取り直して改革派を中心にして一から議論を始めたものの、すぐさま官邸内の守旧派官僚の激しい抵抗に晒《さら》された。

しかも、政策論争ではない。霞が関の上層部がこぞって敵に回り、事務局内でも、改革派官僚の旗頭《はたがしら》と見られていた私へのゆえなき誹謗中傷《ひぼうちゅうしょう》が始まったのだ。

「古賀の主張は全部、経産省の陰謀だ。古賀は一部の官僚に特権を与える仕組みを作ろうと画策している」との趣旨の資料がカラーコピーされ、マスコミや労働組合だけでなく、驚いたことに民間から出向していた事務局員にまでばら撒《ま》かれたのだ。

加えて、そんな卑劣な手段に出たのが事務局次長の一人（元総務省次官）と知って、私は一層、暗澹《あんたん》たる気分に陥った。

それでも政治が公務員制度改革に積極的ならば救いもあったが、政権与党の自民党の多数派は霞が関寄りでやる気が感じられない。もちろん、自民党のなかには、中川秀直《なかがわひでなお》、塩崎恭久《しおざきやすひさ》、河野太郎、柴山昌彦《しばやままさひこ》、菅原一秀《すがわらいっしゅう》、衛藤晟一《えとうせいいち》、山本一太《やまもといちた》、世耕弘成《せこうひろしげ》、丸川珠代《まるかわたまよ》、平将明《たいらまさあき》、そして前大臣の渡辺喜美各議員といった熱心な先生方がいたものの、あくまで少数派でしかなかった。

当時、われわれ改革派を援護してくれたのは、皮肉にも野党だった民主党である。民主党の行政改革調査会の幹部は改革に熱心な議員が多く、なかでも「3M《スリー》」と称されていた松本剛明《まつもとたけあき》(行革調査会長)、松井孝治《まついこうじ》(同会事務局長)、馬淵澄夫《まぶちすみお》(同会天下り・談合拒絶担当主査)の三氏による事務局守旧派の暗躍への糾弾で、少数派だったわれわれが劣勢を跳ね返した時期もあった。

だが、民主党の支持母体の一つでもある労働組合が真っ向から改革に異を唱え始めると、行政改革調査会の幹部たちの声もトーンダウンしていく。

福田総理退陣の直後に

政府内では誰もやりたくない改革を成し遂げるにはどうしたら良いか。世論を喚起するしかない。これが私の考えだった。国民の支持、これが究極の支えである。

世論喚起の最大の推進力が顧問会議だった。福田総理は当初、顧問会議について、官僚推薦を中心とする穏健な人選を進めていたという。渡辺大臣の後任の茂木敏充《もてぎとしみつ》大臣もそのラインに乗りかかったが、渡辺大臣が、もし、いい加減な人選をするなら外から徹底攻撃するぞと脅しをかけてくれたそうだ。その結果、堺屋太一、屋山太郎という改革急先鋒がメンバーに入ることになる。この他、佐々木毅学習院大教授、桜井正光《さくらいまさみつ》経済同友会代表幹事が、その後の改革の推進役になっていく。

守旧派は当然のことながら、この顧問会議に陽が当たることは避けたい。発信力のあるメンバーに正論を主張されると、世論がそれになびく恐れが強い。なるべくその開催回数は少なくしたいし、会議の内容もできれば隠したい。

そういう思惑で、第一回顧問会議は、福田総理が退陣表明した二〇〇八年九月一日直後の九月五日に行われた。福田総理の第一回の会議での挨拶は、「私がその最初をこうやってお目にかかって、おしまいになってしまうということは非常に残念でございまして申し訳なく思いますけれども」という何とも気の毒なものになってしまった。要するに「こんにちは、さようなら」とだけいわせたのだ。

内閣の力が一番落ちているときを狙って、役所主導で進めようという魂胆が見え見えだ。こんな会議をよくも強行したものだ。さらに驚いたことに、第二回は福田内閣総辞職の前日の九月二三日に行った。明日なくなる内閣の大臣ではやる気もないだろう、ということだ。

しかも、第一回の会議はわざとインターネット中継なしで行う。顧問会議から中継せよといわれると、分かりました、といって第二回は中継するというが、当日になると手違いで中継できません、という。結局、中継は第三回からになった。

顧問会議が公開になると、今度はその下にできたワーキンググループを非公開にしようとする。第一回は勝手に非公開にしたが、これもメンバーから異論が出て公開になった。

極めつきは、ワーキンググループのコントロールに失敗すると、ついに役人だけの検討会議なるものを作ったこと。役人だけだからメンバーは誰も公開しろなどとはいわない。内密に検討が進むことになった。すべてがこんな具合だ。

ちなみに、二〇一〇年に話題になった天下りの代わりに現役のまま独立行政法人や政府系機関、民間企業に高齢職員を出向・派遣しても良いことにする案や、窓際の高給スタッフ職の創設などは、官僚だけで行うこの検討会で当時から密《ひそ》かに練られた案だった。しかも、実はそのような検討を勝手にするのはけしからん、といって顧問会議に検討を止められていたにもかかわらず、それを無視して官僚の独断で進められた極秘作戦だったのだ。

ここから分かる通り、公務員制度改革は、密室で官僚に案を作らせては決していけないのだ。基本法とその政令ではっきり決めた通り、顧問会議という公開の場で、国民にすべての議論を公開しながら進めなければならない。公開を役人が嫌がるということは、逆にいえば公開することが効果的だということだ。

政権交代後、民主党は公務員制度改革の案を作ったが、労働基本権の問題を除けば、まさに、密室で官僚が作った案をベースに話が進んだ。なぜ顧問会議を無視するのか。政令で設置が決まっているのに、これを無視した。公開の場でやれば、組合に都合の悪い議論が出てきて、これに抵抗しにくくなるからではないかと思う。これではまともな改革などできない。

民主党の政策決定のやり方はこういう例が多い。誰がどういう権限でどう決めていくのか、はっきりしないことが多すぎた。

事業仕分けがその典型だ。仕分け人がどういう権限でどこまで決められるのかまったく分からないまま、結局、最後はまったく無視されて、どうしようもないという体《てい》たらくである。やはり、法律・政令でしっかり権限と組織を明確化して検討、決定すべきである。

税と社会保障も同じ。自民党政権時代に法定された経済財政諮問会議も法律上は存在しているが、これも活用しなかった。その代わりに、法律に何も書いていない様々な会議や組織が権限等が不明確なまま、重要な政策立案・決定に携《たずさ》わってきたのだ。弁護士の仙谷由人氏や枝野幸男氏など法律の専門家が多い割りに、はなはだ杜撰《ずさん》な国家運営だったといわざるを得ない。

係長が総理の気持ちで作った国家戦略スタッフ

事務局や官邸、さらに与党のなかで、政策論で大きな抵抗があったテーマの一つに国家戦略スタッフ・政務スタッフの創設がある。国家戦略スタッフとは、簡単にいえば、総理が直接任命する自分の頭脳、手足の一部のように働くスタッフであり、いわば総理の分身である。

政治主導、総理主導を実現するといっても、実際は官僚を動かさなければならない。ところが、官邸の官僚は財務省を中心に各省からの出向者の集まりであり、真に総理の意のままに動く集団にはなっていない。基本的には出身の各省の意向に添いながら、官僚の利権を守ろうとする力が働く。これまで政治主導が実現しなかった原因の一つが、この官僚に支配された官邸の存在なのだ。

そこで、これを打破するために、総理を直接補佐し、その頭脳となって政策立案を行い、手足となって官僚を動かすスタッフが一定数、必要となる。そのために、渡辺大臣は、基本法に、国家戦略スタッフを創設すると書き、そのための法律的な措置を三年以内にすることと、スケジュールもはっきり書いた。政務スタッフも、各省の官房が大臣との関係で同じような問題を抱えているので、国家戦略スタッフの各省版として創設しようというものだ。

しかし、これは官僚から見ると極めて危険な仕組みだ。これまで官邸官僚が仕切って、事実上、総理までコントロールしていたのに、補佐役とはいえ、総理が官僚のいうことを聞かない集団を勝手に連れてくるなどということは、自分たちの支配権を脅《おびや》かすとんでもない挑戦だと感じたはずだ。

役人は三年以内といわれると、やりたくないものは三年ギリギリまでやらない。先に延ばしておいて、様々な妨害・策略を行い、三年以内にこの決定を覆《くつがえ》そうとするのである。

私が事務局に着任した直後に行われた会議でも、あからさまに国家戦略スタッフ創設先送り論が幹部から唱えられた。曰《いわ》く、「国家戦略スタッフなどというものは時の総理がどう考えるかということに大きく依存する、極めて政治的な問題である。われわれ官僚ごときがその素案を練るなどということは官の立場を超えた越権行為である。政治主導の考え方に対する不遜《ふそん》な挑戦といわれかねない」……。

しかし、私は真っ向から反対した。「政治主導を実現するためには、総理の力を強くしなければならない。これを後回しにするのは逆にサボタージュといわれる。少なくとも案だけは用意して、いつでも出せるようにしておくべきだ」と。

準備だけはしようといわれると、準備もいけないとはいいにくい。

ただ、国家戦略スタッフを置くといっても、その権限が何か、総理補佐官との関係はどうか、政治家も入れるのか、官僚はどうか、人数はどれくらいか、どのくらいの格の人たちを想定するのか、給与や待遇はどうするのか、といったことはすべて白紙だった。手がかりがほとんどない状態で新しいものを創造するというのは役人がもっとも苦手とするところだ。

私は、厚生労働省から来た係長クラスの若手官僚を担当にした。彼は、「こんなこと役人が考えていいんすかねえ。麻生《あそう》総理はどう考えてるんすかねえ」といいながら頭を悩ませていた。われわれが出した結論は、時の総理が自分なりに官邸の動かし方を考えて、それにふさわしい自前のスタッフを好きなように配置できるようにしよう、というものだ。

人数は政令で決めれば良い。政治家でも民間人でも官僚でも良い。総理が一本釣りで連れてくる。給与は課長クラスから政治家並みまで幅広く設定し、誰でも連れてこられるようにしておく。権限も、総理の命令であれば、事実上なんでもできることにした。

こうしておけば、総理は、まず就任と同時に自分のスタッフをどう揃えるのかということを聞かれるので、制度があって自由に任命できるのに、これから考えますというのでは恥ずかしいから、総理になる前から自分のチームを準備するだろう。また、自分がやりたいこととスタッフの顔ぶれについて説明を求められるだろう。

何をやりたいか分からない総理、自前のスタッフがいないから官僚に頼り切ってしまう総理、成果を出せないことを官僚のサボタージュのせいにする総理、われわれがこれまで見てきたこういうだらしのない総理は出づらくなるのではないか、そんな気持ちだった。

しかし、案ができても、その後がたいへんだった。なぜなら、時の麻生太郎《たろう》総理はまったく関心がないように見えたからだ。普通なら、官僚ではなく政治家が考えればいいのだが、総理周辺にも自民党の行革本部にも、積極的に考える姿勢は見られない。同本部に私が案を提示すると、スタッフというカタカナは良くないという一点では一致を見たものの、内容については、人によって意見はバラバラだった。結局、私が、どんなやり方もできるようにしてありますというと、本気で反対する議員はいなかった。

気の毒だったのは、甘利明《あまりあきら》公務員制度改革担当大臣だ。本来は麻生総理に意見を聞いて決めればいいのだが、当の本人は関心を示さない。かといって、担当大臣が勝手に決めるわけにはいかない。しかし、われわれの上司は甘利大臣だから、私は、「甘利大臣、どうしますか？　決めてください」と何回も迫る。「俺が決めなきゃいけないの？」と恨み節も出た。結局、係長の案をもとに作ったわれわれの案がそのまま法案に入ってしまった。

当の係長氏、嬉しそうな顔をしながらも、複雑な気持ちを吐露した。「古賀さん、本当にいいんすか？　このまま国会に出ちゃいますよ。僕なんかが作ったやつでいいんすか？」

原発事故対応も変えたはずの法案

この法案が通っていれば、民主党政権の総理、閣僚が、自前のスタッフを多数揃えて真の政治主導を行う姿が見られたかもしれない。

というのも、序章に記したように、二〇一一年三月の原発事故対応もまったく違ったものになっていたのではないかと思うからだ。

たとえば、その青写真はこうだ。官邸には、菅総理就任時に、政治家数名、現役・OBの官僚一〇名、学者や会社経営経験者十数名からなる国家戦略スタッフが配置された。いずれも総理が全幅の信頼を置くメンバーだ。

事故発生と同時に総理の指示で、馬淵澄夫国家戦略スタッフをヘッドとする現地緊急対応チームが、通信確保と現場の状況確認のためにヘリで現地へ急行。そのなかには、国家戦略スタッフの経産省官僚OBや、事故と同時に助っ人として呼ばれたGEの元技術者、自衛隊OBなどがいる。原子力安全・保安院からも適切な人材がチームに送り込まれている。

現地で基地局が開設されると、刻々と情報が入ってくる。総理はテレビ会議で原発所長から話を聞く。原子力安全・保安院経由で上がってきた情報と食い違いがあるので確認すると、東電で情報の一部が落とされていたり、誤った解釈がなされていたりしたことが判明した。そこで東電に派遣していた別の国家戦略スタッフに指示して、情報ルートの整備を行わせる。

とりあえず収集した情報を、官邸に残ったスタッフが整理し、官邸官僚と関係閣僚会議を準備する。閣僚と各省幹部が集まって一回目の会議を開催。そこでは最新の情報を共有し、基本方針と政府の対応について議論する。ベントと海水注入を緊急に決定すると、保安院長はその場で保安院に指示を出し原子炉等規制法に基づく命令を東電に伝達する。

総理は会議で、「情報はすべて共有しよう。意見は何でもいってくれ。決定は私が行う。責任はすべて私が負うので、安心して全力でこの難局に立ち向かってくれ」と発言。各省の官僚はどんどん対応策を作って、大臣が官邸の判断を仰ぐ。このサイクルで、迅速かつ果敢な行動が実現する、という具合だ。

もちろんこれは、国家戦略スタッフの使い方の一例に過ぎない。もっと長期的な課題に国家戦略スタッフを使う総理もいるだろうし、日常的にアドバイスを求めるという使い方もあるだろう。いずれにしても、国家戦略スタッフと総理の間の信頼関係はきわめて重要である。国家戦略スタッフは孤立して働くのではなく、総理が官僚を動かすための手足となる必要があるのだ。

鳩山大臣を操る総務官僚

基本法では、人事に関する機能をすべて内閣に集めて、内閣人事局という組織を作ることになっている。

政府には、人事に関連する組織として、まず、第三者機関である人事院、そして総務省の人事・恩給局、行政管理局、さらに財務省の主計局に給与共済課というものがあり、それぞれがバラバラに機能している。これでは、時代のニーズの変化に対応してスピーディに組織を改編し、人員を配置し、もっとも適切な人物を各ポストに就けるのが難しい。

たとえば、産業として衰退してしまった農業を所管する農水省がいまだに巨大な組織を持っていて、局長もたくさんいる。他方で、環境問題の重要性が高まっているのに、まだ環境省の陣容が十分でない——こうした判断を総理がしたとしよう。本来であれば、農水省の組織に大鉈《おおなた》を振るってスリム化し、環境省の組織を拡大する、定員もそれに合わせて増減させる、差し引き余剰人員が出れば、リストラをする。そして、環境省にまだ優秀な人材が少なければ、他省庁や民間から優秀な人材を登用する。これを総理主導で迅速に行うことが必要だ。

ところが、いまはどうなっているか。まず、農水省が自分で自分の組織を切ることは考えられない。組織や定員の査定は総務省の行政管理局がやるが、彼らには常に前年との比較で仕事が増えたか減ったかという尺度しかないので、組織に大鉈を振るうなどということは無理だ。一方で、環境省がたとえば新しい局を作るという要求を行政管理局に出しても、だったら他局を潰せというようなこと（スクラップ・アンド・ビルド）を要求する。各省縦割りでしか査定しないからである。

また、定員を大幅に増やすのもむずかしい。一人増やすだけでも膨大な資料を要求される。

仮に局と課をいくつか作る、あるいは、それと併せて課長補佐、係長、専門職などを置くという要求が認められても、さらに、人事院にお伺いを立てて、その局長は重要な局長か、課長は重要な課長か、補佐は何級か等々、さらに細かい査定を受けなければならない。そして、給料全体は主計局の給与共済課がしっかり査定をしているという具合だ。

しかも、その後に一番重要な人事は各省がそれぞれ勝手に行う。これで、その時々の行政ニーズに即応した組織体制を形成し、しかも適材適所で有能な人材が配置できると考える人はいないだろう。

この点は、民主党も強く批判していて、特に「3M」と呼ばれた松本剛明、松井孝治、馬淵澄夫各氏は国会でもこの問題を取り上げていた。

特におもしろい指摘は、馬淵氏が強調していたが、組織や定員を査定する総務省行政管理局の総括担当管理官（査定の取りまとめを行う筆頭管理職）と、各ポストの重要性を判断して格付けを行う人事院の給与第二課長が、財務省出向者の指定席になっている事実である。馬淵氏は、これに主計局の給与共済課を併せれば、政府の組織・給与を財務省が完全に支配していると指摘し、強く批判したのだ。これはなるほどもっともだ、と事務局員も納得していた。

ところが、これらの機能を一つにして内閣人事局に集めようという至極《しごく》まっとうな考えがすんなり通るほど、霞が関は甘くない。

当初、事務局幹部は、そういう大きな改正は無理だといって、とりあえず、総務省の人事・

恩給局の一部（人事院勧告に基づいて給与法の改正案を作ることなどを行う部局）を移管するだけにしようと画策した。私が、行政管理局や人事院の機能も移管すべき、としつこくいうと、「君は素人《しろうと》だからそんなことというけどねぇ、無理なんだよ。できるはずないんだよ」と抵抗する。しかし、私がいうことは正論なので、面と向かって完全に否定はできない。われわれのチームは関連する機能をすべて移管する前提で法案策定作業を進めた。

総務省はもちろん徹底抗戦だった。当時の鳩山邦夫《はとやまくにお》総務大臣を使って、組織・定員の査定機能移管はダメだというのだ。ところが、マスコミの批判もあって、途中から路線転換を試みる。それは、組織・定員の査定機能だけでなく、たとえば、行政改革全般や行政の情報化の推進のような業務を担当する部局まで一緒に内閣人事局に移管するという案だ。実は、この案は当初から改革推進本部事務局にいた一部の守旧派グループが密かに温めていた案である。

これは何を意味するか――。

総務省は、旧自治省、旧郵政省、旧総務庁が統合されてできた役所だ。統合によって次官ポストは一つになった。その後、旧三省庁で順番に次官を出していたが、旧自治省の力が圧倒的に強く、旧総務庁はもっとも力が弱かった。旧総務庁出身の次官が同庁出身最後の次官になるだろうといわれている。二〇〇七年に退官した旧総務庁グループが焼け太り大作戦を企《たくら》んだというのだ。

つまり、行政管理局を人事・恩給局と一緒に内閣人事局に移管して、そのなかの最大勢力となる。そこで主要ポストを握って、霞が関の人事・組織のクビ根っこを押さえる。すなわち、旧三省庁のうちの最弱部隊が、政府中枢の最重要部局を乗っ取るということだ。

鳩山大臣はこの方針転換にもつき合わされて、甘利大臣と最後まで戦う。一時は他の事務局幹部が私の知らないところでこの案を呑む約束をしてしまい、内閣人事局の名称を「内閣人事・行政管理局」という名前にする案まで自民党に提示され、ほとんど決着寸前まで行ったが、幸い民主党や公明党、自民党の改革派が大反対してくれて、これは頓挫した。

鳩山大臣もお人よしだ。こんな陰謀につき合わされて、まことにお気の毒だと思った。

公務員の「守護神」人事院vs.甘利大臣

もう一つ、忘れられない戦いがあった。

二〇〇九年一月三〇日に開催予定だった国家公務員制度改革推進本部の会議が流れた。同本部は総理を本部長とし、各省大臣が出席して公務員制度改革について議論して政策を決定する機関だ。この会議に谷公士《たにまさひと》人事院総裁が呼ばれた。しかし、谷総裁は、この会議をボイコットしたのだ。

話は二〇〇八年夏以降繰り広げられた人事院の機能を内閣人事局に移管すべきかどうかという論争に遡る。先述した通り、当初から人事院は聖域だというのが事務局幹部の固定観念だった。公務員にはスト権などのいわゆる労働基本権が与えられておらず、とても「弱い」立場に置かれてかわいそうなので、それを補う目的で「中立的な」第三者として、公務員の処遇などを決める機関が必要だということで人事院が置かれている。

ところが、この人事院というのが不可思議な組織で、総裁は元官僚（当時は元郵政省事務次官が渡りの末就任していた。現在は元厚生労働省事務次官）で、事務局は上から下まで全部国家公務員だ。つまり、第三者といいながら、実は公務員が公務員の給料などの待遇を決めているのである。よく、公務員の待遇は一般民間企業に比べて良すぎるのではないかという批判があるが、それは当たり前である。自分で自分の給料を決めているのだから。

しかも、このようなお手盛りの仕組みが、長年の悪しき慣行によって、ほとんど憲法上の要請であるかのごとく聖域に祭り上げられてしまっていた。特に「五五年体制」での自民党と社会党の裏談合時代の名残《なごり》もあり、その仕組みを自民党は、過去に認めてしまっていたのである。その後何回か、その仕組みの変革に挑戦する動きはあったが、結局、何十年もの間敗れ続けていたのである。

あるとき、自民党の行政改革推進本部の幹部会があったが、その席上で世の中では改革派で通っている石原伸晃《いしはらのぶてる》議員ですら、「人事院からの機能移管なんて絶対にできるはずがないよ。僕だってやろうとしたけどできなかったんだよ」と半ば諦《あきら》め顔で忠告してくれた。私は、「それなら、なおさらやらなければ」と、決意を新たにした。

実はあまり知られていないが、人事院が強く反発したのにはもう一つ裏の理由がある。それは、彼らの天下り利権の確保である。人事院は直接、民間企業や団体を所管していないし、補助金や規制の権限も持っていない。従って、普通に考えれば、天下りを民間団体などに押しつけることはできないはずだ。しかし、実際には毎年ちゃんと幹部は天下りしている。そのほとんどは、各省庁の所管団体だ。

先ほど述べた通り、各省は、局長や課長、課長補佐などのポストの重要度を人事院に説明して、その格付けを決めてもらわなければならない。当然のことながら、なるべく格付けを上げて、より高い給料のポストにしたい。各ポストの重要度は本来、各省庁の経営管理事項だが、わが国では労働問題だとして、人事院が労働組合の意向を汲《く》んで決めるのである。

民間企業では、課長ポストの重要度の位置づけは経営者が決めることであって、労働組合と交渉して決めるなどということは考えられない。しかし、公務員の世界では、こういうおかしな仕組みがまかり通っている。

このように、各省庁に対して強力な査定権限を持っているので、人事院から天下り先を要求された省庁は簡単には断れない。省庁側としても、ただで要求を呑むわけではない。当然、見返りとして、査定で手心を加えてもらおうという魂胆だ。いわば、官と官の贈収賄みたいなものである。

さて、自民党内でも厭戦《えんせん》気分が強かったにもかかわらず、甘利大臣は、この悪しき慣行に終止符を打つべく、人事院の査定権限を内閣人事局に移管しようとした。人事院の幹部が天下りできなくなるのだから、たいへんな騒ぎになり、ついには、冒頭に述べた、谷総裁の内閣の会議ボイコットへと展開していくのである。

われわれは、マスコミに丁寧に訴えた。いかに人事院の抵抗が理不尽《りふじん》なものか。その甲斐《かい》あって、中立公正な第三者機関であるはずの人事院に対するイメージは地に落ち、公務員の利権擁護機関だという認識が急速に広がった。

これが、官僚、特に一部の官邸官僚の思惑を打ち砕く。彼らは人事院の谷総裁と結託して、麻生総理を公務員の守護神にしようと企んでいたらしい。甘利大臣ががんばっても、最後は総理のところで急進的な改革を潰そうとしていたというから驚きだ。

しかし、麻生政権はすでに末期症状を呈していた。人事院側に肩入れして、少しでも支持率が下がったらもう致命的だという理由で、結局、官邸官僚の抵抗もそこまでとなり、人事院からの権限移管の案が固まることになった。

私は、この話が決着した後、「谷総裁にはお気の毒なことをしたなあ」と事務局の若手と話していたのだが、「そんなことないんじゃないですか」との答え。皮肉なことに、甘利大臣との大乱闘を演じた谷総裁の霞が関での評判はウナギ上りで、官僚仲間のあいだで英雄となってしまったというのだ。出身省の旧郵政官僚幹部（現・総務省の一部）は、「立派な先輩を持って鼻が高い」といっていたというから、霞が関がいかに世の中と遊離しているのかがよく分かる。普通なら「恥ずかしくて外を歩けない」と思っても良さそうなものだが。

官僚の二枚舌の極み

いままでに挙げたポイント以外にも、守旧派と対立する事項はまだまだたくさんあった。幹部の公募採用を推進するために各省庁に数値目標を設定する義務を課す、若手の幹部候補を内閣主導で育成する、各ポストごとに職務内容や目標等を詳細に定めるジョブ・ディスクリプション（職務明細書）制度を導入すること、などだ。これらについても極めて頑迷《がんめい》な抵抗があったが、常に顧問会議など表で議論することによって世論の支持を集め、ほとんどの事項で、なんとかわれわれの目指す方向にまとめることができた。

ただ、一つ重要な点で骨抜きが行われてしまった。それは幹部公務員の降格に関する規定である。

われわれは、政治主導を実現するには幹部職員を大臣が自由に任免できなければならないと考えた。たとえば、民主党政権誕生のときを思い出そう。民主党は、選挙前には、政権交代したら各省庁の幹部には辞表を出してもらうと勇ましかったが、実際に政権を取ったら、公務員には身分保障があるからそんなことはできないという理由で、それを断念した。その結果、守旧派の麻生政権時代の幹部をそのまま居抜きで使うことになった。民主党の農業政策を厳しく批判していた農水次官もそのまま留任させたのを見て、私も本当に驚いたものだ。

もちろん、いろいろな工夫でこうした事態を避けることはできたと思うが、やはり、政策の方向が変われば当然、幹部の布陣もそれに合わせてごく自然に変えられるような仕組みにしておくことが必要だ。そのためには、幹部の身分保障を外《はず》すことがポイントになる。

サッカーで、監督が代わってチームのシステムを変更するのに、レギュラーを前の監督が選んだメンバーのまま固定する義務を負わせるということは考えられない。政治主導を実現するためには、サッカーの監督と同じことができる権限を閣僚に与えることが必要だ。

われわれはその実現を目指したが、これは守旧派からすれば絶対に認められない点だった。特に、これをいったん認めると、管理職以下にも同様の議論が起きる恐れがある。公務員の最大の特権は、よほどの悪事を働かない限り、クビにならないどころか降格もないし、給料も下がらない点。この強力な身分保障は絶対に失いたくない既得権である。

従って、幹部に限定するといっても、将来、自分たちにも同じ議論が及ぶ可能性を察知した組合も強力に反対したのだ。

実は、これを実現できなかった理由の一つとして、この点に関してだけは、われわれのチームに企画立案の権限が与えられていなかったという点が挙げられる。つまり、最初から、この点はもっとも危ない点だとして、担当をわれわれのチームとせず、隣のチームの担当にしていたのだ。かなり激しいやり取りもあったが、権限上われわれはどうしようもなかった。

彼らは表面的には降格ができるように見える規定を作ったが、実際には、ほとんど使い物にならない規定だった。先のサッカーの例でいえば、重要なことは、前のレギュラーメンバーを外して新しい選手を入れるときに、一々その理由を説明する必要はないという点だ。ましてや、代えられる選手が他のメンバーより劣っていることを立証する責任を監督に負わせるなどといったら、誰も監督を引き受けないだろう。

しかし、彼らが作った規定は、なぜ降格するのか詳細に説明して、その正当性を証明する責任を大臣に負わせていた。こんなことではいつ訴訟になるか分からず、結局、降格の規定は有名無実化するだろうという読みである。

現に担当審議官は、組合に対して、「この規定では滅多なことでは降格できないから心配することはない」といって説得を試みているのを私はこの目で見た。国会答弁では、「柔軟に降格できるんです」というような説明を甘利大臣にしていたのだから、二枚舌にもほどがある。

歴史的偉業になるはずが

以上の通り完璧とはいえないまでも、逆風のなか、われわれはなんとか結束を固め、幾多の抵抗を乗り越え、人事院と総務省の関連する機能を集約し、組織と人事を内閣で一元管理する「内閣人事局」の創設と国家戦略スタッフの創設を柱とする国家公務員法改正案をまとめ上げた。この改正案は、麻生内閣によって二〇〇九年三月、国会に提出された。

内閣人事局の創設は、霞が関の抵抗が強く、当初、絶対に無理だと見られていただけに、改正案は画期的といえるものだった。

ところが、いざ審議を始めてみると、民主党がおかしな動きを始めた。表向きは、前述した幹部の降格が事実上できない仕組み等を批判して、いかにも改革に前向きなふりをしながら、裏で人事院の機能移管を阻止するような妥協案を模索。自民党の守旧派と結託して、大幅に後退した修正案をまとめようとしたのだ。

われわれは、そんな案ならまとまらないほうが良いと思ったが、危うく合意寸前まで行ってしまったようだ。なにしろ、自民党の大半は公務員制度改革には後ろ向きで、そもそも党内手続きの最終段階で開かれる総務会では、居並ぶ長老たちのほぼ全員が反対したのだ。しかし、これを潰したら、ただでさえ支持率の低い麻生政権の評価がさらに下がってしまうからという理由でなんとか通ったという経緯もあったほどで、さもありなんという感じだった。

しかし最後は、民主党の選挙を意識した方向転換で、二〇〇九年八月の選挙を前に廃案となってしまう。中途半端な妥協で成立させても半分は自民党の手柄になってしまう。それよりは、具体的な議論をしないで、麻生自民党には公務員制度改革はできない、民主党がやれば根本から違ったもっと先進的な改革ができる、と国民に訴えたほうが得策だと判断したという。政策よりも政局——今日まで続く流れである。

とはいえ、われわれはさほど落胆していなかった。政権交代の可能性が高まっていたからだ。政治主導、脱官僚、天下り根絶など、抜本的な公務員制度改革に意欲を示す、民主党が政権を握れば、改革は一気に進むのではないかとの期待があった。

仙谷行政刷新大臣の心変わり

二〇〇九年九月一六日、民主党政権が誕生した。

鳩山由紀夫《はとやまゆきお》内閣は当初、期待通り公務員制度改革に意欲的のように見えた。行政刷新担当大臣に就任した仙谷由人氏から組閣前を含めて都内のホテルに三度ほど呼ばれ、彼のブレーンと思われる民間の方々とともに議論した。議論は抜本的な公務員制度改革から始まり、規制改革、独立行政法人（独法）改革などあらゆる改革に及び、これから白紙に絵を描くのだという感じがあり、非常に胸が高鳴ったのを覚えている。

ホテルでの内々の会議では行政刷新会議のメンバーに関しても話題になった。私も意見を求められ、「功なり名を遂げた年配の方ではなく、いま活躍している現役ばりばりの人を入れたほうがいい」という意見を述べ、公務員改革事務局のメンバーにしても同様との趣旨で発言をした。すると、次の会合には行政刷新会議と事務局のメンバーの候補者リストを作って持ってくるよう指示を受けた。

仙谷大臣との接触がほとんどなかった私が今後の改革の土台を決める論議に参加を求められること自体、仙谷大臣の改革への旺盛な意欲を表すものだと私は判断していた。

しかし、その後、仙谷大臣とお会いする機会はなく、私が推薦したメンバーリストもお蔵入りになってしまった。そして一二月、仙谷大臣の判断で、私を含む公務員改革事務局幹部全員が更迭《こうてつ》され、私は経産省に戻された。

この間、仙谷大臣は、私を公務員制度改革の幹部として残したいと発言しているといった噂も聞こえてきたが、あくまで風聞であり、どのような事情があったのか、しかとは分からない。ただ、後のマスコミの報道では、次のような経緯を辿《たど》ったとされている。

仙谷氏は私を補佐官に起用し、改革推進をはかる心づもりだった。だが、霞が関の拒絶感は予想をはるかに超えていた。財務省を筆頭に各省庁は私の起用に猛反発し、仙谷大臣も断念した――このような経緯があったようだ。

とりわけショックだったのは、私の親元である経産省の上層部が反対の意向を示し、陳情を行ったという話だった。

経産省は中央官庁のなかでは、自由な雰囲気で知られている。だからこそ、私のような改革を公然と唱える者も長い間冷たい処遇を受けずに済んでいた。その経産省ですら、私の補佐官起用には拒否反応を示しているというのだから、いかに霞が関全体が私の処遇に神経を尖《とが》らせていたのか、分かろうというものである。

とりわけ省庁のなかの省庁、財務省は、私の補佐官起用に徹底抗戦したらしい。財務省にへそを曲げられると、すぐそこに迫っていた民主党政権初の予算編成は暗礁《あんしょう》に乗り上げ、鳩山政権の命運は尽きかねない。

仙谷大臣が霞が関の圧力に屈したのは、理解できなくもない。予算の編成は毎年、ただでさえ難航するのに、鳩山政権は初めての経験である。しかも、自民党政権下ですでに終えていた概算要求を一度白紙に戻してやり直し、査定をして、一二月に予算案を出さなければならなかった。これをたった三ヵ月でやるには、財務省を敵に回しては無理である。現実的な選択肢を取ったのだろう。

私の受けた感じでは、仙谷氏が改革に燃えていたのは、明らかだった。気分的にも高揚していて、なんとエネルギッシュな人だろうと、感嘆したほどだった。私の人事に関しても本意ではなく、財務省に対しては「いまに見ていろ」と思っていたのではないか。

仙谷氏は小沢一郎《おざわいちろう》幹事長とも折り合いが悪く、鳩山政権では、いわば外様《とざま》の身だ。あの頃は、一人で戦うのはまだ無謀だと考え、捲土重来《けんどちょうらい》を期していたと思われた。

だから、私は更迭されても、決して落胆していなかった。いずれは思い切った展開になるだろうと微かな希望は持ち続けていた。しかし、希望はすぐに失望へと変わっていく……。

第二章　公務員制度改革の大逆流

民主党の限界とは何か

親元の経済産業省に戻された私に、とりあえず用意されたのは「経済産業省大臣官房付」という肩書である。「官房付」は次のポストが決まるまでのいわゆる「待機ポスト」で、いわば「閑職《かんしょく》」だ。私のようなケースでは数ヵ月以内に、どんなに遅くとも次の夏の定期異動で然《しか》るべきポストに就くのが普通だが、後に述べる通り、夏になっても私には新たなポストは与えられなかった。

その間、二〇〇九年一二月に改革派が事務局から一掃されて以降、公務員制度改革推進の歯車は完全に止まり、逆回転を始めたようだった。それをはっきりと確認できたのが、鳩山政権が国会に提出した政府案だった。

「政治主導」を掲げて船出した鳩山政権は、事務次官会議廃止、行政刷新会議・国家戦略室の設置など具体策を矢継《やつ》ぎ早《ばや》に打ち出していたが、二〇一〇年二月に出された国家公務員法改正に関する政府案の中身は、二〇〇九年の麻生政権下での改正案から大幅に後退し、われわれの作った改革案は完全に骨抜きにされていた。

この政府案を一言でいえば、縦割り・省益優先の人事を、政府全体の利益を目指す内閣主導の幹部人事に変革するにあたって、改正を必要最小限にとどめた内容だった。

具体的には、各省ごとに行われていた幹部職員（部長職以上約六〇〇名）人事について総理

（実際には官房長官）が候補者名簿を作り、リストのなかから各省大臣が総理・官房長官と協議したうえで、任命する。そのサポート組織として内閣官房に人事局を置くというものである。これは、大筋において麻生政権下でわれわれが取りまとめた法案と同じで、目新しい提案ではない。

民主党政権に私が期待していたのはその先である。幹部職員を企業の取締役並みに入れ替えられるようにする新制度が必要だ。時代のニーズに合わせて組織・人員を迅速《じんそく》かつ大胆に配置替えするために、人事院や総務省から組織や定員に関する権限を内閣官房に移すべきである。これは先に紹介した通り、二〇〇九年、自民党政権下で甘利明行政改革担当相が谷公士人事院総裁と大バトルを繰り広げた末に、われわれの改正案に盛り込まれていたのだが、鳩山政権の政府案からはすっぽり抜け落ちていた。

さらに政府案では、リストラを推進するために、総人件費管理を内閣官房が中心になって決める規定も削除された。明らかに財務省に気を遣っている。もちろん、天下り規制の抜本強化も入っていなかった。

すなわち政府案には、必要とされる改革のごく一部しか盛り込まれていなかったのだ。この時点で、仙谷大臣らも結局、改革路線に戻ることはなかったと私にもはっきり分かった。

唯一、実質的な進歩があったのは、様々な条件を付与して幹部職員の降格が事実上できない規定となっていた自民党案に対して、政府案は事務次官から局長、部長までを一つの職階（クラス）とみなすことにより、次官を部長に落としても、同じクラスのなかでの横滑りだから公務員の身分保障の規定に抵触しないという理屈で、実質的に降格可能にしていた点だ。

前にも述べた通り、政治主導の実現には幹部の人事を降格を含めて柔軟に行えるようにする必要がある。民間人や若手を登用して官民の文化を融合し、その時々のニーズに対応した組織を作り、もっとも強力な幹部の布陣にできるようにするためには、前任者たちを自由に降格できるようにするしかない。身分保障でいつまでも居残れるというのでは、こうした人事ができなくなるのである。だから、この民主党案は、ややまどろっこしいやり方ではあるが、麻生政権の改正案よりは一歩前進ではあった。

だが、依然として幹部を課長に落とすといった大胆な降格は厳格に制限されるため、全体としては、幹部職のポストが空かず、本来目指したはずの若手や民間人の登用にはつながらない内容でしかなかった。

課長にまで降格させると、そのすぐ下の課長補佐にまで影響が及びかねない。それでは組合がおさまらない。組合への遠慮がここでも改革の障害になっている。民主党の限界が見えたといってよいだろう。

一人の官僚を切れば五人の失業者を救える

私は鳩山内閣の政府案を見て愕然《がくぜん》とし、焦燥感を募《つの》らせた。とても政府に危機感があるとは思えなかったからだ。重要なのは、今回の改革が平時のものか、非常時のものかという認識である。

日本の国家財政はぎりぎりの状態にある。企業にたとえれば分かりやすい。いま日本が置かれているのは、企業でいえば一時的赤字の段階ではなく、構造的赤字で、借金返済の目処《めど》が立たず、しかも本業の稼ぎも向上の見通しが立たない状態。民事再生や会社更生の申し立てを検討する段階である。

企業の再生時には、一時的経営悪化時とはまったく異なる大胆な改革が必要となる。経営陣の退陣や外部人材の投入で、すべてのしがらみを断って非連続的改革を行う。と同時に、並行して内部の中堅・若手を抜擢し、改革業務をリードさせる。信賞必罰を徹底し、年功序列が能力主義に改められる。

さらにもっとも特徴的なのは、ウェットな風土の日本企業でも、再生段階ではドライに大胆なリストラが実施されるという点だ。かつてのダイエーや現在の日本航空で行われていることである。東京電力でも必要になるだろう。生きるか死ぬかの瀬戸際で生き残るためには、事業の選択と集中が必要になり、余剰人員は役員や管理職ポストとともに大幅削減される。

翻《ひるがえ》って公務員はどうか。国家には通常、破綻《はたん》は想定されておらず、公務員は「身分保障」で守られている。だが、日本の国家財政は火の車で、さらに年々借金が積み重なり、成長のための投資もままならない。

破綻を回避するためには、無駄な歳出削減と成長力アップによる税収増をはかる必要がある。それでも足りなければ増税も避けて通れない。

実は、歳出削減、成長力アップ、増税、これらのいずれも公務員のリストラなくしては実現しない。歳出削減を徹底すれば当然人も要《い》らなくなる。事業仕分けは単なる政治ショーで終わっているが、本来はここで明らかになった無駄を排除するのと併せてリストラも実施することが必要だ。無駄な人員を温存していてはなんのための仕分けか分からない。

成長力アップは役人にはもっとも難しい課題だ。省益のことしか考えてこなかった各省庁の幹部の頭からは、過去の延長線上にあるありきたりのアイデアしか出てこない。まったく新しい発想で大胆な政策を打ち出すには、若手と民間人の血を入れて、新しい政策イノベーション文化を創造していくしかない。そのためには年寄りの官僚の既得権を奪い、新しい波に乗れない人たちをまとめてリストラしなければならない。

さらに、増税を求めるには、官僚自ら血を流す姿勢を示すことが不可欠だ。日本株式会社を運営する社員たる公務員が、自分たちはなんの痛みも受けず、大幅増税を求めても、株主であり、債権者でもある国民は、到底つき合えないということになるのは明らかだ。

すなわち、今回の公務員制度改革は平時ではなく、危急存亡の非常時の改革として実行されるべきで、これまでタブーとされてきた公務員のリストラも不可避なのだ。

消費税増税だけでは財政再建はできないが、日本国民は悲しいまでに真面目《まじめ》だ。消費税増税はもはややむを得ないと思い始めている。しかし、仮に国民が増税を覚悟しているからといって、将来の絵も描かないまま、「当面」一〇パーセントなどという無責任な増税を認めるほど国民もバカではない。いかに増税幅を抑えるかを真剣に考えなければならない。

そのためには、増税の前に徹底的に行政の無駄を省《はぶ》き、無駄な歳出を大幅カットする、成長の足かせになっている様々な既得権にメスを入れ、将来の経済成長の基盤を作る、といった改革が必要だ。それができなければ、財務省の増税による財政再建路線で消費税三〇パーセントを目指すことになるだろう。もちろん、そんなことをすれば消費は大きく落ち込み、日本経済が破綻するのは明らかである。

「身分保障」の美名のもと、仕事がなくなった人を増税で雇用し続けることは許されない。時代についていけない幹部官僚を守り続けることは最早《もはや》、犯罪といってもいいだろう。

高給取りの年寄り公務員を削減すれば、多額のおカネが浮く。キャリア組だけでなく、ノンキャリア組も含め、五〇歳前後の公務員は、優に一〇〇〇万円前後の年収を得ている。一方で、年間二〇〇万円の支援があれば、命を助けられる民間失業者はたくさんいる。仮に一〇〇〇万円の高給を取っている高齢職員一人をリストラすれば、病気や失業で苦しむ国民、五人が救われる計算になる。

極論すれば、官の失業者一人を助けるか、民間の失業者五人を助けるかという設題だ。

こういうと、われわれにも生活があると大半の公務員は反論するだろうが、公務員は世間相場より高い給与をずっと支給されてきた。都心の一等地の官舎にただ同然で住み、その間ゆとりを持って貯金できる。蓄えは民間人より多いだろうし、高額の退職金も出る。急場は凌《しの》げるはずである。贅沢《ぜいたく》をいわなければ、再就職の道がまったく閉ざされているわけでもない。

リストラは無闇に行うべきではないが、現在のように、官と民両方を救う財源はなく、公務員を助けるか、一般国民を助けるか、二者択一を迫られている状況下では、当然、一般国民を優先すべきだ。

しかも、単にリストラができるというだけでなく、若手や民間人の登用によって、これからの思い切った改革の推進体制を整えることもできるのだ。国民のために働きたいと望み、公務員になった者には十分理解できることである。

ところが、霞が関の大勢はそうではない。既得権益を守るため、改革に頑強に抵抗している。そのうちにも、日本の病状は臨終《りんじゅう》の間際《まぎわ》まで進む……。

鳩山内閣の政府案は、衆議院通過後、会期切れで結局、廃案となったが、強い危機感と焦燥《しょうそう》感《かん》を抱いた私は、いま記した内容を含む早急な改革の進展を訴えた論文を、『エコノミスト』(二〇一〇年六月二九日号、同二一日発売)にあえて実名で寄稿した。同誌がつけたタイトルは、「現役官僚が斬る『公務員改革』 消費税大増税の前にリストラを」だった。

この論文は霞が関、永田町に大きな波紋を広げた。

……というより、大激震が走った。

役人の既得権を拡大させた「基本方針」

実名で政府の公務員制度改革案を批判すれば、どのような仕打ちが待っているか、私にもある程度は想像できた。それでも論文を書き発表したのは、政府案の提出と並行して看過できない措置が進められようとしていたからだ。二〇一〇年六月、国家公務員の「退職管理基本方針」（総務省案）なるものが発表された。

その内容が実に噴飯《ふんぱん》ものだった。天下り根絶に伴う処遇ポスト確保のための処置としていたが、実態は、高齢官僚が望む年功序列の昇進・昇給システムと、天下りに代わる既得権維持策でしかなかったからだ。百歩どころか、改革の時計の針を一気に戻す内容である。

まだ総務省案の段階だったので『エコノミスト』の論文でも、個々の論点を詳しく論じることはできなかったが、改革に向けた時計の針を逆回転させようとする、こうした政府内の動きをとにかく広く国民に知ってもらいたい、その一心でこの論文を実名で公表したのだった。

私が憂慮していた事態が現実になったのは『エコノミスト』発売の翌日、六月二二日である。鳩山内閣から政権をバトンタッチされた菅直人《かんなおと》内閣が、この日、「退職管理基本方針（以下「基本方針」と略す）」を閣議決定してしまったのだ。

「基本方針」は安倍政権時代に改正された国家公務員法のなかで禁止された「天下り」の斡旋の禁止措置をあからさまに骨抜きにする内容だった。

「基本方針」では「天下りのあっせんを根絶し」と従来の方針を謳《うた》っている。だが、内容を検討すると、謳い文句とは裏腹に、事実上の天下りを容易にする方法と、出世コースから外れた官僚の処遇ポストが用意されることになっている。

具体的に「基本方針」のどこが問題なのか——。

第一に独立行政法人（独法）や政府系の企業への現役出向、民間企業への派遣拡大の容認である。現役出向や民間企業への派遣拡大はどこに問題があるのか、俄《にわ》かには分かりにくいかもしれない。

中央官庁では六〇歳の定年を迎える前に、各省庁の大臣官房が中心となり、再就職先を斡旋してきたが、安倍政権での国家公務員法改正で、省庁による斡旋行為が禁止された。官民の癒《ゆ》着《ちゃく》を防ぐとともに天下りポスト維持のための膨大な無駄をなくすという観点から、これは極めて妥当な改正だった。

ところが菅政権は、国家公務員法で禁じられているのは定年前の「勧奨退職」に伴う天下り斡旋であり、中高年の現役職員が公務員の身分を維持したまま出向したり派遣されるのは、これに当たらないとした。その結果、天下りは有名無実化するどころか、これまで以上の官民癒着につながる恐れさえある。

なぜか——。天下りが問題視されるのは、省庁による民間企業への押しつけ人事が行われたり、あるいは天下り先との不明朗な関係を生み、結果的に膨大な無駄が生じたり、おかしな規制が生まれたりするからだ。この現象は、公務員が退職しているか現役であるかにはかかわらず、官庁の斡旋であれば起こり得る。

いや、現役の出向のほうがＯＢの天下りより悪質だ。受け入れ側の心理から考えてみよう。現役の役人を受け入れた場合、受け入れた企業や団体はこう思う。

「この人は現役の官僚だから、省内には友人も後輩もたくさんいる。この人が出世しないとしても、無下《むげ》に扱うとリスクがありそうだから、きちんと処遇しよう」

しかし、反面こう思う。

「役所から出されたぐらいだから、さほど優秀ではないだろう。役には立たないだろうな」

実際、有能な官僚なら省内に残す。しかし受け入れ側は、役には立たなくても待遇はきちんとしなくてはならなくなる。

一方、押し込んだ官房長はどう思うか。

「優秀な役人ですからよろしくといったものの、向こうは信じていないだろうな。なぜ、そんな優秀な人間を出すのかという顔をしていたものなあ」

受け入れてくれた会社に悪いと思い、恩義を感じる。

「あそこが受け入れてくれたおかげで人事がうまく回った。そこに行った彼も喜んでいたし、あの官房長は一生懸命、面倒を見てくれると、評判も良くなった。次官も見ていてくれるだろう」

この両者の心理が、肝心なときにどのように作用するか。たとえば、経産省が規制改革の議論を進めている最中に、受け入れ先の社長が事務次官に時候の挨拶にやってきて、官房長が同席したとしよう。

事務次官に社長が白々しくも礼をいう。

「お宅から出していただいた○×さん。たいへんよくやってくれています」

そばで聞いていた官房長はその途端ドキッとして、「いや、こちらのほうこそ、お礼申し上げないと。たいへん良くしていただいているそうで」とお愛想をいう。

官房長の心のなかを見透かしたように社長が話し始める。

「最近、世の中が騒がしいですなあ。お宅の審議会では規制改革に関して議論が進んでいるようで。うちのほうでも独自に調べてみると、いろいろ問題が出てくるようです。事業にもかなり影響するという報告もありまして。ただでさえ、厳しいご時世なのに、たいへんですわ」

お宅の人間の面倒を見て、能力の割りに高い給料を払っているのに、規制緩和などやられたら、何のために受け入れてやったのか分からないと、言外に匂わせる。

こういう会話が交わされると、規制改革の矛先《ほこさき》が一気に鈍る。

高齢の官僚に年収千数百万円を保障

序章で触れた東電と規制官庁である経産省、その外局の資源エネルギー庁や原子力安全・保安院との関係はその典型である。

「想定外」といわれた津波による全電源の機能停止。実は、そうした不安は以前から指摘されていた。そのような指摘をいちいちまともに取り上げて規制を強化しようとすれば、東電はじめ天下りを送り込んでいる電力各社との関係が悪くなる。世論の厳しい批判が出て初めて、東電がやむを得ないと思うまでは、規制強化は先送りしようということになってしまったのだろう。

これは意図的に行われたというより、官僚の本能として無意識のうちに行われたのかもしれない。従って当事者たちは、まったく罪の意識がなかった、という推測も十分に成り立つ。それくらい根が深い問題なのだ。

しかも、何代にもわたって天下りを送り込んでいる場合は、前述したような現実のやり取りが行われなくても、阿吽《あうん》の呼吸で意思疎通が行われているのが普通だ。

OBの天下りでも同じような事態が起こり得るが、現役出向のほうが癒着の構造を生みやすい。景気が悪くて業績が落ち込んだ企業が、天下りOBの給与を下げることはよくある。この場合、OBが官房長に文句をいってきても、「民間なんですから、我慢してください。いいときもあるでしょうから」と、やんわり返して納得させることもできるが、現役だとそうはいかない。

出向者から「役所にいれば、もっともらえるはずだ。役所に戻して欲しい」といわれると一言もなくなる。だから受け入れ側の企業は、いくら給与を下げたくとも、役所の水準以下には落とせない。

役所から見れば、OBより結びつきが強い現役のほうがきちんと面倒を見なければならないし、受け入れ側からすれば、現役の待遇に気を遣うという意識が働き、癒着の構造になりやすいのだ。

にもかかわらず、「基本方針」では「公務員時代の専門知識を民間で活用する」「官民との交流を深める」との美名のもと、中高年職員の実質的天下りが推奨されている。

「基本方針」にはもう一つ大きな問題点がある。独立行政法人の役員ポストに関してである。独法の天下り役員ポストについては二〇〇九年秋から公募が義務づけられていたが、現役出向で就く場合は、公募しなくても良いと改悪された。

私には、これを正当化する理由が見当たらない。政治主導で所管大臣が独法役員を選任するという仕組みだから、公募はせずとも良いというのが改正の唯一の理由らしいが、どう考えても、政治主導を隠れ蓑《みの》とした官僚の利権拡大としか思えないからだ。

第三の問題として高位の「専門スタッフ職」の新設。霞が関では、従来から出世コースを外れた課長職以下のために「専門スタッフ職」が設けられているが、これはその上位版である。この処遇によって、高齢のキャリア官僚は幹部並みの年収千数百万円が保障されることになると予想される。これまた官僚の既得権拡大と見られても仕方がない。

芸術の域に達した官僚のレトリック

「退職管理基本方針」が菅政権によって閣議決定された後、矢継ぎ早にこれを具体化するための措置が講じられた。実際のところ、「基本方針」だけを読んでも具体的に何が起こるのか、普通の人にはまったく分からない。表現が抽象的で、しかも大事なことはほとんど何も書いていない。すべてが映画の予告編のようなものだ。いや、それよりはるかに分かりにくい。

これは、後ろめたいことを官僚が画策するときの常套《じょうとう》手段だが、今回はそれが極めて徹底している。全体として見ると、巧妙に仕組まれた総合的な官僚の既得権維持拡大の策略が、一つの措置を、あえていくつかの文書に分けて行われている。さらに発表の時期も、選挙前のどさくさのときやお盆休み中というように、気づかれにくいときを選んで行われている。

たとえば、現役出向については、「基本方針」ではほとんど具体的なことは書かれていないが、参議院議員選挙直後の七月二二日には具体的な政令が発表される。政府系の企業や団体に出向した期間も公務員として働いていたのと同じように退職金の算定対象となるよう政令が改正され、出向可能な企業が追加されたのだ（96ページの表参照）。

この表を見れば一目瞭然。要するに、従来から各省庁が天下りを送り込んでいた企業・団体がリストアップされているのだ。天下りできなくなったから、その代わりに現役のまま行けるルートにしたというまやかしである。

◎現役出向法人として追加される法人について（退職手当法施行令）

	役員	職員＋役員	職員のみ
警察庁	(民)自動車安全運転センター		
総務省	(民)危険物保安技術協会 (民)消防団員等公務災害補償等共済基金 (特)日本電信電話株式会社 (特)東日本電信電話株式会社 (特)西日本電信電話株式会社 (特)日本郵政株式会社 (特)郵便事業株式会社 (特)郵便局株式会社		
財務省	(特)株式会社日本政策投資銀行 (特)輸出入・港湾関連情報処理センター株式会社		(認)日本銀行
財務省 農林水産省 経済産業省	(特)株式会社日本政策金融公庫		
農林水産省		(民)漁船保険中央会 (民)漁業共済組合連合会 全国土地改良事業団体連合会	
経済産業省 財務省	(特)株式会社商工組合中央金庫		
経済産業省	(民)高圧ガス保安協会 (民)日本商工会議所 原子力発電環境整備機構	(特)日本アルコール産業株式会社 (民)全国商工会連合会 (民)全国中小企業団体中央会	(民)日本弁理士会
国土交通省	(特)首都高速道路株式会社 (特)阪神高速道路株式会社 (特)成田国際空港株式会社 (特)本州四国連絡高速道路株式会社 (民)軽自動車検査協会 (民)日本小型船舶検査機構 (特)関西国際空港株式会社 (特)北海道旅客鉄道株式会社 (特)四国旅客鉄道株式会社 (特)九州旅客鉄道株式会社 (特)日本貨物鉄道株式会社 (特)東日本高速道路株式会社 (特)中日本高速道路株式会社 (特)西日本高速道路株式会社	(特) 東京地下鉄株式会社	
環境省	(特)日本環境安全事業株式会社		

(特)：特殊法人（特殊会社)、(認)：認可法人、(民)：特別の法律により設立される民間法人

しかし、この表自体は記者発表では公表されていない。後に国会の議論で自民党の河野太郎議員が指摘して初めて国民が気づいたものだ。現に発表翌日の新聞では小さな扱いだった。毎日新聞の三沢耕平《みさわこうへい》記者だけがこれに気づいて大きく扱った。マスコミの質にもかなりの差がある。

これによりNTTグループや日本郵政グループ、JR、高速道路会社などへの出向は、公務員在籍と同じと見なされる。

さらに驚いたのは、民間企業への派遣に関する人事院規則の改正だ。わざわざお盆休み中の八月一六日に発表した。本当によくやるなあと溜め息が洩れた。

内容も凄まじいものだ。これまで部長・審議官以上の幹部は所属する官庁の所管業界へは派遣できなかった。つまり、国土交通省の審議官をゼネコンに派遣することはできなかった。当たり前だろう、と誰もが思う。ところが、省の所管企業であっても、たまたまそのときに所属している局の所管業界でなければ派遣しても良いと改められた。つまり、経産省の経済産業政策局の審議官を経産省所管の自動車会社に派遣しても、局が違うからOKだというのである。

局長級は従前のルールと変わらないものの、部長・審議官は、直接担当する局と分野が違えば、その省が所管する民間企業にいくらでも派遣できるようになったのだ。

驚きはさらに続く。規則の改正はここで終わるのだが、なんだかよく分からない運用の規定というものが規則改正の後に続く。よく見ると記者発表の表題が「……規則の一部改正等について」と「等」がついている。つまり規則改正以外にも実は大事なことがあるんですよ、と暗に示しているのだ。

では、この「等」の部分で何が認められたのか。なんと、民間企業への派遣終了後に、派遣されていた企業への再就職が認められてしまったのだ。役所に戻って定年退職した後なら再就職できるという……。

ここで、これまでの天下りの仕組みについて簡単におさらいしておこう。

キャリア官僚は課長までは概《おおむ》ね同期横並びの年功序列で昇進する。しかし、課長の上のポストである審議官や部長ポストは数十しかなく、最近は必ずしも全員が昇進できるわけではない。その上の局長ポストはさらに数が少なく一〇程度である。そこで、これ以上出世できなくなると、その時点でいわゆる肩たたきが行われる。間引きである。

もちろん、そのときに再就職先を役所が斡旋してくれる。通常受け入れてくれるのは、その役所の所管の独立行政法人や公益法人、それに所管企業である。

行き先では通常、退職時の給料の水準を維持してくれる。さらに、七〇歳前後までいくつかの団体・企業に再々就職（いわゆる「渡り」）を世話して、いわば一生面倒を見るのが暗黙のルールになっていたのだ。

ところが、安倍内閣のときにこの天下りの斡旋を禁止する法律改正があった。そのときから、実は官僚は、その規制強化をなんとかして骨抜きにできないかと各種の策を準備し、今日まで虎視眈々とその実現の機会をうかがっていたのだ。その一つが先ほど解説した現役出向制度。これは主として独立行政法人や政府系の企業・団体に出す場合の仕組みだ。

それと並ぶのが民間企業への派遣である。民間への官僚の派遣は官民交流法という法律で認められたものだが、この目的は主として若手官僚を民間に派遣して民間のノウハウを身につけさせ、それを役所に戻ってから活かして、たとえば業務の効率化などに貢献させようというものだ。従って、五〇歳を過ぎた官僚を民間企業に派遣するのは法律の本来の目的に違反しているから違法だといっても良い。少なくとも法の目的には合っていない。

そのため、普通なら法律の目的を改正して、かつ幹部を派遣したら生じるであろう弊害を防止するための厳しい規制を入れるなどの措置が必要なはずだ。しかし、そんな法改正をしようとしたら国会で議論が紛糾して、とても通らない。そこで、そういう問題にはほおかむりしたまま、民間に幹部級を派遣するという法律違反の行為をやってもいいですよということだけ、極めて抽象的な形で先の「基本方針」に入れ、閣議決定させてしまう。次に、閣議決定に書いてあるからという理由でその具体策を政令や人事院規則で決めるという、まさに天地の順序をひっくりかえすような詐術を弄《ろう》しているのだ。

天下り天国が生んだ原発事故

さて、ここで、新しい、民間派遣を使った天下り規制の脱法策を説明しよう。

たとえば、経産省の幹部級職員A氏が五四歳で東京電力に現役のまま派遣される。A氏は長年、電力行政に携わってきたが、過去二年間は経済産業政策局の審議官を務めており、電力業界所管ではないので、こうした派遣が許されてしまう。給料は最低でも現在の水準が維持され、東電に支払ってもらう。その分役所の負担はなくなる。派遣期間は原則三年以内だが、理屈をつけて五年に延ばすことができる。

その間、派遣されたA氏は東電のためになるように経産省とのパイプ役として汗をかく。その甲斐《かい》あって、A氏と東電の間で退職後は東電に再就職するという密約がなされる。五年経って経産省に戻ったA氏はほどなく六〇歳を迎え定年退職する。その際、五四歳からの五年間の分も加算された多額の退職金を受け取る。そのまま先の密約の通り東電に再就職し、五年から一〇年程度高給をもらって余生を送るということになる。

むろん、企業もただでは受け入れない。これまでしばしば問題になったように、送り出す官庁側は何らかの「お土産《みやげ》」をつける可能性が高い。それでなくとも、親元の官庁と直接つながっている現役官僚が出向するのだから、OBの天下り以上に官民癒着が進みかねない。公共事業官庁なら違法な官製談合を誘発する結果にもつながる。

これで終わりかと思うとそうではない。さらに細かい細工がしてある。

先述のケースは定年退職の例だ。では派遣企業から戻った後の勧奨退職や自己都合退職のときはどうか。そんな場合も認めていたら、まさに定年前の肩たたきに伴う天下りとまったく同じことが起きるから、さすがにこれはしてはいけないというような規定が書かれている。しかし、さらに良く見ると、非常に小さな字で、そのような場合も一定の要件を満たせば派遣先の企業に再就職して良い、と書いてある。しかもこの一定の要件が抽象的で、どうにでも解釈できる内容なのである。

これでは、結局なんでもありだ。実際には、そういう建て前で、裏で役所が動くということにもなるだろう。

読者のみなさんもうんざりしてきたかもしれないが、もう一つ、誰も気づいていない細工がある。ここまでやらせてもらえればもう何もいらない、と思うのは凡人である。官僚はさらに念には念を入れる。

「退職管理基本方針」が閣議決定された二〇一〇年六月二二日。同じ閣議で「人事管理運営方針」なるものが閣議決定されている。毎年若干《じゃっかん》の微修正はあるが、ほとんど同じような内容のものが決定されるので誰も関心を持たない。二〇一〇年もまったく報道もされなかった。しかし、私はこれを眺めていておかしなことに気づいた。それは官民交流に関する部分だ。極めて巧妙に書いてあるのでなかなか分からないが、そこまでやるかと呆《あき》れるというか、もはや「あっぱれ」という感さえ抱いた。

民間企業に天下りの代わりに職員を派遣できるといっても、それはあくまでも企業側が希望した場合だ。そう考えると人事当局は少し心配になる。たとえば、人事課長が使えない職員のリストを持って企業回りをして、なんとか派遣を受け入れてもらえないかと頼むときに、「そんな押しつけみたいなことをやるな」と非難される可能性がある。マスコミに告げ口されたら困る。

役人はマスコミの批判を極端に恐れる。特に天下り関連では、自分に後ろめたい思いがあるからなおさらである。従って、先のような批判めいたことをいわれないような免罪符が欲しい。そこで、「人事管理運営方針」に、「民間との間の人事交流については、官民のネットワークによる連携・協力関係の下で、企業・府省間の交流希望情報の交換等を行うなどにより、『官から民』、『民から官』の双方向の推進・拡大に努める」と書いた。何かいわれたら、「閣議決定されたので、それに従って情報提供するためにわざわざ来たんですよ」といい逃れることができる、ということだ。

役人はそこまでやる。逆にいえば、役人は、「そこまでやっても現在の政権は許してくれる」、そう思っているということである。

ここで強調しておきたいのは、こんな細かな細工を施《ほどこ》して国民の目を欺《あざむ》くことは、官僚にしかできない、ということだ。普通の人には絶対に分からないだろう。その証拠に、これらの問題点をまとめて一つの陰謀だと見抜いたマスコミの報道は、いまだ目にしたことがない。

民主党政権は、この官僚の暴挙を容認したことで完全に霞が関に甘く見られることになったのではないかと思う。

二〇一一年一月に元資源エネルギー庁長官が東京電力に直接天下りするという大事件が起きたのはすでに述べたが、こんなことを経産省の官僚にやすやすとやられるようでは、この先何が起こるのか……。やりたい放題の天下り天国が復活することだけは必至である。その構造が、原子力安全・保安院を傘下に持つ経産省と東電の癒着と、二〇一一年三月の東日本大震災による福島原子力発電所の大事故につながったのだとしたら、国民不在としかいえない。

「公務員だけ先に定年延長」という企み

もう一つ、ほとんど問題視されていない公務員特権拡大の策略がある。それは、公務員だけは定年を六五歳に延長しようというものだ。共済年金の支給開始年齢が六五歳に引き上げられるのに合わせて、無年金期間の発生を防ぐためである。

一般の国民も同じ問題に直面する。そこで、政府は、民間企業に対して、①定年廃止②定年延長③再雇用制度導入という三つの選択肢を示して対応を促している。しかし、民間企業の経営は苦しいから、定年の廃止や延長は極めてむずかしい。そこで、大半の企業は、かろうじて再雇用制度を整備してなんとか対応しようとしている。つまり、一度定年退職してもらって、再雇用契約を結び、定年前の半分、ときには二割とか三割という低い水準の給料で我慢してもらい、なんとか雇用を継続しようというものである。しかも中小企業などでは、それさえままならぬというところも多い。

人事院は公務員の待遇について、何かといえば民間準拠という。民間並みにしろというのだ。

しかし、民間準拠とはいっても、どう見ても公務員のほうが民間よりもはるかに待遇がいいと思われる点がある。それは公務員宿舎だ。都心の一等地に格安賃料で入居できる。民間企業でも一部の大企業にしかできない処遇だ。しかも、幹部職員になっても公務員宿舎に居座り続けている人たちもいる。民間なら、管理職になれば出てくれといわれるケースが多いのだ。

この際、管理職以上は全員、官舎から退去してもらって、すべて売却したらどうだろうか。売却収入は全額、震災復興対策に充てればいい。通常なら強い抵抗があるだろうが、家を失った人たちの仮設住宅建設のためだと考えれば、まさか反対する人がいるとは思えない。

本題に戻るが、驚いたことに、二〇一〇年夏に出た人事院勧告に付属する報告書では、ほとんど理由らしい理由もなく、公務員については（再雇用ではなく）定年を延長すべしと書いている。しかも、その具体的スケジュールにまで言及する念の入れようだ。

こんなお手盛りが許されるのだろうか——。本当に悲しい気持ちになるのは私だけではないだろう。

民主党マニフェストの大欠陥

民主党政権の脱官僚、天下り根絶を掲げた改革が、なにゆえこのようなおかしな方向に迷い込んだのか。

その最大の原因は民主党のマニフェストの不備にある。マニフェストでは、公務員の天下りを全面禁止し、定年まで働けるようにするとしているが、これを普通に実施すればどうなるか。高齢者が滞留し、人件費は増加する。現に総務省は、人件費は二割増加すると試算している。

一方、マニフェストでは総人件費の二割削減も約している。仮にこの二つの公約を本当に実現しようとすれば、給与と人員、両面での大幅カットが避けられない。たとえば、人員で一〇パーセント、給与で一〇パーセント程度のカットが必要になるわけだ。

ところがマニフェストでは、給与のことは書いてあるにもかかわらず、「労使交渉を通じた給与改定」としかいわず、あえて「下げる」という言葉を避けている。定員も「見直し」としかいっておらず、ここでも「削減」という言葉は用いていない。民主党の有力支持団体である官公庁の労働組合に遠慮したとしか思えない。

こうしたごまかしを放置したまま見切り発車したため、高齢職員のポスト不足と人件費の増加が差し迫った問題となった。それでも政府が、政治主導で強いリーダーシップを発揮して、人員と人件費カットに踏み切れば、問題はない。ところがその肝心な政治主導が、天下り緩和だけでなく、様々な面で後退している。

霞が関は、自民党麻生政権時代から、中高年公務員の既得権維持策を熱心に検討していた。

現在進行している天下り規制の緩和などの改革逆行策は、そのときの検討結果に添っている。官僚主導といわれた自民党時代でさえ、官僚は批判を恐れてこの検討結果を棚上げにしてきた。民主党政権になれば、なおさら実現はむずかしくなるだろうと誰もが思った。にもかかわらず、官僚に都合の良いお手盛り政策が公然とまかり通っている。民主党政権は霞が関に屈したという他はない。公務員制度改革を、内向きの論理で凝《こ》り固まっている公務員に委《ゆだ》ねるのでは、実のある改革などできるはずもない。

給与や定員に手をつけないまま、公務員が定年まで働こうとすれば、必然的に採用を減らさざるを得ない。事実、政府が人員削減策として唯一打ち出しているのが、平成二三年度の新規採用者数の四割削減だ。

しかし、この方法は、改革に意欲的な若手の意欲を削《そ》ぐ結果にしかつながらない。いつまでも中高年が上につかえており、しかも新卒が入ってこないのでは、若手・中堅の士気は下がってしまう。実際、私のもとにも若手官僚から「中高年優遇の人事政策はやめてほしい」との悲鳴に似たメールが届いている。

このまま何年も新規採用を抑制し、高齢職員のポスト作りを続ければ、若手の下積み期間は延び続け、いつまでも高齢職員が滞留し、昇進はどんどん遅れ、やりたい仕事を思い切りやれなくなる、という悲痛な声が若手から上がっているのだ。

わずかに残されていた心ある若手のやる気までも奪う政府と霞が関の幹部職員。これでは公務員による自浄作用など望めるはずがない。

天下り拒否の末に

私は菅政権の打ち出した「退職管理基本方針」の問題点について、改めて論文にまとめ、『週刊東洋経済』（二〇一〇年一〇月二日号、九月二七日発売）に寄稿した。

六月と九月に実名で発表した二つの論文は、私が想像した以上に霞が関に大きな波紋を広げた。「掟破《おきて》り」の私を全霞が関が敵視し、排除・追放を画策し始めた。もちろん表立って行われるわけではない。しかし、確かにその蠢《うごめ》きを私は感じる。

私は、霞が関をぶち壊したいわけではない。むしろ、霞が関の再生、とりわけ、若手官僚の活躍できる公務員制度の実現を願っているからこそ、あえて警鐘を鳴らしているに過ぎない。

一般国民の感情や価値観と離反した官僚は、いま、厳しい非難に晒《さら》されている。官僚の名誉のためにいっておけば、誰でもはじめから天下りしたくて公務員になるわけではない。国民のために働き、この国を繁栄させる政策立案に参加したいという希望を持って入省する。ところが入省した先は、若手の「志」を摘んでいくシステムに支配されている。私流にいわせてもらえば、「霞が関は人材の墓場」という表現がぴったりだ。

私はこれを官僚が国民のために懸命に働けるシステムに変え、国民の信頼と尊敬を集める官僚機構に脱皮させたいと願っている。だが、霞が関の淀《よど》んだ水に浸かってきた守旧派の幹部職員には理解してもらえないのか、私を霞が関の「アルカイーダ」と呼んで悪評を立てようとする幹部もいると聞く。

二〇一〇年六月の論文の最初の余波はその直後の夏の人事の季節にやってきた。私の異動は見送られ、その代わり、経産省から、こともあろうに私が反対している「民間派遣」の打診を受けたのだ。

人事のことゆえ、詳しくは書けないが、提示された条件はかなりの厚遇で、受ければ六〇歳の定年まで生活は安泰だし、定年後もその企業に再就職するように勧められた。前に説明した天下りの脱法的迂回《うかい》措置《そち》だ。

これを受ければ老後の心配も必要なかった。一方、断れば億円単位で生涯収入が減る。正直、家族には申し訳ないとも思ったが、もちろんその場で断った。

受ければ、私がいままで主張してきたことが嘘になるだけでなく、踏み絵ともいえるこの申し出に従えば、わずかに燃える霞が関の改革の灯火《ともしび》さえ消えてしまうと危惧《きぐ》したからだ。

私が断ると、次官は、「では、どうするんだ」という。どこにも答えはない。経産省の官房は、財務省や民主党、とりわけ仙谷氏に気を遣って動けない。この政権が続く限り、ポストは用意できないという。しかも、私は天下りを拒否している。袋小路だ。結局、「一〇月末までに辞めてくれ。職探しは自由にやっていいから」ということになった。

とはいうものの、霞が関や現政府に楯《たて》ついたというレッテルを貼られた人間をわざわざ雇う企業などまずないのは分かっていた。

それでも私は発信を続けた。ところが、九月の『東洋経済』への論文寄稿の後さらに激しくなった私への嫌がらせが、思いがけない展開を生むことになる。退職の期限まであと一ヵ月と迫った九月二八日、私は突然、官房長に呼び出された……。

第三章　霞が関の過ちを知った出張

口封じが目的の出張

二〇一〇年月一〇月初旬、秋のみちのく路——。岩手県の新花巻駅《しんはなまき》で新幹線から釜石線《かまいし》に乗り換え、土沢駅《つちざわ》に降りた私は、すでに山道を三〇分近く歩き回っていた。

目指す企業が見つからない。資料で改めて確認すると駅から徒歩約一五分と書いてあり、渡された地図の通り歩いている。だとすると、この辺《あた》りにあるはずだが……それにしては、あまりにも人気《ひとけ》が感じられなかった。目に入るのは、紅葉前のまだ緑濃い木々ばかり。道を間違えたのではないか。不安になった私は、携帯電話を取り出し、訪問予定の手つむぎ織りの生地《きじ》メーカーに連絡した。

と、ややあって側道から一人の男性が現れ、「古賀さんですか」と問う。案内された訪問先は、未舗装の側道をかなり入った場所にあった。こんなところに工場があろうとは。いくら探しても見つからなかったはずである……。

先に述べた通り、二〇〇八年七月、福田康夫政権下で内閣に出向して以来、国家公務員制度改革に取り組んでいた私は、民主党政権に交代した約三ヵ月後の二〇〇九年末、突如、国家公務員制度改革推進本部事務局審議官の任を解かれ、経産省の大臣官房付となった。

官房付は待機ポストゆえ閑職、決まった仕事はない。事実、二〇〇九年一二月に更迭になって以来、仕事らしい仕事を命じられることなく、夏に次官と約束した職探しの猶予期限の二〇一〇年一〇月末が近づいていた。

「そろそろなんとかしないと、本当にハローワーク通いだね」などと友人に話していたのを覚えている。ところが、九月下旬に突然、官房長に呼ばれる。その場で私は、二週間に及ぶ異例の長期出張を命じられる。出張先は北海道、東北、四国、九州と遠隔地ばかりである。

出張の目的は「地方の中小企業の実態調査」だったが、「これは建て前に過ぎない」ことはすぐに分かった。というのも、同様の調査が、数百社という規模で、各地の経済産業局によってすでに実施され、なんと私が出張に旅立った翌日には、各地方経産局長から大臣に調査結果が報告されていたからだ。いまさら私が一人でいくつかの企業を回ったところで何の意味もないではないか。

『週刊東洋経済』（一〇月二日号、九月二七日発売）に発表した私の論文が「上」の怒りを買ったのだと私は思った。発売の翌日に出張命令が出されたのも分かりやすいな、と思った。二〇一〇年六月の『エコノミスト』の論文発表後に一〇月末退職が決まった後も、私は雑誌やテレビなどで積極的に発言を続けていた。現役官僚の私が、公然と現政権の批判をしているのだから、「上」はおもしろくないだろう。

後日マスコミでは、この出張の目的について、私を東京からしばらく離れさせてメディアと接触できないようにする、と同時に、国会に呼ばれるのを阻止しようとしたという解説が流された。冒頭の予算委員会の小野次郎議員の質問でも、この出張が「大人の陰湿ないじめ」と批判された。世論の受け止めは、要は私の「口封じ」ということである。

裏の思惑はどうであれ、経産省の役人である私は「上」からの命令は拒否できない。かくして私は、六〇〇〇キロを超える長期出張の旅に出た。

この一件は、すぐさまマスコミの知るところとなり、メディアのなかには、「涙の六〇〇〇キロ」と題して報じたところもあった。驚いたことに、九州出張では、著名なジャーナリストである須田慎一郎《すだしんいちろう》氏が旅先に現れて私を取材した。その模様はテレビ朝日の「サンデーフロントライン」で報道されたので、私の出張がいかようなものであったか、ご存じの方もいらっしゃるかもしれない。

「涙の六〇〇〇キロ」――霞が関への非難と、私へのいささかの同情をこめて、メディアはそう報じたが、この長期出張は私にとって、たいへん有意義なものとなった。この旅を通じて、皮肉にも、霞が関の経済産業政策の過ちを再認識させられると同時に、抜本的な公務員制度改革の必要性を痛感したからだ。

円高で初めて自社の真価を知った企業

私の訪問先の企業は、各地の経済産業局がリストアップした。役所の選定基準はどこも概《おおむ》ね同じで、ありていにいえば「権威主義」と「モノ作り偏重」だ。私は農業関連の企業を入れて欲しいなどと注文を出していたので、なかにはそういう企業も入っていたが、経済産業局が私の訪問先として選んだ企業の多くは、「某大手自動車メーカーの○○部品のシェア○○パーセントを占めている」、あるいは「伝統の技術を究極まで高めている企業」といった触れ込みである。

リーマン・ショック以来長引く不況に加えて、急激な円高。地方の中小企業はどこも青息吐息《あおいきといき》で、まるで元気がない。優良企業といえども、意欲を失ったり、政府に助けを求めているのではないかと想像していたが、実際に訪れてみると、実態はわれわれ中央の役人が考えているものとはまるで違っていた。どの企業ももっと強《したた》かに生き残りをはかろうとしていたのだ。

たとえば、超精密機械メーカー。この企業は一ミリほどの精密ネジの製造機械では世界屈指の技術を誇っており、国内外の先進的な工作機械メーカーに製品を販売している。

欧州の工作機械メーカーを主な得意先としている、この会社を直撃したのは、このところ続くユーロ安である。ユーロ安によって利益が激減。コスト削減で乗り切ろうと血のにじむような努力を重ねても、たちまちその努力はユーロ安にかき消されてしまう。

かといって値上げをすれば、多くの得意先が離れていく心配があった。作るも地獄、値上げするも地獄。経営者は、出口のないトンネルのなかで立ち往生していた。

だが、背に腹は替えられない。このまま赤字を垂れ流すのなら、たとえ得意先を失っても思い切って値上げしてみよう——これが経営者のギリギリの決断だった。

恐る恐る値上げを申し出ると、得意先からは予想外の反応が返ってきた。欧州の得意先はさほど抵抗することもなく値上げ交渉に入ってくれたのだ。

それどころか、なかには値上げ申告に訪れた現地の営業マンに逆に励ましの言葉を贈った企業もあったほどだった。

「こちらが心配して『値上げしないでも大丈夫か』と社内で話していたんだ。『これだけのユーロ安じゃあやっていけるはずがない』『これで値上げなしだとすれば以前はよほどボロ儲けしていたんだなあ』と勘ぐっていたよ。やっぱり苦しかったのか。むしろ、値上げをいってもらって、安心した。君の会社に潰れられたらうちが困るからね。われわれは同業他社としのぎを削っている。うちが最先端を走れている一つの要因は、君の会社の優秀な製品があるからだ。不当なものでなければ、儲けてもらっていい。その利益で、もっと優れた製品を開発してもらえば、わが社にもメリットがある。円安に傾いたら、そのときは値下げしてもらえばいいよ」と。

この一件で「当社の機械はそれほど評価されているのか」と自信を深めた経営陣は、「価格競争ではなく、オリジナリティで勝負できる製品の開発を続けよう、世界一の製品なら世界一高くてもいいんだ、と改めて悟りましたよ。いままでは、『良い製品をより安く』と考えてやってきましたからね。いつも、安く、安くといわれてここまで来たので」と述懐していた。

低金利支援で中小企業の経営力は

示唆《しさ》に富んだエピソードだった。自分の技術、製品の競争力を利益につなげる経営能力がいかに重要かということだ。現在の中小企業政策の過ちは、経営能力を見ずして技術最優先で企業を選別し、救いの手を差し伸べる点にある。

中央の役人は技術、技術というけれど、いくら卓抜な技術があっても、経営力が乏しければ宝の持ち腐れになる。経営能力に欠ける企業は、そのままでは、いくら資金面の支援をしたところで、やがて立ち行かなくなる。

先ほどの例でいえば、顧客の減少ばかりを心配して経営者が値上げに踏み切らなければ、財務内容が悪化して倒産に追い込まれる事態も考えられた。ところが、中小企業庁の行っている支援策は、大企業に納める技術力があれば資金面や財務面の支援を行うということになりがちで、経営力を見極めるというところが弱い。

しかも、金融支援は、安い金利での貸し付けと補助金の注入だ。この二つの政策はともに問題が多い。本来なら救うべきでない企業まで生き長らえさせるだけでなく、企業の経営力を減じかねないからだ。

もちろん、リーマン・ショックで金融市場が機能マヒに陥ったり、通常の景気変動ではない外的ショックが加わったような緊急時には、経営力があっても急場のつなぎ資金に行き詰まっているような優良企業を救済しなければならない。だが、日常的に政府の安い金利漬けになって、普通の金利ではもはや運営できなくなっている企業を延々と存続させて、それが国民、国家の利益になるとはとても思えない。ましてや補助金の注入は企業の育成にはほとんど役立っていないのが現状だ。

経産省がモデル事業に指定した企業に補助金を出すという産業育成支援は、頻繁に行われている。しかし、新しい発想で新たな事業を展開しようと望む企業は、補助金の恩恵にあずかりにくい仕組みになっている。なぜか——。

補助金をもらうためには、経産省の審査をクリアしなければならない。審査には細かな要件が多く、しかも経産省は全国一律の基準に固執する。それに合わせようとすると、先進的な発想を持つ企業は、自分たちがやりたいと思う方向性とは違ってくる。先進的な企業は他が考えないようなことをやろうとしているので、役人が少々聞きかじってもっともらしいストーリーで基準を作っても合わないのだ。

調整につぐ調整で、スピードが遅くなり、結局、補助金が下りると決まった頃には遅れを取っていて、すでに市場では海外の企業が優位に立っているという状況になりかねない。ゆえに補助金の申請を途中で断念したり、二年目はもらわないという有望企業も少なくないのだ。

日本の中小企業政策は「中小企業を永遠に中小企業のまま生き長らえさせるだけの政策」になってしまっている可能性が高い。しかも、それによって強くて伸びる企業の足を引っ張っている、ということさえ懸念《けねん》されるのである。

だめ企業を生き長らえさせる役人

この出張でも、次のような例があった。建設機械をリースしているある企業。建設機械リース業界は、昨今の建設不況で、需要が冷え込み、どの企業も非常に厳しい環境に置かれている。私が訪れた企業は地場《じば》では比較的大手として知られていたが、建設機械のリース需要は極端に落ち込み、この事業ではほとんど儲けがなく、良くてとんとんが精一杯、他の事業を展開するなど多角化によってなんとか凌《しの》いでいる。

だが、経営者は決して悲観していなかった。なぜなら、逆風転じて追い風になる可能性も残されているからだ。経営者は「五年も辛抱すれば、わが社は拡大できる」と力強く語っていた。

彼の描く戦略はこうだ。同業他社は青息吐息で、早晩、倒産の憂き目に遭う。結果、競合会社が減り、近隣の市場が同社の独占状態になれば、全体のパイが小さくなっている現状でも、むしろ、以前にまして自社への需要は膨らむと踏んでいるのだ。

だが、これがなかなか現実にはならない。経産省が「特別保証」などと称して、倒産寸前のもはや死に体同然の同業他社を助けてしまうからだ。

低金利でなんとか生き残っている同業他社は、従業員にしわ寄せをして賃金をカットし、ボーナスを支給しないばかりか、仕事欲しさにダンピングをする。対抗するためには、こちらも値下げをするしかない。そうなると、本来、従業員に支給できる給与も減らさざるを得なくなる……。

仮に、経産省が余計な救済をしなければどうなるか。同業他社の多くは倒産する。しかし、その分、この企業は仕事が増え、全員とはいわなくても、職を失った同業他社の従業員のかなりの人間を雇う。建設機械も買い取る。結果的に、いま同業他社で安月給に喘《あえ》いでいる従業員の生活はもっと楽になる。さらに、スケールアップをすることによって生産性も上がり、顧客へのサービスもより充実させられる。

こう先を展望している経営者にとって、経産省の政策は恨めしくて仕方がない。彼の言い分はもっともなので頷《うなず》いていると、こうつぶやいた。「……本当に勘弁してくださいよ。ひどいことやりますよね」――。

各地の経営者の批判の矛先《ほこさき》は政府の農業政策にも及んだ。日本は一九九〇年代後半から世界各国との自由貿易協定（ＦＴＡ）に取り組んできたが、韓国などに比べればその進捗《しんちょく》度合いは遅い。農産物の関税撤廃に農家の根強い反発があり、日本の農業保護を優先する政官界は、積極的な推進を躊躇《ちゅうちょ》しているからだ。

現在、焦点となっている環太平洋戦略的経済パートナーシップ協定（ＴＰＰ）にしても、菅総理は言葉では前向きな姿勢を示したが、与党、政府内では参加に反対する声が依然高かった。

また、民主党政権は農家に対する戸別所得補償を政策の目玉の一つにしている。経営者たちが異議ありとするのは、政府の農家偏重の政策だ。「なぜ、農家だけを助け、われわれ中小企業の利益は考えないのか」——これが経営者の憤《いきどお》りである。

身勝手で不服を洩らしているわけでないのは、彼らの主張を聞けば分かった。

「いま、農家の大半は兼業でしょう。農業をやっているのは、じいちゃん、ばあちゃん、おかあちゃんで、一家の大黒柱のご主人は、みな外に働きに出ている。農家の家計を支えているのは、工場やわれわれの会社に働きに来ている大黒柱ですよ。

でも、日本がＦＴＡに躊躇していると、われわれ中小企業は韓国など他のアジアの国々の企業に国際競争力で大きく水をあけられ、倒産に追い込まれる。潰れなくとも、中国などに海外移転して、安い労働力を活用して生き残りをはかるしかなくなる。そうなれば、家計を支える大黒柱の収入も入ってこなくなり、政府から戸別所得補償をもらっても農家の実質的な収入は減り、ＦＴＡに加わった場合より、むしろ、農家の疲弊につながりかねません。

どうして、こんな簡単な道理を中央では分かっていただけないのか、不思議です」

東日本大震災の復興対策財源として、戸別所得補償は思い切って廃止したらどうだろう。

真に競争力のある農業を育てるための予算に組み換え、総額も大幅に削減すべきではないだろうか。

経産省と大企業の美学が作った高コスト体質

中央官庁の現実無視の政策と官僚の時代遅れの価値観は、日本の製造業に構造的かつ致命的な欠陥をも植えつけてしまった。それは、大企業を頂点として一つのカルチャーに染まってしまう体質だ。

一つの例を挙げよう。日本の製造業の特徴を表すキーワードの一つに「擦り合わせ」がある。日本の大企業は自分たちの使い勝手の良いように、細部にまでこだわった仕様を要求する。たとえば工場のベルトコンベア一つとっても、他社と同じ画一的な仕様は好まず、業者と綿密な「擦り合わせ」を行い、独自のシステムを構築しようとする。

工場ごとにオリジナルのものを作ってくれなければ取り引きできないとこだわる企業も少なくない。さらに納入した後も業者が呼ばれ、「ここのつなぎがちょっと悪い。使いにくいから改良してくれないか」といったやり取りが繰り返されている。

経産省の見解では、このきめ細やかな「擦り合わせ」の力こそが、日本の製造業の最大の強みだということになっている。だが、闇雲に「擦り合わせ」を美化することにより、その「擦り合わせ」によって日本の製造業は、国際間競争では知らず知らずのうちにハンデを負ってしまっているという実態がある。

欧米のメーカーは日本の企業と違って非常に合理的で、ベルトコンベアや空調といったシステムにはこだわらず、すべて汎用品で間に合わせている。

彼我《ひが》の企業文化の違いを端的に物語る話を、ある空調機器メーカーの方から聞いた。この企業は工場向けをはじめとする特殊な空調設備を主力商品としており、たとえば、排出ガスをすべて除去し、かつ湿度も温度も一定に保つといった空調システムを開発、高度空調機器の市場では世界有数のシェアを誇っている。数年前、ヨーロッパの企業を買収し、そこを拠点としてヨーロッパへの輸出にも力を入れているのだが、日本の得意先とヨーロッパの取引先では、要求される度合いに雲泥《うんでい》の差があるらしい。

ヨーロッパのメーカーが相手なら標準のシステムを納入するだけでビジネスは完結する。ところが日本の製造業相手ではそうはいかない。同程度の機能のシステムでも、注文がうるさい日本の製造業相手の場合、設計に必要な人員もヨーロッパの三倍になるという。

要望に添うよう作り込まなければならないので、当然、納入までにかかる時間も長い。それでいて利益は、ヨーロッパ企業相手の半分しかないというのだ。しかも、日本の設計担当は毎日深夜残業。ヨーロッパでは二ヵ月の休暇を取っても利益率ははるかに上だ。

「それでも苦労して取引先の要望に合わせて作り上げ、あちらのメリットにつながればいいんですけどねえ。そうじゃないから、なんのためにやっているのか、われわれも分からなくなる……」

と経営者は嘆いていた。

彼のいわんとするところはこうである。ベルトコンベアから始まり、空調システムまで、独自の仕様を要望すれば、当然、コストは高くつく。設備投資に余計にかかった分は、製品価格に転嫁される。つまり、「擦り合わせ」という企業文化が日本の製造業の高コスト体質につながり、結果的に日本の製造業の国際競争力を削《そ》いでいるのだ。

「われわれの努力が、得意先に貢献しているどころか、むしろ足を引っ張っている。こんな報われない不毛な努力をしているかと思うと、空《むな》しくなる」というのだ。

「擦り合わせ」文化がすべて悪いわけではない。製品の品質・性能に直接関わる部分について他との差別化をはかるのは、確かに重要だ。たとえば重要部分の一〇〇〇分の一ミリの調整によって製品に決定的な差が出てしまうというケースはままある。

しかし日本の製造業は、ただ「擦り合わせ」を金科玉条《きんかぎょくじょう》として、取るに足らないところまで使い勝手の良さを求める。そのため、高コスト体質から抜け出せなくなっているのだから、本末転倒である。

結果、日本人は汗水垂らして長時間働いても一向に報われないという、まるでギリシャ神話に描かれたシシュフォスに科された罰のような生活を強《し》いられている。「擦り合わせ」文化はすべてなくす必要はないが、絶対的価値だという先入観は捨て、見直すべき時期に来ているのではないか。

日本の大手製造業の「擦り合わせ」絶対主義は一種の宗教のようになっている。経産省もことあるごとにこれを賛美してきた。しかし、中小企業でも、海外の実情を目《ま》の当たりにすれば、その愚かさにすぐに気づくのである。

経産省がもし、日本の産業の振興を本気で考えているのなら、このような悪しき企業文化の払拭《ふっしょく》に着手すべきだろう。ところが、困ったことに、経産省の最高の美学がいまだに「擦り合わせ」なのだ。

経産省では、日本企業の細やかな「擦り合わせ」こそ、他国がまねのできない特有の文化で日本の競争力の原動力、との解釈がまかり通っており、「日本の技術力を守れ」とばかり、むしろ、「擦り合わせ」文化を奨励してきた。日本企業に「擦り合わせ」文化が定着した一因は、経産省の感覚のずれた価値観にあるといっても過言ではない。

大きなチャンスを阻む大企業の囲い込み

涙の六〇〇〇キロの旅では、経産官僚がいま果たすべき役割も痛感した。ある金型部品メーカーを訪れたときのことである。

事前の情報では、訪問先は成型技術に秀《ひい》でている企業で、日本を代表する大手メーカーからもその技術は高い評価を受けているということだった。実際に訪れてみると、想像していた以上の優良企業だった。

職人集団の色合いが強い地方の中小メーカーはどこも高齢化していて、その例にもれず経営者の方はご高齢だったが、管理が実に行き届いていて、二四時間の操業体制が整えられており、金型を作る機械が常に動いていた。しかも、説明を聞くと、その技術は世界のトップを走っているらしい。

数年前から自動車の新素材として炭素繊維に注目が集まっている。炭素繊維は鉄よりも強度がありながら、それでいて重さは四分の一とはるかに軽く、炭素繊維車なら従来のスチール製の車より二〇パーセントも軽量化できるという。つまり、炭素繊維を使えば、燃費が良くて環境にもやさしく、しかもいまよりも頑丈な夢のエコカーの実現が可能となるのだ。そのため、世界の自動車メーカーは炭素繊維車の量産化に向けて開発合戦を繰り広げている。

その近未来型車の分野で、いち早く市販仕様車の生産に踏み切った大手メーカーの高級スポーツカー。ドライバー垂涎《すいぜん》の的《まと》となっているこの車の開発・生産を陰で支えているのが、私が訪問した企業だった。炭素繊維は、滑《なめ》らかにカットしたり精密に成型するのに極めて高度な技術が要求される。

こうした情報は、私の耳にはまったく届いておらず、訪問して初めて知った。経産局の資料でも炭素繊維車には一言も触れられていなかった。恐らく地元の経産局も把握していないのだろう。

「凄い技術ですねえ。でも、お宅の技術は、経産局で話に出たこともなければ、資料にも一言も触れられてませんよ。なぜもっと宣伝しないのですか。炭素繊維車は今後、需要は急激に拡大していく。どんどん宣伝すれば、世界中の自動車メーカーから注文が殺到するじゃありませんか」

応対してくれた経営陣の一人に率直に疑問をぶつけると、彼はいいにくそうに口を開いた。

「そうでしょうね。実は、これ内緒なんです。理由はいえませんが……」

察するに、発注元の自動車メーカーとの契約条項に、この技術を公表しないという取り決めが入っているようだった。そう考えたのは、前々から私は、日本の大企業のやり方を苦々《にがにが》しく思っていたからだ。

日本の大手メーカーを世界屈指の超優良企業にまで押し上げた原動力は、悪くいえば大企業が構築した利益を独り占めする、ある意味、こずるいシステムにある。日本の大手メーカーは、下請け企業を囲い込み、本来なら下請けが得る利益まで、すべて吸い上げる仕組みを考え出した。

こうした構造を前提に考えれば、炭素繊維車に必須の技術を独占するためのなんらかの制約項目を契約に入れてあるだろうことは、容易に想像できた。

誤解して欲しくはないのだが、私は決して日本のメーカーを非難しているわけではない。むしろ、立派だと思っている。企業が自社にとってもっとも効率的に利潤を上げられるやり方を考えるのは、当然の行為である。そうした経営手腕が卓越していたからこそ、世界のなかで競争していけたのだと評価している。

だが、われわれ官僚の立場は一企業の経営者とは違う。経産官僚は、国全体の産業、経済の発展を考えなければならない。そういう観点からすれば、このような構造にはいささか問題がある。

私は、「もし、発注元からなんらかの縛りを受けているのなら、次に契約するときは、宣伝してもいいという条項を入れるよう交渉してはいかがですか。それを受け入れなければ、契約しないと突っぱねてみては。それがお宅の会社にとっては得だと思いますよ」と提案してみた。

表情から推測するに、どうやら図星だったようだ。「確かにおっしゃる通りですね。経産省の方がそういってくださると、われわれもその気になれます」といいながら、手帳に私の提案をメモしていた。

私は、これまで、世界でも有数の技術力を誇るという中小企業を数多く訪問した経験がある。話を聞くと、これからどんどん成長して、すぐにも大企業になりそうな気がしたものだ。しかし、その多くはその後も中小企業のままである。

そういう企業でよく聞く話として、「発注元がわれわれの技術を高く買ってくれていて、わざわざ本社から取締役がお見えになって、従業員にまで声をかけてくれました。あれは私たちにとって大きな励みになりました」というのがある。

役員室には、発注元の社長名の表彰状があったりする。地方の方は純朴である。わざわざ世界に冠たる企業の重役が訪問して、自分たちの技術を褒《ほ》めてくれただけで、大きな喜びを感じる。大手メーカーの凄いところは、そんな地方の経営者の純真無垢《むく》な気持ちをうまく利用し、取り込んで離さない術《すべ》を知っている点である。これほど安上がりな技術独占方法はない。

しかし一企業が、世界に通用し、しかも大きなビジネスにつながる可能性を秘めた技術を有する企業を囲い込んでいるのは、国家全体の経済からいえば、多大な損失である。

県庁にも対抗できない経済産業局

いま触れた企業のように、ワールドワイドなビジネスに育つ可能性がありながら、様々な理由から芽を出せずにいる企業は他にもたくさんあるに違いない。そうした埋もれた技術や隠れた有望企業を発掘し、世の中に送り出し、世界の企業への端緒《たんしよ》を開く。もちろん、それが市場によって達成できれば素晴らしい。だが、必ずしもそうした機能が十分に発揮されているようには見えない。こういうときこそ経産官僚の出番ではないかと思う。

だが、残念ながら現在の経産省では正直、荷が重い。現場の最前線にいる各地の経済産業局でさえ、その地の企業に関して熟知しているとはいいがたいのが現状だからだ。

北海道から九州・沖縄までブロックごとに設置されている九ヵ所の経産局には、エネルギー、中小企業、消費者保護など、業種・分野ごとに職員が配置されており、平均的には二〇〇名前後が働いている。彼らがサボタージュしているわけではない。構造的に生の情報が入りにくいのだ。

経産局の職員が、担当業種の情報を得るために真っ先にすることは、県庁での情報収集である。いまどき、地方の中小企業といえどもグローバル化していて、中国をはじめとして世界を股にかけビジネスを展開している。各県は、これに対応するため、海外にスタッフを派遣している。

たとえばある県は、JETRO（日本貿易振興機構）上海《シャンハイ》事務所に県の職員を数年交代で出向させているので、中国語に堪能《たんのう》で現地の事情に詳しいスタッフが県庁のなかに何人もいる。また県によっては、自前の現地事務所を設置しているという具合で、生の情報をもとに企業に適切なアドバイスができるシステムが整備されているのだ。

対して地方の経産局はどうか。ある局の職員の嘆きを聞いて、彼らが置かれている状況が分かった。

「どこの県も海外に人を送っているのに、うちは去年も今年も海外出張旅費はゼロ。予算がない。これじゃあ、到底、県には太刀打ちできません」

たとえ海外に人を派遣できないとしても、百聞は一見にしかずである。企業に足を運べば、生の情報は得られる。実際、訪問してみて初めて知る事実は多い。

中小企業庁に勤務していた当時、この出張と同様に地方の中小企業の実態調査を行ったことがある。このとき訪れた一社に、自動車部品メーカーがあった。例によって経産局の触れ込みは、「某大手自動車メーカーのトランスミッションの〇割を納入している」だった。

ところが、実際に話を聞いてみると、経産局で聞いた謳《うた》い文句とは違っていた。初めは経営陣とトランスミッションの話に終始し、様々な議論を戦わせていたが、ちょっとしたきっかけで、「それで儲かりますか」と私が尋ねると、先方が「いや、それが大して儲からないんですよ。毎年、自動車メーカーからはコストダウンを迫られるので、安定はしていても利益はほとんど出ないんです」という。

このやり取りをきっかけに話題は思いもしなかった方向に逸《そ》れた。この会社では、あまりにも自動車部品の利益率が低く、自動車産業とつき合っていては将来が展望できないので、新たな分野の開拓を考えていたそうだ。そのとき、目に留まったのが、医療の人工関節である。

精密トランスミッションの技術を転用すれば人工関節の製造はむずかしくない。しかも、人工関節の分野は人の生命に関わるだけに、規制が複雑で手間がかかるので、大手の同業他社はまだ進出を躊躇している。ならば、ライバルは少ない。自社の技術力に自信を持っていた社長の決断により、医者との綿密な打ち合わせを重ねて人工関節の試作品を作ると評判がいい。

そこで、思い切って人工関節の分野に本格参入してみると、利益率は自動車のトランスミッション製造とは比べようもないほど高かった――。

経営陣の一人は最後にこう語っていた。

「いまは自動車部品が売り上げの七割を占めていますが、五年後にはこれを三割まで下げる計画です。現在の最大の課題は、いかに自動車部品からうまく撤退するか、なんです」

私の経験からも、直接、企業を訪問して「じっくり」話をうかがえば、収穫は多いはずである。だが、現在の経産局にはそんな余裕はない。二〇〇名前後のスタッフがいるとはいえ、業務は業界の規制から商店街の振興、消費者保護までと幅広く、企業を一軒一軒訪ねて歩けるほどの時間はない。勢い、県庁に出向き「どこか、いい企業はありますか」と尋ね、教えてもらうという手っ取り早い方法を取りがちになる。

かといって専用スタッフを配しても、恐らくうまくは機能しないだろう。中小企業の経営者から本音を引き出すには、それ相応の感度が必要だからだ。先ほどの自動車部品メーカーを例にすれば、余計なことを役人に喋って自動車メーカーに聞こえでもして、睨《にら》まれたくはないと警戒する。この壁を崩すには高感度のアンテナが要る。

ところが、現在の官僚に決定的に欠けているのがこの「感性」である。霞が関にいても、耳を澄まし、目を凝《こ》らせば、地方の企業がいま置かれている現実に気づく機会はいくらでもある。しかし、霞が関の官僚の多くは、目は曇り、耳は遠くなっている。聞こえてくるのは、政府に頼って生き長らえようとするダメ企業が集まった団体の長老幹部の声や、政治家の後援者の歪んだ要請ばかりだ。

政府に頼らず本当に自分の力でやっていこうとしている企業は経産省などにはやってこない。さらに、経産省を批判する声に耳を傾けようという姿勢を持つ幹部もほとんどいない。

かくして、これからの日本を引っ張るポテンシャルを持った企業のニーズに応えるための改革、たとえばゾンビ企業の積極的淘汰《とうた》のための政策転換などはできない。そして常に「危機的状況」を叫んで、ばら撒きの「緊急支援」を続けることしかできなくなっているのだ。

しかし、それよりも深刻なのは、自らの問題に目を向けて自己改革する心を失っていることかもしれない……。

削られた報告書三ページの中身

若い官僚は感度もまだ鋭敏で視野も広い。ところが、時とともにアンテナは錆《さ》びつき、視界が狭くなる。そして霞が関で二〇年も過ごせば、感性はほとんど劣化し、麻痺状態になる。

いささか誇張していえば、霞が関のベテラン官僚が見ているのは、せいぜい半径一キロメートルである。官僚がもっとも気にするのは「霞が関村」の掟《おきて》だ。よく批判されるように、「霞が関村」では省利省益最優先。先輩のやった政策は、たとえ疑問があっても非難はタブーといった不文律ができあがっている。

福島原発でも、実は津波に備えて、非常用のディーゼル発電機を原子炉建屋内に置くべきという問題意識はあったようだ。しかし、これを実行すれば、先輩は安全を十分に配慮していなかったことになる。そのため、原子力安全・保安院の官僚はもとより、官僚よりも官僚的といわれる東電マンは、なんの対策も打たなかったのだ。

もし、この掟を破れば、村から追放されるか、もしくは村八分の憂き目に遭うか。それが分かっている官僚は、村の掟から逸脱しないよう、細心の注意を払う。

これは官僚個人の資質とは別の問題である。現在の官僚機構のシステムでは「霞が関村」の掟に逆《さか》らうと生き残れない仕組みになっているのだ。

どれほど内向きの論理が色濃く霞が関を覆っているか——私の長期出張の顚末《てんまつ》をお話しすれば、理解していただけるのではないか。

出張を終えた私が急いで報告書にまとめて提出すると、すぐに官房長から電話があった。

官房長と私は同期の間柄で、忌憚《きたん》なく話せる関係である。彼は私が電話に出ると、要領を得ない挨拶をしてから軽い調子で、こういった。

「この報告書ちょっと書き換えてくれないかなぁ」

理由を問うと、「中小企業庁に回したいんだけど、これじゃあ、ちょっとねぇ」という。

官房長が問題にしたのは、報告書の最後の三ページである。ここに私は「所感」と題して、出張で感じたことを率直に記した。そのなかには、「国の機関が中小企業政策を担うことの限界」「中小企業政策は予算と権限ごと県に移管することが効率的だ」「弱者保護の対策は直ちにやめて労働移動の円滑化対策だけに絞るべき」「モデル事業的なものは全廃して、ベンチャー支援の税制とミドルリスクミドルリターンの企業金融だけに絞ることにしてはどうか」「淘汰を促進するという明確な意思を持った政策に転換していくことが必要」といった提言を盛り込んだ。

そう、官房長は、中小企業庁は要らないと取られるような報告書は中小企業庁にはとても回せないというのだ。

「でも、中小企業庁の職員のなかにも僕と同じ意見を持っている人はたくさんいるよ。書き換えると、出張した意味がなくなる。そもそも、他の職員にはない目で調査して報告しろといったのは君だろう」

と答えると、官房長は反論できないと思ったのだろう、急に「中身の問題というより、君のことを考えただけなんだけどね」と言い訳して、「分かった。じゃあ、これは官房だけで保管して、中小企業庁などには回さないようにする」という。

やはり、私の少々過激な所感が公式文書として残るのはまずいと思ったのだろう。「最後の三ページは報告じゃないよな」と食い下がる。「いや、一体のものとして出したのだから報告だよ」と応じながら、私の頭には、要するになんのための出張だったんだという思いと、もうどうでもいいやという思いがよぎる。

これ以上話をしても時間の無駄だと思って、「僕は、官房長と次官に報告書を出した。それをそっちでどう扱うかは僕の問題じゃないけどね」と投げかけると、「そうだな。これは官房への報告だけど、われわれ限りということにするから。そもそもこれは君の感想だからね」といって電話は切れた。

後に国会から私の出張報告書の提出要求を受けた経産省は、結局、問題の三ページの存在を隠蔽《いんぺい》するため目次に細工を施し、最後の三ページを削除して提出した。これが、後に報告書の改竄《かいざん》問題として、河野太郎議員や世耕弘成議員らによって取り上げられることになる。

この官房長が極めつきの守旧派というわけではない。むしろ、どちらかといえば開明派といってもいいだろう。人間的にも明るく温厚なほうだ。しかし、省庁で幹部まで上がる官僚たちは、良かれと思ってこうした行動に出てしまう。決しておかしなことだとは思わない。むしろこれが普通の感覚なのだ。

だから、私のような者でさえ、彼らと話していると、どうも自分のほうがおかしいのかな、という錯覚に陥りそうになる。それくらい、霞が関の幹部クラス全体が、こと省益の保護ということになると、金太郎飴のごとく奇麗に考えが揃っているのである。誰と話しても答えは同じだ。そのなかに入った者は、自らの価値基準のほうがおかしいと思わされてしまうほどに……。

後日、河野太郎議員のブログでこの問題を知った友人が私に尋ねた。「経産省の官房長とか次官ってキャリアなんだよな?」と。その後、こんなやり取りが続いた。「そうだよ。一番優秀だということでそのポストに就くんだ」「東大出てるのか?」「そうだよ」「それで、なんでそんなことするんだ? 誰がどう見ても報告書だって分かるだろ? それを勝手に隠したら問題になるに決まってるよな。俺より常識ないんじゃないの。そんな奴らが経産省のトップにいるのか？　ぶったまげたなぁ」と、とどまるところを知らない。ひとしきりその話題が続いた。

私は、「やはり国民から見ればそういうことだよな」と、なんとなくほっとした。

官房長官の逆鱗に触れた発言

さて、ここで第一章冒頭の二〇一〇年一〇月一五日、参議院予算委員会の舞台に戻る。

あの長期出張で、前日から四国を訪れていた私は、その日の朝、急遽、帰京を命じられた。参議院予算委員会で小野次郎議員が出席を求めているというのだ。その日の訪問先の企業に向かう車中で指示を受けた私は、そのまま空港へ直行することになった。何の準備もないまま、国会に向かう。

衆議院の予算委員会では、その前年に民主党の松本剛明議員の質問に答弁した経験があったが、参議院の予算委員会は初めてだった。予算委員会は数ある国会の委員会のなかでももっとも格が高く、予算審議などで技術的な質問があれば局長級の官僚が答弁に立つこともあるが、普通は答弁の大半は大臣が行う。そこに、局長でもない私が呼ばれること自体が異例だった。しかも、私は特に仕事のない、ただの「官房付」の身分だ。ますます異例だ。

議場に入ると役人用の控えの席に座る。なんとなく他の官僚たちの冷たい視線が気になる。針のむしろというのはこういうものか。席で質問を待ちながら、私は迷っていた。どこまで思っていることを話せばいいのか、と。国会で公式に発言するとなると、影響は大きい。不用意な発言はできないな、と躊躇する気持ちもあった。

しかし、質問に立ったみんなの党の小野次郎議員が「天下り根絶というスローガンが骨抜きになっている」として、私の考えを述べるよう促されると、それまでの迷いが嘘のように消え、いつも考えている持論を、次々と正直に話していた。

「天下りがいけないという理由は二つある。天下りによってそのポストを維持する、それによって大きな無駄が生まれる、無駄な予算がどんどん作られる、あるいは維持されるという問題が一つ」

「もう一つは、民間企業などを含めてそういうところと癒着が生じる。そして、たとえばその企業あるいは業界を守るための規制は変えられないというようなことが起こる。ひどい場合は、官製談合のような法律に違反する問題さえ出てくる」

「一部に退職金を二回取るのが問題だという話もあるが、それは本質的な問題ではなくて、重要なのは、無駄な予算が山のようにできあがる、あるいは癒着がどんどんできる、これが問題だ」

「この点は民主党も非常に強く批判していた。それによって天下り規制の事実上の緩和のような措置は実施できず止まっていたものが、今回、『退職管理基本方針』で決定した現役出向や民間派遣のような形で堰《せき》を切ったように実施されている」

「現役で出ていけば問題ないというのは非常に不思議なロジックだ。無駄が生まれる、あるいは維持される、それから不透明な癒着ができるということは、公務員の身分を維持して出ていってもまったく同じことが起きる可能性があるので、その点が非常に問題だ」

と、こんな趣旨のことを答えた。

予算委員会では答弁席から見て、右手に閣僚が、左手には民主党議員が居並ぶ。反応が気になったので、喋りながらも、議員の方々の様子を見ていると、みな真剣に耳を傾けてくださっている。それどころか、野党だけでなく、大きく頷《うなず》いている民主党議員も少なからず目に入った。

民主党の議員の方々のなかにも私の考えを理解してくれる人は大勢いるんだな、と心強く感じ、答弁はより滑らかになった。

小野議員の質問が尖閣諸島の問題に移り、私への質問は終わった。その時点では、「ああ、やっと終わった」と、ただただほっとしただけである。ところが、尖閣諸島問題の答弁に立った仙谷官房長官の最初の一言で私の体は硬直した。「私には質問はいただいておりませんけれど」という前置きの後、第一章冒頭の発言が飛び出したのだ。

もちろん、渦中の私の心中は穏やかではない。仙谷長官の批判は直接的には、私ではなく、私を招致した小野議員に向けられている。しかし、小野議員の行動が原因で、なぜ私の将来に傷がつくのか。

「彼の将来を傷つける」、そう長官がいったのは、官僚である私が政権の政策批判を展開したからだ。仮に、私が政権を擁護する発言をしていたら、あの仙谷長官の発言は出なかったはずだ。つまり小野議員への批判を借りて、私が政権批判した発言を非難し、私を脅したのだと考えるしかなかった。

仙谷長官は当時、「陰の総理」と呼ばれる実力者となっていた。彼の逆鱗《げきりん》に触れた私にどのような仕打ちが待っているか、想像しただけでもゾッとした。その感覚は、帰宅しても消えず、いまも時として、あのときの国会でのやり取りが鮮明に甦ってくる。

その後、仙谷長官は記者会見で、「(私を)恫喝したつもりはない。本当に心配している」という主旨の答えをしている。一介の公務員に過ぎない私には、その言葉を信じる以外に選択肢は与えられていなかったのだが……。

次官と前次官に呼び出されて

仙谷長官の真意はどうであれ、この一件を境に、経産省での私への風当たりは暴風域に突入した。

実は、あまり報道されていないが、例の仙谷長官発言の質疑の際に、小野次郎議員が、私の出張に関する新聞報道を引用して、この出張が「大人の世界の陰湿ないじめではありませんか」と聞いたのに対して、大畠章宏《おおはたあきひろ》経産大臣が次のような答弁をしている。

「ご本人のお話等も承りながら、ご本人の経験やあるいはそして能力、そういうものが十分発揮できるような形で対処してまいりたいと思います」

普通の人が聞けば、何か私に相応《ふさわ》しいポストを用意する、といっているように聞こえる。

その後も何度か記者会見で私の人事が取り上げられているが、たとえば一一月三〇日には、こんな大畠大臣の発言もあった。

「本人が一番、よし、やるぞという、そういう気持ちを持って仕事に励めるようなところに、その人事を持っていくというのが一番だと思いますから、だからそういう意味で官房長にはそういう話をして、いまいろいろ話をしてもらっているということです」

国会で答弁したのは一〇月一五日の金曜日だったが、すぐさま官房長から連絡があり、「次官がお前と飯を食いたいといっている。月曜の夜、時間を空けるといっているがどうか」という打診があった。

なぜ、この時期に事務次官が私と夕食をともにしたいのか、おおよその見当はついた。多忙な次官にわざわざ夜の時間を割いてもらうのは忍びないので、月曜の昼食ならと答えた。指定されたのは、青山のイタリアンレストランだった。

次官との会談は、一言でいえば沈黙の連続だった。

会談の内容をいま詳しく話すことはできない。その会談は、あくまでも非公式のものだったからだ。次官から、正式の会談ではない、個人的な話だから、その内容は外に話さないで欲しい、といわれている。私が次官と話したのは実はこれが初めてだった。

確かその翌日だったと思うが、今度は前次官から呼び出しを受けた。彼は、「個人的な会談だ」などという建前をいうような人ではない。いつも正々堂々隠し立てなく話をしてくれる。ただ、現次官の話を内密にして、たまたまオープンな人だからといって前次官の話を表に出すのはフェアではないから、これも次の機会ということでご勘弁いただきたい。

では、その後どうなったのか。この他の経産省幹部からも話があったが、その後の推移から推測するに、大畠大臣が私の処遇を求めたのに対して、経産省は事実上それを無視して、時間稼ぎに出たようだ。

あれだけ国会で騒がれ、しかも、その後、出張報告書の改竄問題で河野議員らから追及を受けている最中《さなか》に私をクビにしては、非難囂々《ごうごう》となることは明らかだ。人事当局は、私に対して、あまり騒がしいときに辞められても困るという感じのことを伝えてきた。

一〇月末の退職期限は事実上撤回された。しかし、だからといって、真剣にポストを探すわけでもなく、大畠大臣が交代するか、マスコミが私のことを忘れる日が来るのを待つ作戦に出たのだろう。

経産省の判断は吉と出た。年が明けた二〇一一年一月一四日、菅政権の内閣改造に伴い、大畠大臣は国土交通大臣に横滑りし、その代わりに海江田《かいえだ》万里《ばんり》経済財政担当大臣が、これも横滑りで経産大臣に就任したのだ。これで、大畠発言のくびきから解放される、そう思って経産省幹部は喜んだだろう。

さらに、大畠大臣は、退任記者会見で私の人事について質問を受け、よほど官僚のサボタージュに腹が立ったのだろうか、こんな発言をしてしまった。

「経済産業省のなかの人事の問題ですから。これは官房長の管轄なんです、基本的に。私が云々《うんぬん》というよりもね。……後は官房長のほうでよく聞いていただきたいと思います」

これで、経産省事務方としては、私の人事について、官房長に一任されたと解釈するだろう。しかし、人事権はあくまで大臣にある。こんな状況でバトンを渡された海江田大臣から見れば至極迷惑な話だろうと思う。

果たして、私は大臣官房付のまま、一年数ヵ月を過ごした。

第四章　役人たちが暴走する仕組み

年金を消した社保庁長官はいま

現在の霞が関の最大の問題は、繰り返すが、官僚が本当に国民のために働く仕組みになっていない点である。

官僚志望者の大半は、国民のために持てる能力を発揮したいと望み、官僚を目指す。ところが、この純粋無垢な気持ちは、いつの間にか汚濁《おだく》にまみれていく。そういう構造的な欠陥を現在の官僚機構が宿している。

第一の欠陥は縦割りの組織構成である。国家公務員採用I種試験の合格者（いわゆる「キャリア官僚」候補）は、省庁回りを経て各省に採用される。いったん入省すると、生涯所属は変わらない。民間に置き換えれば、公務員という職に就くというよりは、経産株式会社や財務株式会社に永年雇用される。途中、出向することはあっても、私の場合なら「経産省の役人」の名札は退官するまで変わらない。だから自分の役所のことを「わが社」などという。

一生お世話になる組織の利益のために働く。これはごく自然な感情だ。また民間であれば、組織に貢献した社員は高く評価されて然《しか》るべきである。社員が稼いだカネを企業が利益還元し、そこで働く者が豊かになるのも、至極《しごく》まっとうな行為だ。

しかし、公共のために働く公務員の役割は、利潤追求を最大の目的とする企業の従業員のそれとは根本から違う。公務員は、国民から徴収した血税を使ってどのような施策を立案すれば国民生活が向上するかを第一義に考えるのが仕事だ。

省利省益の確保と縄張り争いに血道《ちみち》を上げ、職員の生活が豊かになっても、国民の誰も賞賛はしないどころか、それは悪でしかない。

つまり、一度入省すれば番地が変わらず、その官庁が終《つい》の棲家《すみか》になるため、自分の所属する省への利益誘導体質ができあがっているというわけだ。これを本来の国家公務員の使命である国民のために働くという体質に改善する新たな人事システムの導入が必須となる。

第二の欠陥は、年功序列制と身分保障。かつて日本企業の強味の一つは従業員の忠誠心を育《はぐく》む年功序列制にあるといわれていた時代もあったが、いまどき、年功序列制を採用している民間企業はほとんどない。勤務した年数で人事を決め、待遇を上げていくというシステムでは、厳しい国際競争には勝ち抜けず、生き残れないからだ。

いま大半の企業は多少の年功制の色合いは残しながらも、能力主義や実力主義を採用している。とりわけ幹部職員はそうである。日産自動車、ソニー、日本板硝子《ガラス》などは経営トップに外国人を就けている。二〇一一年に入ると、オリンパスが次期社長にイギリス人を就けた。民間企業では経営者の選抜は完全な能力主義になってきたということだ。

能力があれば年功どころか国籍も問わない、逆に業績が上がらなければ経営責任を厳しく問われる——身分保障などといったらお笑い草だ。

ところが、官庁では、ポストも給与も入省年次で決まる。能力がなければ係長で終わりでも仕方がないのに、キャリアならまず確実に課長にはなれる。

課長職以上のポストとなると出世競争があるが、評価はどれだけ省益に貢献したかで決まるのだから、幹部候補のエリートは余計に国民のことは考えなくなる。それ以前に親方日の丸で国家財政破綻寸前になっているいまも年功序列にしがみつき、ぬくぬくと暮らしている官僚に、民間企業や国民のニーズに応える適切な政策が立案できるわけがない。

天下りを生む根っこにあったのも年功序列制と身分保障である。自民党政権時代までは、霞が関では次のようなシステムが慣行となっていた。

前にも記した通り、課長職は毎年採用されるキャリア官僚の数にほぼ対応できるよう設けられているが、審議官・部長、局長と、徐々にポストの数は減っていき、トップの事務次官にはたった一人しかなれない。しかも審議官・部長以上は、同期の者が出世すると、出世競争に敗れた人は、退職するという慣行になっていた。

いってみれば、同期はトーナメント方式の勝ち抜き戦を戦っているのだ。スポーツなら、負ければ、文句もいわず退場するしかないが、なにせ霞が関では年功序列制と身分保障が絶対の規範である。霞が関の論理では、出世競争から脱落した者にも、年次に応じて同等の収入を保障しなければならないとなり、大臣官房が省庁の子会社ともいえる特殊法人や独立行政法人などに再就職を斡旋していた。

すなわち、出世競争に負けた人のための受け皿が必要なので、無駄な独立行政法人、特殊法人、そして無数の公益法人を役所は作る。

　年功序列制を守るために再就職を斡旋するのだから、その人物の能力は関係ない。なかにはまったく役に立たない人も交じる。受け入れる独法・特殊法人・公益法人や民間企業にしてみれば、そんな人にまで高給を保障しなければならないのだから、何かお土産をもらわなければ割りに合わない。役所もそれは重々承知で、補助金など見返りをつける。あるいは原子力行政のように、業界に遠慮して、規制が不十分になることもある。

　つまり、無能な人に高給を保障するために、国民の税金が使われ、国民の生命の安全が犠牲にされているのだ。

　年功序列制の弊害《へいがい》はまだある。この制度のせいで、官庁では先輩の意見は絶対という不文律ができあがっている。過去に上の者が推進した政策を非難することはご法度《はっと》だし、悪《あ》しき慣習も改められない。国益そっちのけで省益の確保に奔走《ほんそう》する先輩たちの姿を見て、おかしいと思っても、上を否定すれば組織の論理とは相容《あいい》れない存在になり、はみ出すしかなくなる。

　そう、霞が関では「先輩に迷惑がかかる」ようなまねは一切許されないのだ。年功序列による負の連鎖は連綿と続いており、若手が改革案を実施したいと考えても、現役の上層部だけでなく、ＯＢからも圧力がかかり潰される。

　核燃料サイクルに反対した若手官僚三人が左遷され、うち一人は経産省から退職を余儀なくされたこともあった。電力業界の逆鱗《げきりん》に触れ、ＯＢからもクレームがついたのだろう。

公務員制度改革に賭けた原英史氏、埋蔵金をはじめとする数々の霞が関のカラクリを暴《あば》いた髙橋洋一《たかはしよういち》氏、小泉改革を支えた岸博幸《きしひろゆき》氏ら、改革意欲に燃える能力の高い役人は結局、自らの組織を見切るしかなくなるのだ。

霞が関だけは過去の遺物ともいえる年功序列制と身分保障をいまだに絶対的な規範にしている。国民に対して、結果を出せなければ責任を取るべきなのに、悪事を働かない限り降格もない。年金がなくなっても、歴代の社会保険庁の長官は、いまだに天下りや渡りで生活を保障されている。

実績は関係ないのだから、国民のために働こうという意欲はどんどん失《う》せていく。

身分保障と年功序列制度が縦割りの組織と一体となり、がんじがらめになっている現在の状況が続くのなら、霞が関が自ら改革に踏み切る日は永遠に来ない。

民主党政権は天下りの根絶を目指し、斡旋を表向き全面禁止した。だが、禁止しただけでは問題は解決しない。出口を閉じても結局は、いままで外に出していた人を省内で抱え込むことになるからだ。

先に触れたように、身分保障と年功序列制をそのままにして、待遇もポストも保障するなどということは不可能だ。人員も給与もカットし、同時に、根底にある年功序列制を廃止して、能力主義、実績主義に改めないと、改革にはならない。

官僚が省益を考えなくなるシステム

安倍晋三政権以来、なぜこれほどまでに苦労して公務員制度改革を行おうとしているのか。

それは、いかなる改革を行うにも、公務員が省益のためではなく、政治主導のもとで、真に国民のために働く仕組みに変えなければ、結局すべての努力が徒労に終わるからである。これまで行われた幾多の改革が途中で頓挫《とんざ》したり、あるいは表面的なものに終わった最大の原因も、官僚のサボタージュ。

これは、実は、改革を命がけでやろうとした政治家にしか分からないことかもしれない。そして公務員制度は、様々な要素が複雑に絡《から》み合ってできあがっている。一部に手をつけても、結局その他の仕組みが頑強に抵抗し、結果的に全体が元に戻ってしまう。だから、変えるべき点には網羅的に手をつけなければならない。そのためのすべての改革事項と改革のスケジュールを法律ではっきり決めてしまう。それが、前に述べた「国家公務員制度改革基本法」なのだ。

法案の国会提出までには、幾多の困難があり、その過程では、渡辺喜美大臣が目指した改革の一部は抜け落ちてしまったが、基本的な考え方は基本法に反映されている。

基本法は、「国家戦略スタッフの創設」「内閣人事局の創設」「幹部職員に関する新制度の創設」「降格、降給などが柔軟にできる新たな給与制度の創設」「キャリア制度の廃止」「外部人材の積極的登用」などを柱にしている。

基本法を貫く基本理念としてとりわけ重要なのが、霞が関の縦割り組織、年功序列制の打破である。

縦割り組織の弊害解消でいえば、「内閣人事局の創設」だ。縦割り組織を壊すといっても、ただ闇雲に若いうちからいろいろな省庁を転々とさせるだけでは、仕事を覚えるうえでも効率が悪い。そこで先に挙げたように「内閣人事局」を新たに設置し、全政府的見地から人事を一元管理しようとしたのだ。特に重要なのは、各省の部長職以上の幹部については人事局が直接的な関与を行い、省庁間の垣根を越えて適材適所の人事を行うこと。

後で述べるように、内閣人事局創設は政治主導の切り札の一つでもあるのだが、縦割り組織打破の観点でいえば、なんといっても大きいのは、キャリア官僚を縛りつけている省という枠組みが取り払われることである。

霞が関の政策が国民そっちのけの自省利益誘導になるのは、各省ごとに自分たちの生活を守る仕組みができあがっているからだ。たとえていえば、政府のなかに独立した互助会がいくつもあるようなもの。なかには厚労省のように、旧労働省の互助会と旧厚生省の互助会といった具合に複数存在している省庁もある。

自分の所属する互助会から追い出されると生きていけないので、天下り先を作るなどポストを増やしたり、予算をなるべく多く取ってきたりして、互助会に貢献する。ポストや予算は法案とセットになっていて、あらゆる政策は結果的に国民の利益無視になってしまう。

縦割り行政の弊害も異なる多数の互助組織が林立していることによって起こる。たとえば、「幼保一体化」。幼稚園と保育所はやっていることは似たようなものなのに、幼稚園は文部科学省、保育所は厚生労働省の所管だ。旧文部省互助会と旧厚生省互助会が、それぞれ自分たちの利益を考えたので、二つできた。二つの互助会の出してくる政策は違うので、利用するお母さんの側からいうと非常に使いづらいし、結果的に待機児童がいつまでたっても解消されないという最悪の結果が生じている。

そこで「幼保一元化」という議論が起きたが、最近は「幼保一体化」といい直している。「一元化」と「一体化」は霞が関言葉では違う。「一体化」は、完全に一緒にするわけではないという意味を含んでいる。

たとえば、極端な話だが、一つの建物のなかに幼稚園と保育所がそれぞれ独立して入っていれば「一体化」されたといえる。物理的な一体化だ。一体化はそういうニュアンスが強い。とりわけ、最初は「一元化」といっていたのに、途中から「一体化」という言葉に変えたということになれば、普通はそういう思惑があると考えなければならない。中身はまったく前と同じ、所管するのもそれぞれ文部科学省と厚生労働省、これでも立派な「一体化」だ。これを「一元化」と呼ぶのは少し無理があるだろう。

このように、各互助会はまやかしの言葉を弄《ろう》して、なんとか利権を手放すまいとがんばる。

民主党が事業仕分けで、この事業は廃止といっても、廃止しなかったり、看板をつけ替えていつの間にやら復活したりしているのも、互助会が聞く耳を持たないからだ。廃止といわれると、名目を変えて温存するなど、役人の生活を守るためのイノベーションが始まる。

従って、国民のための政策にするには、霞が関にあまたある互助組織を解体するしかない。そこで考えられたのが、幹部を互助会から剝《は》がし、実質的に内閣の所属とするという解体法だ。

つまり、部長以上の幹部人事は内閣人事局が一元的に管理する。このとき、幹部候補の名簿は各省庁が作るのではなく、内閣人事局が作る。具体的な人事は、各省の大臣が、総理や官房長官と相談して決める。幹部は事実上その省庁のゼッケンを外し、各省庁の大臣の顔だけではなく、内閣、具体的には総理や官房長官のほうを見ることになる。

もちろん、専門知識を活かすべきだと判断されて、たまたま元いた省庁に配属される人もいれば、別の省庁に行く人もいる。しかし、その後も省庁は固定されるわけではない。局長に出世した官僚は、内閣人事局によって省庁の垣根を越えて新たな仕事場が決められる。これこそまさに適材適所だ。

このシステムでは、入り口は、たとえば経産省や財務省、文科省であっても、幹部になった後は、どこの省庁に配属になるか分からない。若手にとって、所属する省庁は、とりあえずの現住所であり、終《つい》の棲家ではなくなる。

現在の制度では一生ついて回る「○○省の」という属性が取れれば意識は自ずと変わる。いつまでいるか分からない省の利益を最優先する官僚はいなくなり、本来の仕事に専念し評価を得たいという人が増え、本当に国民のために働きたいと思う優秀な若手が育つ。

国民本位の官僚を作る仕組み

「キャリア制度の廃止」「官民交流の促進」も年功序列制の廃止につながる。キャリア制度の廃止から見てみよう。

古くは上級職、現在は国家公務員採用Ⅰ種試験を合格して入省した官僚を「キャリア」、Ⅱ種、Ⅲ種試験合格者の官僚を通称「ノンキャリア」と呼んでいるのはご存じだろう。キャリア官僚は、ノンキャリアに比べ、入省時からポストも給与も保障されており、いわば特権階級となっている。

ところが、実は法的には、これにはなんの根拠もない。国家公務員法とそれに基づく人事院規則や人事院の採用ホームページを見ても、Ⅲ種は高卒程度を対象にしているからⅠ種やⅡ種よりランクが下だろうということは分かるが、Ⅰ種とⅡ種の区別はよく分からない。少なくともⅠ種職員に高い給与や昇進を保障するなどとは、どこにも書かれていないのだ。

言い換えれば、建て前上は、身分制度としてのキャリア官僚制は存在していないことになっており、現行の制度は単なる慣行に過ぎない。

年功序列制に支えられた、この妙な制度がある限り、キャリア官僚は自分たちの特権を守ろうとし、ましてや改革は進まない。それでなくとも生活に苦しむ国民が大勢いるいま、キャリア官僚だけが特権を享受《きょうじゅ》し続けることは許されない。

基本法ではⅠ種、Ⅱ種、Ⅲ種試験による採用ではなく、「総合職」「一般職」「専門職」という三区分で採用試験を行う制度に改めるとしている。

総合職試験では政策の企画立案の能力を重視する。一般職試験では的確な事務処理能力があるかどうかを見る。専門職試験では特定の行政分野の専門的な知識を有するかどうかが重視される。

このような職域本位の区分けに採用試験を改めると同時に、政府は新たに幹部を育成するための仕組み、「幹部候補育成課程」を導入する。幹部候補育成課程対象者は、内閣人事局によって、一定期間勤務した者のなかから本人の希望と厳格な人事評価に基づいて選び、人事局による特別な育成プログラムのもとで、省庁本位ではなく全政府的見地に立った行政官となるように育成される。また、新たな身分制になることを防止するために、幹部候補としてふさわしいか、定期的に見直す。

つまり、すべて厳格な人事評価に基づいて能力本位で決定されるわけで、能力主義が根づき、国民本位の官僚が育つことになるのだ。

回転ドア方式で官民の出入りを自由に

次に「外部人材の登用」。本来は「官民の人材交流の促進」と双方向の記述にすべきだが、ここではあえて、民から官への登用を強調しておきたい。なぜなら、官から民へは、能力さえあればいつでも転職できるからだ。現に若手を中心にどんどん民間へ転職する者が増えている。他方、民から官への転身は極めてむずかしい。

もう一つ要注意なのは、官民交流というと、官僚はすぐに官から民への押しつけ的な派遣などを画策することだ。これはすでに述べた通りだ。従って、ここでは「外部人材の登用」としたが、心は、バランスの取れた官民の人材交流の促進である。

多様性を拒否し、単一の価値観の人間ばかりになっている組織は澱《よど》み、活力を失う。いまの霞が関は、この陥穽《かんせい》に嵌《は》まって抜け出せなくなっている。これを官から民へ、民から官へと自由に行き来できる仕組みに変える。このように自由に出入り可能な人材登用法は、「リボルビングドア（回転ドア）」方式と呼ばれている。

リボルビングドア方式を導入すれば、官で培《つちか》ったノウハウを民に出て生かすこともできれば、逆に官への民間の有能な人材の登用も可能になる。

たとえば、経産省で八年経験を積んだ若手が民間企業から誘いを受けた。前々から民間の仕事にも興味があり、どれだけ自分ができるのか腕試しもしてみたかったし、官僚の仕事にもマンネリを感じていたので誘いに乗った。役人の衣を脱いで民間に再就職してみると、仕事は新鮮でおもしろい。霞が関で働いていた頃には見えなかった発見が日々あり、刺激的である。

意欲的に仕事に取り組む彼に対する会社の評価はうなぎ上りで昇進も速い。このまま民間のビジネスマンとして一生を終えるのも悪くはないな、と彼は考えていた。だが、一〇年ほど経った頃から、この民間での経験を行政に活かしたいという思いが次第に膨らんできた。ちょうどそんなとき、ネットで経産省が幹部職員を公募しているのを知り、これに応募し、官に戻った。

現在の片道切符の官から民への再就職ではなく、出入り自由なダイナミックな制度が確立されれば、彼のように官と民を股にかけて持てる能力を存分に発揮できるようになる。

リボルビングドア方式は、民、官どちらの組織にもメリットをもたらす。視点の異なる有能な人材が行き来すれば、新風が吹き込まれ、組織は活性化する。とりわけ、組織が硬直化し、国家が危機的状況に置かれていても立て直す能力を失っている官僚機構には、外部の血の導入が絶対に不可欠だ。

ここまで書くと、なかには二〇一一年三月の原発事故に思い至る方がいるかもしれない。実は、原子力安全・保安院には原子力の専門家は一部しかいない。しかも民間に比べれば、その専門知識もはるかに低いのだ。

もし、実力ある民間人を採用できる仕組みになっていれば、全体のレベルが格段に上がっていただろう。また、こうした専門分野では、欧米の専門家なども積極的に一定数採用して、国際水準から大きく遅れを取ることがないようにする必要もある。

ただし、リボルビングドア方式を実現するためには、官は現在の年功序列制は捨てなければならない。実績主義の民間で高い能力を発揮し、相応のポストと高収入を得ている若手が霞が関で政策立案に携わりたいと望んでも、年功序列の厚い壁が阻めば、リボルビングドア方式は実現しない。高給とポストを捨ててまで、年功序列制で頭を押さえつけられる官僚組織に飛び込みたいと思う民間の若手など、まずいないからだ。

すなわち、官民の人材交流の促進は、官の年功序列制の廃止と能力主義の導入を前提としている。

私は省庁の幹部は最低五年間は民間に出た人でなければならないという規定を作るべきだとさえ思っている。民間で五年武者修行して、成果を残した人が役所に幹部として戻る。あるいは、民間企業で五年以上勤めて実績を挙げた人を幹部に登用する。役人の場合、その身分のまま派遣する方法もあるにはあるが、前にも述べたような弊害もある。若手であっても一回辞めて出る制度にしたほうがすっきりする。

仮にこの制度を導入すると、はじめから民間に就職した人のほうが役所の幹部にはなりやすくなるかもしれないが、それぐらいでちょうど良いのではないか。

リボルビングドア方式は、遅かれ早かれ実現するはずだ。五年以内にはなんとかなるのでは、というのが私の見通しである。だとしたら、すでに役所を辞めて民間で活躍している中堅・若手の元官僚が再び役所に帰ってきて活躍できる日が来るということだ。
ただ、ある同僚は私にこういった。「五年じゃあ、とても無理だろう……」。

法律無視の民主党政権

ところで、消費税増税をめぐる議論には、民主党は殊《こと》のほか熱心であった。増税の議論を急ぐ根拠として、平成二一年の「所得税法等の一部を改正する法律」の附則第一〇四条にある「平成二三年度までに必要な法制上の措置を講ずるものとする」という規定を、金科玉条のごとく振りかざしている。「法律だから与野党を問わずこれを守らなければいけない」というのだ。

国民から見れば「良くそんな偉そうなことがいえるな」ということになるのではないか。なぜなら、国家公務員制度改革基本法には、様々な改革についてはっきりと期限が書いてある。内閣人事局設置のための法的措置は、二〇〇九年の夏までに取らなければならなかった。麻生内閣はこれに間に合わせようということで国家公務員法の改正法案をちゃんと出した。

だから、民主党は政権交代後、すぐに臨時国会に改正案を出すべきだったが、これを放置した。二〇一〇年の通常国会には大幅に後退した案を出したが、あまりにいい加減な法案だったから廃案になった。その後の臨時国会には、法案を提出しなかった。こんないい加減な政権が、法律は守りましょうなどと良くいえたものだ。そんな国民の声が聞こえる。

さらに、安倍内閣のときに成立した国家公務員法改正法では、天下りを第三者に監視してもらうための再就職等監視委員会の設置が規定されている。これも、れっきとした法律によって決められていることだ。しかし民主党は、政権交代後一年半もこの委員会の人事案を出さなかった。

その結果、二〇一一年一月に経産省の元資源エネルギー庁長官が東京電力に天下りしたときにも、経産省の秘書課長に調査させて国民の顰蹙《ひんしゅく》を買ったことは前にも書いた。ここでも重要な法律違反を犯しているのである。「法律に書いてあるから増税を決めなくてはいけない」などという強弁を、良くも恥ずかしげもなくできるものだ。

「Jリーグ方式」で幹部の入れ替えを

残念なことだが、このように、二年以上も前に成立した国家公務員制度改革基本法の改革が滞っている。早急に推進すべきだが、当時とは状況が変化しており、基本法に盛り込まれた基本的な改革に加えて、さらに大胆かつ具体的な改革を一刻も早く進める必要がある。

国家公務員制度改革推進本部事務局にいた頃、若手官僚の声も入れながら、私が考えた改革案は次のようなものだった。

公務員は法律上、身分が保障されている。これを少なくとも、中央省庁の部長級以上は民間の取締役のように任期制にして、政治主導の人事ができるようにするべきだ。厳格な目標設定と評価を行い、目標が達成できない幹部の入れ替えを果敢に行う。もちろん、民間、あるいは若手からも実力主義で思い切って登用する。

恒常的な新陳代謝を促すためには、長くしがみついていれば得をする現行の給与法も改めねばならない。たとえば、給与は五〇歳以降は逓減《ていげん》する体系に改め、給与の削減幅は、定年の六〇歳までに三割程度減を目安とする。長く在職すれば退職金も減る仕組みにする。これにより、長くいてもかえって損するかもしれないという状況を作り出す。

また、役職定年制も導入する。これは役職者が一定の年齢に達したら管理職ポストを外れ、給与も大幅に下げられるようにする制度だ。

さらに組織に緊張感をもたらし、有能な人材を活かせるよう、局長、部長、課長などの各クラスごとに人員の最低一割を毎年、無条件で入れ替える制度を採用する。分かりやすくいえば、「Jリーグ方式」だ。

サッカーのJリーグでは、毎年、一部リーグの下位チームは強制的に二部に降格され、代わって二部リーグの上位チームが一部に昇格する。入れ替え戦は行わない。つまり、下がる人が上がる人よりも劣るとは限らなくても、とにかく有無をいわさずに、一割ほどの人員を強制的に降格、昇格させるのだ。

「Jリーグ方式」のヒントとなったのは、クロネコヤマトの名で知られる宅配便のヤマト運輸の本社ヤマトホールディングスの人事システムだった。

同社では、役員にも課長にも、管理職には全員、評価に順番がついている。たとえば役員が一〇人いれば、一から一〇番までランクがある。そして、下位一割は、たとえ失点がなくても、自動的に入れ替えられるシステムになっている。一〇人役員がいると、一〇番目の役員は降格し、代わって下から一人、新役員に抜擢されるわけだ。

むろん、いったん下に落ちても、次の年に成績が良ければ、再び役員に返り咲くことができる。このようなシステムが全管理職に適用されているのだ。

この方式を導入する最大の目的は、強制降格することで必ずポストに空きが生じる状況を作り、そこに外部の民間人や有能な若手を登用することを可能にすることだ。上のポストが空かなければ、若手の抜擢、民間人の登用、などといくら声高《こわだか》に叫んだところで絵に描いた餅に終わってしまう。

また、霞が関の役人は、「トコロテン人事」というぬるま湯で昇進してきた人が多いので、Jリーグ方式を導入すれば、官僚の大きな意識変革につながるだろう。

事務次官廃止で起きること

公務員の最高ポストとしての事務次官ポストも廃止したほうがいい。

自民党政権時代、各省の事務次官で構成する事務次官会議が、実質的に政策にふるいをかけていた。事務次官会議を通過しない政策は閣議には諮《はか》れないというおかしな慣習がまかり通っていたのだ。実質的にこれを破ったのは、安倍内閣のときに一度あるだけ。民主党政権に交代して、事務次官会議と事務次官の定例記者会見は廃止されたものの、事務次官のポストはいまだに残っている。

民主党政権では、その程度はともかく、大臣、副大臣、政務官の政務三役が実質的な省庁の司令塔として機能した。いや、正確にいえば、機能することになっていた。そして、省内の取りまとめや省外との調整は政務三役に一本化されるはずであった。

官僚のトップである事務次官と政治家から選ばれた政務三役の二本立てになっているいまの制度は、双頭の蛇のようなもので、効率も悪いし、政治主導も円滑に進まない。民間企業にたとえれば、方針の異なる社長が二人いるようなものだ。

仮に、政治主導が貫徹できたとしても、組織として頂点に大臣、副大臣、政務官という小さなピラミッドがあり、その下に次官を頂点とする大きなピラミッドがぶら下がっている極めておかしな形だ。私はこれを「イカ型」と呼んでいる。「政と官の二階建てピラミッド」といっても良いだろう。まるで、政治家と事務方が対峙《たいじ》しているようだ。まさにそれが、政治主導が行われてこなかったことを表している。

事務方の意見を取りまとめてから政治家に送る、これが従来の官僚主導である。もし政務三役の下に直接、各局長がつけば、事務方が一致団結してサボタージュするという構図をかなり和《やわ》らげることができるはずだ。分割して統治せよという政治の鉄則にもかなっている。

もちろん官僚を最高意思決定機関に加えたいということもあるだろう。その場合は、その官僚を政務官にすればよい。

もっとも、事務次官ポストを廃止すべきだなどと主張すれば、霞が関から袋叩きに遭う。官僚にとって最大の既得権益はポストだからだ。ゆえに霞が関は天下り先を作った者を評価し、逆にポストを減らす改革は、何があっても阻止しようとする。

事務次官のポスト廃止に対する根強い抵抗は、民主党の方針転換を見れば分かる。二〇〇九年二月、当時民主党幹事長だった鳩山由紀夫前首相は、「(政権を奪取した暁には) 各省の局長以上の官僚には一度辞表を出していただく」と、公務員制度改革への意欲を表明していたが、すぐに発言を撤回した。

政権誕生後、仙谷行政刷新担当相は、われわれの提案を一度は受け入れたのか、事務次官ポストの廃止に乗り気だったが、結局、官僚の抵抗に遭ってすぐに引っ込めてしまった。

さらに、菅総理は二〇一一年一月二一日、官邸に各省庁の次官を集めて、政権交代後に進めてきた「政治主導」について「現実の政治運営のなかでは、反省なり行き過ぎなり不十分なり、いろいろな問題があったことも事実だ」と述べ、さらに、「一年半を振り返り、より積極的な形での協力関係を作り上げていただきたい。政治家のルートと並行し、事務次官や局長のレベルでの調整が必要なのは当然だ」と官僚に擦り寄り、次官に助けを求めた。ここまで来ると、国民も、開いた口が塞《ふさ》がらないだろう。

結局、民主党には政治主導を行う実力がなかったということだろう。民主党は「政治主導」のやり方を少し修正しただけだといっているが、本当のことをいえば、国民に幻想を振りまいた「政治主導」は最初からどこにもなかったのだ。序章で述べた通り、東日本大震災でその欠陥が露呈するという、最悪の事態になってしまった。

第一に、そもそも民主党の閣僚には「政治主導」の意味が分かっていなかった。事務ルートの調整を一切排除しようと思ったこと自体、それを示している。政務三役が電卓を叩いて政治主導を演出しようなどと考えることも政治主導のはき違えだ。

国民のために国家の進路を政治家が判断し、その実現のために官僚をうまく使う。当たり前のことだ。しかし、実際は、事業仕分けや予算編成は財務官僚に丸投げするかと思えば、外交は官僚を無視して国益を損なうような失敗続き。政治主導が何なのか、まったく哲学がないまま、「政治主導」の言葉が躍っただけだった。

第二に、民主党の閣僚はじめ政務三役には「政治主導」を行う実力がなかったということだ。おそらく、仙谷氏たちはそのことを早い段階で察知し、政治主導はむずかしいと判断したのではないか。だから、途中から官僚とうまく協調することを閣僚に促し、重要な場面では、官房長官自らが各省の案件に乗り出して行く。それによって、なんとかして官僚支配に陥ることを避けようとした。そんな風に私には見える。

ある政務三役が、「官僚の話を聞くと騙されるから話は聞かない」というのを聞いて、こんな人たちに任せて大丈夫かと不安な気持ちになった人も多いだろう。まさにそのときの嫌な予感が的中してしまった。

実は働かない幹部職員

いずれにせよ、官僚個々人が自らの評価を認識できる仕組みが必要だ。現行の年功序列制は若手官僚にとって、幸せな制度になっているとはいいがたい。

各省庁に入省したキャリアの新人は、単線を走る蒸気機関車に乗り込んだようなものだ。この機関車にずっと乗っていれば、課長職という駅までは必ず到達する。その後は、駅に止まるたびに何人かが降ろされ、終着駅まで辿り着く乗客はたった一人だ。

途中の駅で降ろされた人は、その後、支線に乗り換えるよう指示され、自分の意思とは別に行き先を決められる。そちらへは行きたくないと思っていても、自力で旅を続けるとなると凍《こご》え死んでしまうのではないかという不安があり、拒否できない。民間の人々は新幹線や電車に乗って旅をしている。いまさら、自分が彼らに追いつけるとも思えず、再び旧式の蒸気機関車に乗り換える道を選ぶ。

若いときの自分は、人生を旅する能力は他の人よりずっとあったはずだ、どこで道を間違えてしまったのだろうか、と思う。答えははっきりしている。乗った機関車が悪い。

官僚の仕事は、もともと成果がはかりにくい。年功序列制なので、余計に成果は評価の基準にはならない。霞が関の役所の評価基準は大きく分けると二つしかない。

一つは労働時間、もう一つは先輩、そして自分の役所への忠誠心だ。霞が関では、仕事を効率的にやるという努力は無駄に終わる。だらだらとでもいいから、なるべく長く仕事をしたほうが勝ちだ。

深夜、霞が関をタクシーで通ると、どの庁舎も煌々《こうこう》と灯りが点《つ》いている。霞が関は不夜城。官僚は批判されているけれど、なんだかんだいって一生懸命働いているじゃないか、と思われる人もいるだろう。

だが、実態はお寒い限りだ。夜の七時頃から九時頃まで多くの幹部が席を外している。外部との打ち合わせと称して、酒を飲んでいるのだ。上司から「お前も来い」といわれれば、若手もついていくしかない。疲れているところへアルコールが入るのだから酔いも回る。それでも、みんな戻って仕事をする。

私はアルコールを一滴も飲まないので、酔っ払いながらも仕事をやっている人を見ると、ある意味、凄いなと思うものの、その一方で、どう考えても実のある仕事ができるとは思えない。仕事ははかどらず、気がついたときは、時計の針は零時を回っている。終電は終わっているので、タクシーを飛ばして帰るしかない。

一時期、業者の接待は厳禁されて幹部の外出も一気に減った。「居酒屋タクシー」が問題になり、深夜のタクシーの使用が議論されたこともあったが、ほとぼりが冷めると結局、昔と同様に各省庁の周りにはタクシーがずらりと並んで待っている。

日々、このような生活を送っているのだから、日中の仕事も効率が上がらない。要は、だらだらと仕事を続けているに過ぎないのだ。

本来なら酒など飲みに行かず、さっさと仕事を片づけて帰宅し、家族との時間を持ったほうがいいと考えている官僚も多いはずだが、そうならないのは、いかにサボりながら仕事をしているように見せられるかが、霞が関では重要であるからだ。

仮にこれを民間でやったらどうか。「私はこれほど長時間働いている。がんばりを評価してもらいたい」などといっても誰も相手にしない。逆に「それだけ働いて、たったこれっぽっちの成果か」と、無能の烙印《らくいん》を押されてしまう。そもそも管理職がそんな無駄な残業は許さない。

事業仕分けで廃止とされた分野があっても、役人がいうことを聞かないのは、指示を守っても霞が関ではまったく評価されないどころか、逆に×がつくからだ。

普通の会社で社長がこうしろと命令したのに、どこ吹く風で無視したりすると、クビにならないまでも評価はがた落ち。昇進は遅れるし、ことによっては給与もカットされる。だが、霞が関では大臣にいくら逆らっても、ペナルティはない。次官の意向に添っていればまず飛ばされない。前に説明した大臣・次官の双頭の体制になっているからだ。

大臣あるいは内閣の意向に添った評価と信賞必罰の人事をセットで導入しなければならない。

大学を卒業した時点で、潜在的な能力が非常に高くても、原石は磨かなければ光らない。いまの霞が関の制度は、せっかく秘めていた能力を花咲かせるどころか、伸び悩ませるシステムになっている。前にもいった通り、「霞が関は人材の墓場」なのである。

これを正常な評価システムに変えれば、途中下車の道も開ける。民間でも十分やれそうだという手ごたえを感じた人は、残るよりも辞めたほうが得だと思うケースも出てくる。天下りなどに頼らず、早期退職するという選択肢が増えたほうが、官僚という職業の魅力も増す。

政治が無傷のとき役人は

現在は非常時なので、こうした改革を一気呵成《かせい》に進めると同時に、大胆なリストラを断行しなければならない。

事業仕分けで今後、無駄な事業はどんどん削られていくはずである。当然、ポストも減っていく。だからといって、余剰人員を抱えておく余裕はまったくない。必然的に公務員のリストラが避けられない。

公務員は身分を保障されている代わりに、スト権、協約締結権など、労働基本権の一部を制限されている。民間企業のような雇用保険もない。

いざリストラをするとなれば、公務員の身分保障と労働基本権の付与をセットで考えなければならないわけで、その際、問題になるのが雇用保険だ。公務員に雇用保険をかけるとなると、国が雇用主として半分負担することになり、巨額の財源が要る。これでは、リストラしたところで、かえってマイナスになるのではないか、という議論が出てくる。

しかし、私は方法はあると思っている。いまでも退職金は支給されるので、失業しても当面の生活費には困らない。そうであれば、退職金の上積みと全額国費による少額の失業手当を組み合わせるなど、知恵はいくらでもあるはずだ。

こう書くと、それは無理だという議論が噴出するだろう。要するにリストラを阻止するために一〇〇でも二〇〇でも理屈が出てくる。役人がもっとも得意とする「できないという屁理屈」の典型である。政権がやる気になれば、できないことはないはずだ。

ただし、政治が無傷では、役人は痛みを伴う公務員制度改革を受け入れないだろう。公務員制度改革を進める前に政治の指導層が先頭に立つ姿勢を示す必要がある。

たとえば、議員定数の大幅削減と同時に、議員歳費の五〇パーセント削減を実施する。それに続いて公務員の幹部職員の給与も三〇パーセント程度は削る。

もちろん、議員定数をリストラの観点で議論するというのは邪道だろう。本来は、議会制民主主義を実現するために必要な制度設計の一環として議員定数も議論されるべきだ。しかし、そんな正論は、平時の議論だ。国の存亡に関わる改革を進めるためにやむを得ない犠牲だと考えて実施するべきだろう。

東日本大震災で、さらに日本は追い詰められた。これ以上の危機はない。逆にいえば、これだけの危機に直面すれば、これ以上政治家が自らの利益を優先することはないのではないか──そう期待したい。

しかし、民主党が準備したのは、議員歳費をわずか半年間で三〇パーセントカットするというもの。年でいえばたったの一五パーセントだ。なぜ半年間などと区切るのか、その神経が分からない。

これでは民間の痛みが分かっていないといわれても仕方がない。公務員給与を恒久的に一〇パーセントカットする方向が打ち出されたが、議員歳費のカットはわずか半年だけ──これでは、その実現は覚束《おぼつか》ないのではないか。

日本には、一刻の猶予も残されていない。

第五章　民主党政権が躓いた場所

族議員が一掃された必然

民主党は前面に「脱官僚」を掲げ、二〇〇九年八月末の総選挙を戦い、国民の支持を受け、長らく続いてきた自民党政権時代を終焉《しゅうえん》させた。「脱官僚」を実現するための手法として、民主党が上げたのは、ご存じのように「政治主導」である。

確かに、民主党は自民党に比べれば、はるかに政治主導による「脱官僚」を実現しやすい環境にあった。

自民党時代の与党議員と官僚の関係は、「政官癒着」とよく非難されていたが、この表現は適切ではない。自民党と霞が関の関係はもっと深かったからだ。

自民党は、政策立案の場として、党内に「財務金融部会」「経済産業部会」「環境部会」といった専門の部会を設置している。内閣が提出する法案であっても、まず各部会の議論と了承手続きを経て、自民党の政務調査会（政調）で調整され、さらに党総務会に回され、最後に閣議で正式決定されて国会に提出されるという仕組みになっていた。

この政策立案の場である各部会のブレーンは、対応する関係省庁の官僚が務めていた。法治国家の日本では、政策には法律の裏づけが要る。たとえば、経済産業省がやりたい政策があれば、それを法案にまとめ、官の素案として自民党の経済産業部会で論議してもらう。部会でこの法案（政策）はいいからやろうとなると、修正などのとりまとめをした後に、党政調に上げられる。すなわち、自民党の部会と関係省庁は一体となって政策をまとめあげていたのだ。自民党の議員は必ずどこかの部会に入ることになっている。部会は若手議員の勉強の場でもある。初当選して国会議員になりたての新人のなかには、政策立案といっても何も分からない人もいる。彼らは、専門部会でそれを学びながら、政治家として成長していく。この先生役を務めているのも官僚。言い換えれば、自民党の議員は官僚に育てられて一人前の政治家になるという仕組みになっていたのだ。

従って、自民党時代の自民党議員と官僚は、切っても切れない親子関係といってもいいほど深く結びついていた。

このシステムには、各分野のスペシャリストの政治家が育つというメリットがある一方で、悪名高い「族議員」を生み出すなど弊害も多かった。たとえば経産省が経済産業部会で実権を握る経産族議員を育成、こうした族議員に根回しして、その力を借りて法案を通す。その見返りに、族議員の口利《くちき》きや陳情に応じ、特定の業界に便宜をはかるといった慣行が根づき、族議員は省の利益の代弁者となっていた。

つまり、単純な癒着というより、政官が一体となった「複合共同体」ができあがっていたのである。自民党政権時代、公務員制度改革が幾度も暗礁に乗り上げたのは、こうした構造的な関係が根を張っていたからだ。

利権は国政のあらゆる分野に及んでいた。公共事業、医療、農業、教育、運輸、通信……、数え上げたらきりがない。そして、電力もまた代表的な政官財の癒着構造を持っていた。電力の世界は、業界全体が、政にも官にも優越するという特殊な構造になっていた。

その点、結党以来、一度も政権の座に就いたことのなかった民主党の議員は、官庁との不明朗な利害関係はない。民主党にも、官僚出身の議員がたくさんいる。民主党の「過去官僚」議員のなかには出身官庁と深い関係にあり、自民党の族議員と同じような動きをする人もいるが、少なくとも自民党時代のように構造的な一体関係を育《はぐく》むシステムは存在しなかった。

民主党政権になれば、自民党の族議員と官僚といった政官の関係は一度ご破算になる。そのうえで民主党政権が、政治家と官僚の新たな関係を構築すれば、「脱官僚」は一気に進展する可能性はあった。

民主党が脱官僚できない二つの理由

民主党政権は、発足当初こそ、期待通り、官僚と対峙する姿勢を鮮明に打ち出して出発したが、その後の妥協に次ぐ妥協を見ていると、「脱官僚」は看板倒れに終わりそうな気配《けはい》であった。

民主党はそもそも「政治主導」の意味が分かっていなかったのではないか、そして、「政治主導」を行う実力がなかったのではないかということをすでに指摘した。しかし、仮に「政治主導」の意味を理解し、これを実施する実力があったとしても、なお足りないことが二つある。

最大の問題は民主党が何をやりたいのか、それがはっきりと見えてこない点である。総選挙前に作られたマニフェストに民主党の政策は集約されていると考えるのが妥当なのだろうが、そのマニフェストを熟読しても、民主党が目指している国家像が伝わってこない。私の周囲の人々のなかには、「あれはあくまでも選挙用で、国民受けする政策をとりあえず並べただけでしかない」と酷評する人もいる。

マニフェストで掲げた政策を民主党政権はやっていない、国民との公約を守っていないという批判があったが、それ以前にマニフェストの政策を民主党が本気でやりたいと考えているのか、疑問に感じてきた。

鳩山氏にしても仙谷氏にしても、いま一つ、何をやりたいのかが伝わってこなかった。菅総理は「平成の開国」「最小不幸社会」などを掲げていたが、マニフェストを見直すことになったから、国民から見れば、そもそも民主党が何を目指すかは不明だった。やるべきこと、やりたいことが分からないまま予算や法案の審議をした。なんと国民を馬鹿にしていることか。

菅総理の考える理想の社会が具体的にどのようなものなのか、私には見えなかった。「最小」「不幸」というネガティブな単語を二つ重ねた言葉からは、雰囲気的には、みんなで貧しくても肩を寄せ合って生きていこうね、という感じかなと思ってしまった。

民主党政権最大の実力者である切れ者の誉《ほま》れ高い仙谷氏は、自分に対する批判に反論する姿は幾度も見たが、前向きな政策を力強く語っているところを見たことがない。

仙谷氏が国家戦略相のときにやったことで記憶しているのは、ベトナムへの原子力発電所と新幹線の売り込みぐらいのものである。こんなことを国家戦略相がやるのかな、もっと大きな枠組みを変えるようなことを考えてもらいたいな、と少しがっかりしたものだ。

二つ目は、政治主導のための仕組みを確立できていないことにある。自民党政権時代は善くも悪くも党と官僚は一体で、官僚依存で政策を立案し、実施していたが、それに代わる仕組みが作れていない。

官僚が国民の代表である政治家の考えを半ば無視して、自分たちの利益につながる政策を立案している。これを改革するキーワードが「政治主導」なのは間違いないが、言葉だけが独り歩きしていて、そのための仕組みが整えられておらず、掛け声倒れになった。

そうなってしまったのは、政治の制度改革が遅れていたからだ。国家公務員制度改革推進本部で公務員制度改革に取り組んでいたときに、行政と政治の制度改革はセットで行うべきだと強く感じた。公務員制度が改革され、官僚が国民のために働く仕組みになっても、政治がそれを使いこなし、政策に活かせる体制になっていなければ、行政は正常に機能しないからだ。

麻生政権のもとで提出した国家公務員法改正案に、そのための仕組みとして「国家戦略スタッフ」「政務スタッフ」の創設を、基本法のスケジュールを前倒しして盛り込んだのもそのためだった。民主党はこれを参考にして、鳴り物入りで「国家戦略局」を作るという法案を提出したが、優先順位は極めて低く、結局まったく成立の目処は立たなかった。そして最後には、議論すら聞かなくなってしまったのだ。

経済財政諮問会議はいまだに法律上存在している。これを実質的な司令塔にすることも可能だが、小泉改革を連想するということなのか、活用されていない。

総理主導を実現するための強力な司令塔とサポート部隊は、自民党時代とまったく変わらず、財務省と財務省を中心とした官邸官僚が担っていた。だから、「自民党と同じだ」ということになるのだ。

労働組合との隠したくても隠せない関係

二つの基本的な理由に加えて、民主党と労働組合の関係にも触れなくてはならない。民主党の有力な支持母体、日本労働組合総連合会（連合）傘下の地方自治体職員などによる労働組合の連合体、全日本自治団体労働組合（自治労）や、政府関連の労働組合は、急激な公務員制度改革に反対の意向を示している。

民主党には選挙を組合に頼っている政治家が数多くいる。組合の正式な組織候補となっている者はもちろんのことだが、一年生議員などには、組合がなければ選挙活動をどうやればいいか分からない人も多いのである。

頼りにするのは選挙費用や票のためだけではない。たとえば、公募で選ばれた候補者がまったく土地勘のない田舎で選挙活動を行うとしよう。都会のように駅前の街頭演説などをしても、そもそも駅前に人などいない。大きな住宅街というのもないから、自転車で町を回るなどということをしても、出会える人の数などたかが知れている。しかも、よそ者にはなかなか心を開いてもらえない。きっと途方に暮れてしまう。

ところが、組合が支援すればまったく異なる。どんな田舎にも学校はある。日教組が人を集めて小さな集会を開いてくれれば、演説させてもらえる。それが選挙運動になる。工場の労働組合が集会を開いてくれる。これも貴重な活動の場だ。こうして少しずつ選挙運動の輪が広がっていくのだ。

このような最初の経験は極めて大きな影響を与える。政治家になってから集まってくれた人よりも、こうした何もない段階で世話になった人への恩義は誰しも強く感じるものだ。民主党には若い議員が多いから、組合の影響など受けないのではないかと思う人も多いかもしれないが、実態は大違いなのである。

組合の嫌がる政策を実施して選挙で応援してもらえなくなると、議席の維持がむずかしくなる。こうして組合に気を遣い始めると、結局、官僚の意向に逆らうことはむずかしくなる。政治主導といっても、その前提となる公務員制度改革には手がつけられなくなるからだ。

おもしろいエピソードを紹介しよう。二〇一〇年頃、あるテレビ局の番組で連合の古賀《こが》伸明《のぶあき》会長が、当時の仙谷由人行政刷新担当大臣と松井孝治官房副長官を呼び捨てにする場面が放映された。その直後、仙谷氏本人からこのテレビ局に、一方的な報道だとしてものすごい剣幕で電話がかかったそうである。連合からも抗議があった。

これほどおもしろい映像はないから普通なら繰り返し放送されるのだが、実際には、このテレビ局はその映像を封印してしまった。

逆にいえば、テレビ局側は、それほど民主党が組合との癒着問題に神経質になっていると思っていたということなのだろう。この問題がいかに根深いものか分かるというものだ。

ところで、原発事故で問題となっている電力業界。この分野の労働組合は「全国電力関連産業労働組合総連合（電力総連）」という。連合のなかでも大きな勢力を有し、組織内議員も輩出している。笹森清内閣特別顧問は元会長で、日本労働組合総連合会（連合）会長も務め、民主党政権に大きな影響力を持つ人物と考えられている。福島原発事故後の対応や東電の処理にあたっては、この電力総連の動きも要注意である。

財務省と手を結ぶしかなかった秘密

さらに指摘しなければならないのが、前にも触れた閣僚の力の問題。与党経験のない民主党の議員が大臣や副大臣、政務官に初めて就任し、官僚と戦う。官僚出身の議員などは霞が関に人脈もあり、その手の内を知っているが、大半の閣僚が官僚に太刀打ちできるという自信を持てない。自分たちの力が足りないのに戦いを挑んだりすると、官僚に叩かれて終わるだけなので、少なくとも表面上は仲良くしていたほうがいいだろうという判断が働いているように見えた。

これを「消極的な擦り寄り」とすれば、一方で「積極的な擦り寄り」もある。民主党政権は、財務省に対しては明らかに、これと手を結び、仲間に引き入れたいと考えていたと思われる。財務省の協力なくしては予算編成も緊急課題となっている経済政策もできない。財務省の知恵を貸してもらわなければ、民主党政権の支持率はジリ貧になり、解散・総選挙にまで追い込まれ、政権政党の座を失う恐れが出てくる。

だからこそ、財務省を味方にすべく、公務員制度改革を後退させ、天下り規制を骨抜きにするなどの「誠意」を示して引き込んだのだ。

これが民主党の「魚心《うおごころ》」とすれば、財務省の「水心《みずごころ》」は消費税増税である。悲願の消費税増税を民主党政権にやらせるために財務省が描いた理想のシナリオは、民主党政権を長く続けさせ、その間に民主党政権に消費税増税を強行突破させる――こういうものだったと私は推測している。

増税の議論を行う前にまず選挙で国民の信を問い、そのうえで増税を決めるという筋書きでは実現はむずかしい。五パーセントの増税は、国民からすれば五パーセントの減収だ。民主党が選挙で勝てる可能性は限りなく低くなる。何があっても民主党政権を支え、次の参議院議員選挙までの三年間、選挙がない状況を作り出し、その間に増税を既成事実化したいと、財務省は考えていたのではないか。もちろん、あわよくば選挙なしで増税までこぎ着けたいという思惑もあっただろう。

この財務省のシナリオに沿って、鳩山政権から引き継いだ菅政権は消費税増税を口にした。ところが、菅氏は増税に関して、「少なくとも三年後の選挙で国民の信を問う」と国民に約束した。ある意味うまい戦略だと思った。

財務省からすると、これで増税実現までのハードルが高くなった。民主党政権に増税をやらせるには、民主党政権を維持させ、なおかつ総選挙にも勝たせなければならなくなったからだ。菅発言は、「俺たちも死に物狂いでやるから、財務省も死に物狂いで俺たちを支えろ。でないと、増税は実現しないぞ」という財務省へのメッセージでもある。

一方で、消費税増税表明は自民党が先。これに菅氏が抱きついたわけだ。財務省にしてみれば、増税を実現してくれるのなら、民主党、自民党のどちらでもかまわない。自民党に乗り換える道ももちろん視野に入っている。

そこで、民主党政権が暗に強調しているのが公務員制度改革の違いだ。「自民党やみんなの党に比べれば、われわれのほうがずっと緩い」とアピールし、財務省をつなぎとめようとしていた。

民主党と財務省が手を組んだとはいえ、菅政権は消費税増税を餌に政権維持を助けろ、と財務省を踊らそうとしていただけ。また財務省にしても、助けるふりをして、最後に増税さえできればいいと考えていた。場合によっては、菅政権を潰して増税への捨て石にする、それくらいのことは考えていたはずだ。

時の政権と財務省の関係はしょせん狐《きつね》と狸《たぬき》の化かし合いだ。裏切る、裏切らないの緊張関係のなかで、腹を探り合い、自分たちの利益をなるべく大きくすべく綱引きをやっている。繰り広げられる虚々実々の駆け引きは、不謹慎な言い方だが、傍目《はため》には、とてもおもしろい。

民主党政権は、ときどき、「俺たちもやる気になれば、これぐらいできるんだよ」と強気の態度で脅しをかけ、財務省を従わせようとするかと思えば、「世論の批判が強いので、この政策だけは我慢してもらえないか」と泣き落としにかかった。

財務省は財務省で、「このタイミングでは、さすがにやらせるのは無理か。それなら、こちらは向こうの要求を呑む代わりに、あの政策をやらそう」などと、政権の腹の内を読みながら、最大限要求を通そうとする。以上はあくまで私の推測で、やっている当事者はそんな意識はないというかもしれない。しかし、少なくとも傍から見ていると、そのような駆け引きがあるように見える。

では、消費税の増税は次の選挙後までないのか。ないと見るのが普通だろう。しかし、ひょっとすると、と考えていた財務官僚もいたのではないか。消費税増税は実は民主党政権にとっても切り札になり得たからだ。なぜか。

増税すれば、財源不足で実現できなかった政策が実施できる。それによって支持率を維持し、選挙に勝つという戦略もあるだろう。逆に財務省は、増税なしでは様々な政策が実施できないという危機的状況を演出するだろう。国民を脅して、むしろ国民の側から「消費税を上げてくれ」という悲鳴を上げさせる。そうなると、意外と早く消費税増税が実施される可能性があることは一概には否定しきれないのではないか、と私は見ている。

仙谷官房長官の大誤算

仙谷氏と財務省の関係も非常に興味深い。仙谷氏はすでに触れたように、当初は改革に燃えていたと思われる。しかし、現実との妥協で財務省と手を握るふりをしたように見える。ある意味、仙谷氏の判断は正しかったと思う。

仙谷氏は官房長官を退任する以前は、菅政権の陰の総理といわれるほど、権力を一手に握っていた。民主党政権誕生直後は決して主流とはいえなかった仙谷氏が、民主党内の権力を掌握し、菅内閣で突出した権力者となれたのは、財務省に依存する作戦が成功したからである。仙谷氏が権力の座についた原動力が財務省依存だった、と私は見ている。

財務省のバックアップがあるために、他の閣僚に比べて、入ってくる情報の質・量が違ってくる。したがって、情報不足による失言はなく、大ポカをせずに済んだ。非常にむずかしい場面になると、仙谷氏の意見が、一番もっともらしい。他の閣僚の評価が落ちていく一方で、仙谷氏の評価だけはうなぎ上りで、内閣のなかで突出した権力を持つに至った。

つまり、財務省をうまく操って、やっと霞が関と戦える力を持つところまで上ってきたということだ。

私がそう思うのは、仙谷氏が極端なまでに財務省の意向を汲《く》んでいるように見えたからだ。そうは見えないように巧妙にやっていたが、全体から見ると、霞が関に対して非常に手厚い政策を次々とやっていた。国民がすべて批判するような政策でも、押し通す。党内から、「こんなことをやれば、選挙に必ず負ける」という批判の声が上がったにもかかわらず……。

仙谷氏が霞が関に完全屈服したのではないかという人もいたが、私はそうは思わなかった。あれほどあからさまにやったのだから、仙谷氏の戦略だと思った。自分がどれだけ霞が関を守ってやっているか、あえて見せつけ、財務省を手なずけて、権力の階段を上ろうとしていたのではないか、と推測している。

これはよほど自信がないと怖くてできない。マスコミに叩かれたときに、立っていられなくなる。仙谷氏には自信があったのだろう。自分が権力を握れば、選挙も絶対勝てると踏んでいたのだと思う。

だが誤算があった。仙谷氏が階段を上っているうちに肝心の民主党の支持率が下がってしまい、二〇一〇年七月の参院選はボロ負けしてしまった。仙谷氏の官僚依存も、国民から見ると、自民党時代に逆戻りしたとしか見えず、菅内閣は急速に国民の信を失った。

民主党を風船に、仙谷氏をそのなかの空気にたとえてみると分かりやすいかもしれない。民主党という風船は、二〇〇九年の総選挙前には空高く舞い上がっていた。その頃、仙谷氏という空気は風船の下のほうに漂っていた。

最下部の空気である自分が、財務省と喧嘩《けんか》しても潰されるだけである。仙谷氏はとりあえず手を組んだふりをして階段を上がろうと考えた。党内の政治力学を睨《にら》みながら、財務省を利用して。この戦略は見事に奏功し、風船の頂点まで上り詰めた。

ところが、気がつくと肝心の風船が、その間に急下降。水平線ぎりぎりまで落ちていた。相対的に見ると、かつて風船の底辺にいた頃よりも、自分の位置は下がっていた。それどころか、いまや風船は破裂寸前だった。

挙《あ》げ句《く》の果ては、上手《じょうず》の手から水が洩れ、閣内からも出ることになってしまった。結局、仙谷氏は、パラドックスに押し潰され、霞が関との決戦の日は迎えられなかった。

仙谷氏の陥ったパラドックスは民主党政権にも当てはまる。民主党が野党時代、脱官僚に本気で取り組もうと考えていたのは間違いない。だが、政権の座に就いた途端、現実が重くのしかかってくる。

大きな改革は一年ではできない。すべてやり遂げるまでには七年から八年かかるとすると、四年後の選挙に勝たなければならない。その前にすぐ参院選、そしてまた統一地方選。選挙に勝つためには、政権を維持し、なおかつ支持率を高水準に保つ必要がある。そのためには、霞が関と事を荒立てるのは危険、となる。

かくして妥協に次ぐ妥協が始まり、気がつけば身動きができなくなっている。政権の支持率は、ジリ貧になり、やがて倒れる……。民主党はこの罠《わな》にかかり、国民の信を急激に失ったのだ。

仮に改革には七、八年必要だとしても、政権を維持するために守りに入ると終わりだ。リスクがあっても政権が倒れることを恐れず、その時々でできる改革を断行し、常に推進力を維持する。そして、いったん支持率が落ちたとしても盛り返すという政権運営をして、初めて改革も政権維持も成功する。小泉純一郎総理はこれがうまかった。

小泉内閣の支持率は、おしなべて高かったが、浮き沈みがあった。そろそろ危ない水準まで下がってくると、小泉氏は守りに入らず、思い切った冒険をした。たとえば電撃的な北朝鮮訪問である。そして、極めつきは郵政選挙だ。それが功を奏し、支持率は再び上昇するといったサイクルの繰り返しだった。

誕生直後の絶好機を逃した鳩山政権

脱官僚の最大の好機は、民主党政権が誕生した直後だった。「鉄は熱いうちに打て」のたとえのごとく、あのとき大胆な改革を実施していれば、成功した可能性が高い。

霞が関を改革する一つのポイントは役人の評価基準にある。分かりやすくいえば、何をやったら偉くなれるか。

いまは、役所のために予算を増やしたり、規制を作って天下りポストを多くした者が評価される。「あそこまで省益を太らせるとは、あいつはワルだなあ」は、官庁では褒め言葉である。そういう「ワル」にはマイナス評価しかつかないよう変えなければならない。

この手法についていうと、それはさしてむずかしいことではない。総理や大臣が「公益法人への天下りポストも予算も半減しろ」と命令し、「これを真面目にやった者は昇進させる。しかし、できなかった者は能力がないと判断して干す」という。

干すといわれれば、役人はけっこう真面目に取り組むものだ。

ただし、これをやるためには一つ要件がある。それは、政権がしばらく続く、そして大臣も交代しない、という前提である。来年どうせ政権や大臣が変わると思えば、大臣のいうことは聞かない。下手《へた》に指示に従い、次に来た大臣の方針が変わって梯子《はしご》を外されれば、次官や官房長は役所の利益に反する行動を取ったとして、マイナス評価をつける可能性が高いからだ。

鳩山政権が誕生した頃は支持率も高く、この政権がずっと続くとみな考えていた。しかも、脱官僚を掲げて登場した政権だけに、役人は相当思い切ったことをやられると覚悟していた。

あのとき、全次官に天下り先リストの一覧表を出させ、半減を指示し、具体的な計画表を一二月までに出すよう命じ、「できなかったら、成績不良とみなす」と告げ、次のように迫る。

「私にあなたたちの命を預けてください。一生懸命やってくれたら、私はみなさんを守る。しかし、できなかったら役所を去ってもらうしかない。そういう意味で辞表を出してください。

国民のためにやるという覚悟を示してください」

　各人に目標も書かせ、期限をつけて評価する。なかには抵抗する次官もいるだろう。あるいは全員が談合してボイコットしようとするかもしれない。半減は無理だから一割にしてくれと泣きを入れてくる次官もいるに違いない。

　しかし、目標を達成できなかった者は、話し合いのうえ、ばっさりと切る。ここまで大胆にやれば、残って大事に扱われる者はむしろ、政権に恩義を感じる。

　役人はクビにできないというが、そうでもない。明確な目標を設定して、それができなかったからクビだとちゃんとした話をすれば、それに逆らう官僚はほとんどいないのではないか。次官・局長ともなれば巨額の退職金が入る。そこで抵抗してみても、世の中から糾弾《きゅうだん》される。そんな根性のある役人はいないだろう。

　あのとき、総理と大臣が一枚岩になって、抜き打ちでこれをやれば、成功する確率はかなり高かったのではなかろうか。

　ところが、鳩山政権がやったことは真逆《まぎゃく》だった。政権交代前、農水省の次官は、民主党のマニフェストに書かれていた農業政策を公然と批判していた。政権誕生後、お互いに政策論争をしたのならまだしも、農水の次官が掌を返して「誠心誠意やります」というと、赤松広隆《あかまつひろたか》農水相は即座に、「ぜひ、一緒にやってくれ」と応じた。これでは完全に役人のご機嫌取りである。多くの国民はたいへん失望したであろう。

赤松大臣だけでなく、長妻昭《ながつまあきら》厚労相を除く大方の閣僚が、役人に擦り寄った。みなリスクを取れなかった。官僚に離反されてサボタージュされ、足元をすくわれると、大臣をクビになるという恐怖に勝てなかったのだろう。

初めて大臣に就任した方ばかりなので、その気持ちは分かるが、閣内が一致団結して意見を統一し、互いに支えながら脱官僚の方針を貫いていただきたかった。それができていれば、公務員制度改革も政治主導も一気に進展していたはずだ。民主党政権は絶好の機会を逃してしまった……。

役人とマスコミに追い落とされた長妻大臣

そんななか、民主党政権の閣僚のなかで唯一、野党時代の方針を貫こうとしたのは、先述した長妻昭氏である。

消えた年金問題を舌鋒《ぜっぽう》鋭く突いた「ミスター年金」の長妻氏は、民主党政権誕生の最大の立て役者となり、功労を認められて鳩山政権の厚生労働大臣に抜擢された。長妻氏の閣僚時代の話は著書『招かれざる大臣』に詳しいが、私は同書を読んで、ああ、なるほどと思った。以下は従来から述べている私の推測に過ぎないが、長妻大臣の話と極めてうまく平仄《ひょうそく》が合っているので、おそらくかなり当たっていると考えていいのではないか。

長妻氏は仙谷氏に比べれば年金問題以外は素人《しろうと》に近く、もともと厚労族だった仙谷氏が指導をしていた。仙谷氏は、厚労大臣になりたいと希望していたといわれるぐらいで、その分野には明るい。だが長妻氏も、年金以外の分野でも、勉強しているうちにだんだん自分の考えを持つようになり、仙谷氏の意見に従わないことも多くなった。

その間、仙谷氏は、権力を次々と掌握していき、「陰の総理」といわれる存在になった。閣僚はみな仙谷氏に逆らわないなかで、自分の手下と思っていた長妻氏だけは、いうべきことはいう。仙谷氏にとって長妻氏は徐々に煙たい存在になっていった。

一方、厚労省の役人も、他の閣僚と違って役所に擦り寄らず、政治主導を貫こうとする長妻氏に手を焼いていた。

象徴的な例が、先述した「退職管理基本方針」を受けて、役人が天下りの代わりに現役のまま出向できる団体を追加しようとしたときの対応である。

ずらっと並んだ出向先として追加しようとしている団体はこれまでの天下り先。このリストを見て、長妻氏は、これはおかしい、理由が分からない、と一人だけ頑《がん》としてこれを認めなかった。

各省の出向先追加リスト（96ページ参照）が回ってきたとき、私は目を疑った。厚労省だけ真っ白で何も書いていない。長妻大臣は凄いことをやったな、これはひと波乱ある、と思った。果たして、後に長妻氏は事実上の更迭の憂き目に遭う……。

出向先追加リスト容認の閣議決定がされたのは、夏の定例人事の少し前だった。前述した

「退職管理基本方針」の閣議決定を受けて出すのだから、厚労省の役人は当然、自分たちも追加リストを出せると思う。追加の出向先をあてこんで、人事を内定していた。ところが、長妻氏がこれをストップした。そのため、厚労省だけ人事が混乱したはずだ。

厚労省の役人からすれば、自分たちだけが被害を受けているという意識になる。長妻さんの対応は理不尽《りふじん》だと。いじわるされていると憤りもする。他の役所は予定通りリスト追加が認められているのだからなおさらだ。これは、厚労省の役人が悪いのではなく、同じことが起これば他の省庁の役人誰でも抱く感情だ。

かといって長妻氏が悪いわけではない。もともとの民主党の方針を変えた菅氏に非がある。我が身可愛さで、官僚に妥協した閣僚全員も悪い。

就任以来、方針を曲げず、原則を押し通そうとする長妻氏と厚労省の役人の意思疎通は、それまでもうまくいっていなかった。そこに、長妻氏の追加リスト拒否である。溜まっていた厚労省の役人の不満のマグマが一気に噴出し、官邸にSOSを出しただけでなく、マスコミを通じて反撃に出た。

曰《いわ》く、「職員に対する指示がサディスティックで、パワハラまがいのいじめもあり、職員には不信感が募《つの》っている」「政治主導の意味をはき違えている」——。

たとえばある報道は、長妻氏は冷酷な性格で、「警護官を雨のなか、家の前に一晩中立たせていた」と書いた。大臣の自宅の前には、就任中、警護用のポリスボックスが仮設される。警護官にとって、立って見張りをするそのこと自体が仕事だ。しかも、二時間で交代する決まりになっているという。なのに、あたかも長妻氏が指示したかのように、「雨のなか、一晩中立たせていた」と書く。警護官を家族に挨拶させなかったといった、どうでもいいことさえ、悪口の材料にされた。

「私が頼んで、警護官を派遣してもらっていたわけでもないのに、それを家の前にずっと立たせていたと書くんですよ」と、長妻氏はマスコミの理不尽さを嘆いていた。

根も葉もない誹謗中傷《ひぼうちゅうしょう》も報じられたという。大手新聞の報道によると、次のような出来事があったことになっている。

大臣室で官僚から説明を受けているとき、長妻氏の資料が床に落ちた。役人が拾うのを躊躇《ちゅうちょ》していると、長妻氏が「君、拾えよ」と局長に命令した。局長が渋々拾うと、長妻氏が「これが、いまの僕と君の関係だ」といったとされていた。

長妻氏は、「そんなことというわけないでしょ。常識で考えてくださいよ」と、苦りきっていたという。いま挙げたのは、長妻氏に対する悪口記事のほんの一例で、大臣就任中は、連日のように誹謗中傷記事が各メディアに掲載されていた。

普通、大臣に関する批判が出れば、マスコミは大臣に取材し、裏を取る。それもやらずに一方的に、記事をでっちあげて叩く。厚労省の役人と記者クラブがタッグを組んで、長妻追い落としに動いたのは、明らかだろう。

財務省主計局が記者に送った中傷メール

マスコミによれば、長妻氏は大臣に就任後、成果らしい成果を出さなかったとされる。メディアは「ミスター年金」をもじって「ミスター無能」「ミスター検討中」と揶揄《やゆ》した。ご本人はごく一部しか明らかにしていないが、全省的な激しいサボタージュに遭ったと推測される。

大臣はただでさえ、忙しい。特に長妻氏の場合、全部自分で処理しようとしたため、寝る時間もなく、細かなことに気を遣う暇がなかったはずだ。こんな場合、普通は、大臣秘書官がフォローするべきで、細かなことは秘書官や事務方の責任が問われる。しかし、厚労省ではそうならなかった。

逆に、「あんなことも気づかない。こんなこともしない。冷たいだけじゃなく無能だ」と、みなで言い回ったようだ。こんな状況では、長妻氏がいくら仕事をやりたくてもできない。

結局、長妻氏は「職員からすこぶる評判が悪い」「内閣府の意見募集に悪評が山のように届いている」という理由から、菅改造内閣発足をもって退任した。いわば更迭だ。

これまでの慣例では、閣僚経験者で、しかも政権交代の最大の功労者である長妻氏を無役にするなどとはあり得ない。一時期、首相補佐官にするという観測記事が出回ったが、最終的に長妻氏が与えられた次のポストは、民主党の筆頭副幹事長だった。これは異例の降格人事である。

実は、長妻氏追い落としには、さらに裏の話がある。大臣就任期間に、「長妻は、こんなひどいことをやっている」として、長妻氏の仕打ちを列挙したメールが出回った。私は持っていないが、多くの記者が手にしていた。彼らはそれをどこから入手したか——財務省の主計局からである。

厚労省が出所であれば、内輪もめだということになり、厚労省の役人も悪者になりかねない。財務省がやんわりと「なんだかひどいらしいですなあ」とやれば、真実味も増すし、記者も飛びつきやすいという巧妙な作戦である。

財務省が絶対に認めない改革とは

財務省にとっても、長妻氏は邪魔者だった。長妻氏は野党時代、社会保険庁の日本年金機構への移行を凍結し、社会保険庁を国税庁と統合させて「歳入庁」を設置すべきだと主張していた。大臣になった後、年金機構の民間出向者が内定済みという理由で、これは実現しなかったが、将来的には歳入庁設置の意向を示していた。

財務省が絶対に受け入れられない改革、それは国税庁の完全切り離しである。

一時期、消えた年金問題に関連して歳入庁構想が浮上した。年金も国税も国民からおカネを徴収する点では同じ機能なので、社会保険庁と国税庁を統合し、歳入庁を新設して、国民から徴収する機能を一元管理しようという構想だ。こういう仕組みにすれば、無駄な人件費が削減できるだけでなく、徴収率も上がるし、データの管理もしっかりし、間違いも起こりにくい。極めて妥当な案だった。

ところが、いつの間にか、歳入庁構想は俎上《そじょう》に載せられなくなり、立ち消えになった。財務省が反発したか、あるいは、民主党がそれを恐れたからだといわれている。

なぜ、財務省はたかだか下部機関に過ぎない国税庁にこだわるのか。財務省のスーパーパワーの隠れた源泉が国税庁の査察権であるからだ。実は国税庁は、検察庁に勝るとも劣らない強力なツールなのである。

普通に生活していて、刑事事件の被告になることはまずない。刑事事件を起こさない限り、警察も検察も手を出せない。厚労省の元局長、村木《むらき》厚子《あつこ》氏のように無理やり罪を被せて逮捕すると、どんなことになるか。大きな社会問題になり、いま検察は大変な苦境に立たされている。

ところが、ただ一つ、比較的容易に刑事事件の落とし穴に嵌まりやすいのが脱税である。これを担当するのが他ならぬ国税庁だ。サラリーマンの場合、税金は会社が天引きして納めるので、脱税容疑に問われることはほとんどないが、自営業者や企業経営者は、うっかりすると脱税に引っかかる。

たとえ、脱税する気は毛頭なくても、経理上のミスはいくらでも起こり得る。とくに経理に専門スタッフを割く余裕のない自営業や中小企業では、国税庁がとことん調べれば、脱税とされても仕方がないミスは必ず見つけられる。

国税庁はその気になれば、普通に暮らしている人を脱税で摘発し、刑事被告人として告訴できるのだ。あるいはそこまで行かなくても、国税庁の査察が入るということになれば、相当な恐怖感を抱かせることができるのだ。

ましてやカネの流れが不透明な政治家は国税庁が怖い。だから国税庁を管轄する財務省には刃向かえない。

国税庁は、マスコミを牽制《けんせい》するためのツールとしても大いに威力を発揮する。霞が関に対して批判的なフリーのジャーナリストを黙らすのは、その気になれば簡単だ。国税庁が査察に入れば、いくらでも埃《ほこり》は出てくる。

経理がしっかりしている大手出版社や大手新聞社などのメディアを押さえ込むのも、さほどむずかしくないという。国税庁は定期的にマスコミにも調査に入っている。たとえそのときに立件できなくても、すべての資料を閲覧できることが大きい。

経理の資料を見れば、重役や編集者、記者がどこどこで某政治家、某役人と食事をしたといった情報が入手できる。国税庁は、入手したこれらの情報のうち役に立ちそうなものは整理して保管するという。

――財務省にとって、この懐刀《ふところがたな》が、いざというときにものをいうのだ。

たとえ摘発しなくても、霞が関に楯つくマスコミや政治家には、やんわり「これ以上うるさいと、こちらも本気でやりますよ」と相手が受け取るような形で、それとなくにおわせるだけで十分だろう。

無論、財務省は国税庁を脅しの道具に使っているなどとは絶対認めないだろうが、査察や調査と霞が関批判の記事の間には、ある種の因果関係が存在すると感じているマスコミ人は多いはずである。

私自身こんなことを書くことについて、友人のマスコミ関係者から、「古賀さん、国税のことは書かないほうがいいよ」と忠告を受けた。ここでの表現がオブラートに包んだようなものになっているとしたら、やはり私も国税の恐怖に勝てなかったということかもしれない。

しかし、もう一人の友人はこういった。「古賀さん、ここまで霞が関を敵に回したら、いまさら手遅れだよ」……。

かように財務省にとって国税庁ほど使い勝手のいい機関はない。だから何があっても手放そうとはしないのだ。

公務員制度改革なくして増税なし

私は、仮に、仙谷氏が権力を握った時点で、民主党という風船が高く上がり続けていたら、かなりおもしろいことになったのではないか、と思っている。脱官僚を実現する環境は、鳩山政権のときよりも好転していると感じたからだ。

鳩山政権の頃は、鳩山総理と小沢一郎幹事長は必ずしも一枚岩でなかったし、他にも岡田克也《おかだかつや》氏、前原誠司《まえはらせいじ》氏らのグループも力を持っており、党内も内閣も意思統一ができていなかった。複数の軸があり、まとまっていない状況は、官僚にとって好都合だ。ときには鳩山総理を突っつき、ときには小沢氏や前原氏を動かし、自分たちに良いようにコントロールできるからだ。

菅政権になって、権力が分散していた状況は変化し、「陰の総理」と呼ばれるほど仙谷官房長官に権力が収斂《しゅうれん》していった。言い換えれば、仙谷氏を中心とした対霞が関戦略が立てられる状況が生まれ、銘々が勝手なことをいっていた鳩山政権時代よりは、官僚を封じ込めやすい状況が整っていたのだ。

しかも、各省庁の役人は大臣そっちのけで、権力が集中した仙谷氏の顔色をうかがうようになっていた。これは仙谷氏側から見れば一応、政治主導の実現である。ただ、それは仙谷氏が官僚の嫌がることをしないという限定つきだった。官僚は仙谷氏の意向を忖度《そんたく》して動くので、各大臣も官僚に従っていれば安泰だと思っていたのだろう。つまり、結局はまだ官僚主導の域を超えていなかった。

私は仙谷氏は、脱官僚の理想を捨ててはいないと信じていたので、仙谷氏がやっと本領を発揮する環境ができたと密かに期待していた。しかし、仙谷氏は失言などで問責決議され、二〇一一年一月、菅政権が二度目の内閣改造に踏み切らざるを得なくなると、閣外に去った。

新たな内閣の布陣を見ると、党外から財政再建論者の与謝野馨《よさのかおる》氏を経済財政政策担当大臣に起用したところからも、消費税増税路線は明らかである。

現在の国家財政を考えれば、デフレ脱却と名目成長率上昇を実現できなければ、いずれ増税は避けられない。それだけを考えれば、政権の一つの選択肢として、消費税増税を検討しておくのは必要だ。しかし、財務省主導の増税では、国民は納得しないはずだ。民間では、景気の悪化でボーナスはゼロ回答、給与も下がるという状況が続いているからだ。

国の財政は、いまや破綻寸前。先にも記したように、民間でいえば、会社更生法を申請しなければ立ち行かないところまで来ている。

事業再生の段階では、無駄な事業は切り、経営陣には責任を取ってやめてもらう。その代わり、若い有能な人を引っ張りあげる。あるいは外から優秀な人材を連れてきて、新たな企業文化を作り、前に進む。

事業のいくつかは整理されるので、ポストは減り、相当数の従業員がリストラされる。巷《ちまた》にはリストラされて失業した人が溢《あふ》れる。民間の失業者のなかには、職だけでなく、住むところも失った派遣社員もいる。彼らは次の職を見つけるため、悲壮な表情でハローワークに並んでいる。

対して霞が関は、世間とは別世界だ。民間でいえば会社更生法申請段階というのに、無駄な事業をいまだに続けている。リストラもやらない。役人は公務員法に守られ、給与もボーナスもほとんど削られない。公務員法は変えるべきだが、それでも霞が関はリストラは認めないかもしれない。私のように公務員もリストラが必要などというと、返ってくる言葉は決まっている。「生首飛ばして、血を流そうというのか」——。

罪を犯したわけではないのに、クビを切るのはかわいそうだ。これが霞が関の麗《うるわ》しい論理である。だが、寒風吹き荒《すさ》ぶ民間をよそに、ぬくぬくした境遇に安住している霞が関がいくら増税が必要だといっても、国民は誰も納得しないに違いない。

ハローワークに行った失業者が隣の人に尋ねる。「あなたは何をしてらっしゃったんですか」「国家公務員です。お互い厳しいですなあ」。こういう会話が交わされるようになって、初めて国民も、ああ霞が関もがんばっているな、苦しいがわれわれも協力しなければ、となって増税を受け入れる。

すなわち、公務員制度改革、脱官僚なくして、増税は実現しない。菅総理がそのことに気づいていらっしゃったかどうか。

増税路線をはっきりと打ち出したときこそ、政権の真価が問われている。菅総理がリーダーシップを発揮して、政治主導で、可及的速《すみ》やかに改革に着手してくれることを私は期待した。

第六章　政治主導を実現する三つの組織

事業仕分けに大臣が抵抗するわけ

政治主導を確立するために必要な仕組みに触れる前に、そもそも政治主導とは何か、という根本的な問いについて考えてみたい。

日本国憲法では国権の最高機関は国会だと定めている通り、国の機関としては国会が究極の主導権を持っているはずだ。その次に問題になるのが、では、行政を担う政府のなかで誰に主導権があるのか、ということだ。それが政治なのか官僚なのか。

政治家やマスコミは「政治主導」という言葉をなんの疑問もなく使っているが、実は政治主導という言葉があること自体、本来はおかしい。官僚は大臣の指揮下にある、政府の仕事に携わる実務の遂行者であり、政策の決定権はない。従って、法律上は「官僚主導」はあり得ないはずであり、その逆の「政治主導」などという言葉も存在する意義がないはずである。

これを大前提に考えていくと、一言でいえば、政治主導とは「内閣主導」だ。さらに詰めていくと、内閣のトップである総理の主導こそが政治主導の究極の形となる。先述した通り、一人に権力が集中していたほうが、霞が関を押さえ込みやすくなる。その意味でも、総理主導が望ましい。

ところが、役人言葉には「内閣主導」はあっても「総理主導」はない。役人は、総理は内閣の総意に基づきリーダーシップを発揮するのであって、各省庁の大臣の意思を考慮しない総理の主導はあり得ないと解釈する。このように役人が考えるのは、総理主導を認めると、総理の一存でなんでも決まってしまいかねないからだ。

総理主導を認めない考え方によれば、各大臣をコントロールすることにより、内閣をコントロールし、結果的に総理の主導権を空洞化できる。現実にそういうことが起きている。たとえば、事業仕分けで各省大臣が抵抗している姿がその典型だ。

逆に総理主導を認め、総理を完全にコントロールできなくなると、役人の意思は反映されなくなる。各省の役人からすれば、総理のコントロールは、所轄の大臣のそれに比べるとはるかにむずかしい。

官僚の解釈が間違っているわけではない。憲法上も、「総理は内閣の総意に基づいて」とタガをはめている。官僚はこの解釈を楯にとって「総理主導」を認めないのだ。

だが、現実には最終決定権を握っているのは総理である。大臣の指名・罷免《ひめん》の権限を有する総理は、大臣を指名し、場合によっては罷免できる。

しかも、閣議で議論した結果、意見がまとまらないときに、最終的な決断を下すのも総理だ。もし、総理の考えに全閣僚が反対したときには、全大臣を罷免し、総理が兼務することだって論理的には可能である。それがゆえに、閣僚が不祥事を起こしたときには、総理は任命責任を問われる。

この仕組みを前提に考えれば、総理が各省庁、各大臣に直接指示する、総理主導の政治がもっとも効率的な政治主導という結論になる。

政治主導に必須の三要素

問題は、そのための仕組み作りである。総理が官僚機構を完全コントロールし、政治主導を実現するには、どのような仕組みが必要か。

総理が掌握しなければならない要素は三つある。分かりやすくいえば、「モノ」「ヒト」「カネ」。すなわち、「政策立案」、政策を実施するための「組織と人事」、「予算」である。この三つの機能を官邸に集約し、総理の司令塔として各省庁に指示する仕組みに変えれば良い。

一つ目の政策立案では総理直轄《ちょっかつ》のブレーンが要る。政策立案のための総理直属の組織といえば、誰しも橋本龍太郎《はしもとりゅうたろう》元総理がイニシアティブを取り、森喜朗《もりよしろう》内閣のときに設置された経済財政諮問会議を思い浮かべる。

その次の小泉純一郎内閣が強いリーダーシップを発揮できた大きな要因の一つも、この会議にある。閣僚に加え、民間有識者、学者らで構成され、会議では侃々諤々《かんかんがくがく》の議論が繰り広げられ、郵政民営化では、竹中平蔵《たけなかへいぞう》大臣と麻生太郎総務大臣の丁々発止《ちょうちょうはっし》のやり取りも伝えられた。そうした閣僚間の利害の対立を小泉総理が最終的に裁定するルールになっており、諮問会議は、紛《まぎ》れもなく実質的に総理直属の政策立案組織としての機能を果たしていた。

経済財政諮問会議の設置は、党主導の政策立案を官邸にシフトさせ、族議員と官僚による利益誘導を排除するという目的もあったが、政治主導による政策立案の仕組みの一つの雛形《ひながた》となったのも確かである。

しかし、小泉内閣退陣後は、族議員と官僚の巻き返しにより次第に形骸化していき、その意味を徐々に失っていった。

一方、民主党が経済財政諮問会議に代わる仕組みとして打ち出したのは「国家戦略局」構想である。

民主党は二〇〇九年の総選挙に当たって、政権構想のなかで「官邸機能を強化し、総理直属の国家戦略局を設置し、官民の優秀な人材を結集して、新時代の国家ビジョンを創り、政治主導で予算の骨格を策定する」とし、鳩山内閣は発足と同時に国家戦略担当相として菅直人氏を任命、法整備が整うまでの暫定組織として内閣官房に「国家戦略室」を設置した。

その後、翌二〇一〇年二月に国家戦略局の設置を盛り込んだ法案が国会に提出されたものの、実質的な審議は行われず、継続審議のまま棚上げになった。暫定組織である国家戦略室の室長も空席で、玄葉《げんば》光一郎《こういちろう》民主党政策調査会長が代行を兼務するといった状況が続き、ほとんど機能していなかった。

私が考える総理直属の政策作りの仕組みは、自民党政権の経済財政諮問会議とも民主党政権の目指す国家戦略局とも少し違う。

私がイメージするものはアメリカの仕組みに近い。アメリカでは行政権は大統領が単独で担っており、ホワイトハウスに大統領直属の中核組織「大統領府」が置かれている。大統領府は行政組織の統括機関であり、軍事外交政策の「国家安全保障会議」、通商政策の「通商代表部」、経済政策の「経済諮問委員会」などで構成されている。

また各省の閣僚は、あくまで大統領を補佐し助言を与える役割に留められており、大統領が閣僚の意見に法的に拘束されない仕組みになっている。そして新大統領が就任すると、閣僚だけでなく、行政組織の幹部も政治任用によってすべて入れ替えられる。その数は約三〇〇〇人にも及ぶ。文字通り、官僚機構の「中枢」が一新されるのだ。

このいささかエキセントリックに見えるシステムには批判もあり、官僚の入れ替えには議会の承認が必要なものもあり、時間もかかる。大統領就任後半年経っても、まだ財務省の次官補が決まっていないなどという、日本では考えられない事態も起こり得る。

しかし、それでも新大統領の就任と同時に、大統領の意向に添う新たな政策が次々と提案される。まだ決まっていない役所の幹部ポストがあるにもかかわらず政策が出てくるのは、大統領が予《あらかじ》め用意していた自前のチームを連れて、ホワイトハウスに入るからだ。このチームが既存の行政組織とは関係なく、政策をリードする。

小泉内閣が強力なリーダーシップを発揮できた秘密も、小泉総理が自前のチームを持っていたことによる。小泉総理は、竹中平蔵氏をトップとする竹中チームと、飯島勲《いいじまいさお》秘書官を筆頭とする飯島チームを連れて官邸に入った。

小泉総理は、政策は竹中チーム、マスコミ対策は飯島秘書官に分担させ、政策についても案件ごとに人をうまく使い分けながら行政組織をコントロールし、政策運営を行った。小泉時代を見ると、政治主導を発揮するには、総理直結の自前のチームが不可欠だということが分かるだろう。

裏を返せば、安倍晋三内閣の失敗は、自前のチームがなかったことに起因している。もう少し正確にいえば、数人のブレーンはいたが、小泉内閣の時に比べると十分な陣容になっておらず、チームとして機能していなかったといったほうが良いかもしれない。いずれにしても、安倍総理を支える体制が不十分だったというべきだろう。

安倍総理は内閣の発足後、官邸スタッフを公募すると発表した。私はこれを聞いて正直驚いた。ホワイトハウススタッフを大統領就任後に公募するなどということがあるだろうか。

安倍氏は小泉政権下で官房長官を務めていた。しかも、小泉総理が早々と後継指名をしており、就任二ヵ月前には、次の総理に就く可能性が非常に高かった。少なくとも一ヵ月前には次期総理就任は確定的だった。

官房長官だった安倍氏は、官邸の官僚スタッフに関して熟知していただろうし、人脈もあったはずだ。一ヵ月も準備期間があれば、どのスタッフを残し、どの人を省庁に返すかといった人選をし、自分の政権に必要だと思われる人物は一本釣りし、民間人も含めて自前のチームを編成できたはずである。ところが、そういった準備がほとんどできておらず、就任後にスタッフを大々的に公募した。だから私は驚いたのだ。

当時、私は安倍内閣の政治主導はむずかしいのではないか、と危惧していた。案の定、安倍内閣は官僚の抵抗に遭って潰されてしまった。民主党政権と違い、安倍総理のやりたい政策は明確に見えたが、安倍総理には、誰を使い、どのような仕組みでそれを実現するのか、具体的な案がなかったように思う。総理になってから、それを考えるのでは遅い。

意図が不明な国家戦略局

小泉内閣の成功と安倍内閣の失敗という対照的な例を目《ま》の当たりにして、私は、総理の座に就く政治家は、予《あらかじ》め自前のチームを準備できる仕組みを作る必要があると強く感じた。

そこで私が注目したのが、二〇〇八年六月に国会を通過した「国家公務員制度改革基本法」のなかにあった「国家戦略スタッフ」という文言だった。

現行の制度下でも、官邸内には政策立案組織が設けられている。官房長官、官房副長官の下にある「官房副長官補」なる官僚組織がそれである。単に略し、就任している個人の名前を冠して「〇〇補」と呼ばれることが多い。そして、各「補」の下には省庁から出向した審議官、参事官、その下に参事官補と呼ばれるスタッフがいて、一つの組織となっている。

この官房副長官補は三名おり、主として安全保障や警察を担当する補、財政など内政を担当する補、外交を担当する補と役割分担されている。彼らが、官房長官と副長官などを助け、内閣全体の立場から、省庁を超えた総合調整を行うことになっている。いわば、日本政府の司令塔を支える屋台骨といっても良い。うまく機能すれば、縦割り行政や省益優先の官僚主導行政を阻止するとともに、総理の意向を行政に直接反映させる役割を果たせるはずである。しかし、実際にはそうなっていない。

問題の第一は、組織機構上、官房長官、官房副長官が介在し、総理の意向が官邸の官僚に直《じか》に伝わりにくいという欠陥があることだ。第二は、より重要な点だが、副長官補はそれぞれ官僚出身者であり、しかもその下にいるスタッフもみな各省からの出向者で、任期が終わるとまた元の役所に戻る仕組みになっている点。そのため、実態としては官邸のなかのミニ省庁にしかなっておらず、そこで働く官僚スタッフは親元の省庁に顔が向いているという問題がある。

内政面ではとりわけ財務省の影響力が強く、財務省による霞が関支配の拠点ともなっている。従って、現状の官邸の仕組みでは、総理の政治主導の実現はむずかしい。もちろん、これを総理の強力なリーダーシップで変革できればいいのだが、おそらく時間とコストがかかり過ぎて、それが実現する前に政権が倒れてしまうだろう。

そこで、こうした仕組みを前提としながら、総理の潜在的には強大な権限を顕在化させることが必要となるのだ。

では、国家戦略局といった総理直結の組織を別枠で新たに設けるだけでいいのかといえば、これも問題がある。民主党が二〇一〇年に出した法案に含まれた国家戦略局構想では、組織的には、内閣官房のなかに設置することになっている。つまり、官房長官、副長官の下に置かれるのだ。しかも、国家戦略局長が副大臣級（官房副長官の兼務）になっているので、官房長官の下につく。国家戦略担当大臣と官房長官の関係も明確ではない。

また、常設的な組織にしてしまうと、もう一つ別の官房副長官補のチームを作るようなことになりかねない。そうなれば、純粋に総理直轄の政策立案チームを作るという趣旨からややもすると外れてしまいかねない。

その視点で、前にも述べた通り、私は二〇〇九年三月に国会に提出した国家公務員法改正案のなかに国家戦略スタッフの創設を盛り込んだのだ。

総理直結のスタッフが政治を変える

私の考える総理直結の国家戦略スタッフの在り方は次のようなものだ。

時の総理はスタッフの人数も人選もすべて自分の一存で決められる。何人入れるかも自由だし、政治家と官僚、あるいは民間人の登用も自由。その比率についても総理が独断で決められるといった具合に、総理が好きなようにチームを編成できる。

国家公務員法改正案に盛り込んだときも、多種多様な人材の任用が可能になるように、スタッフの格もかなり幅広く設定し、それぞれの格に応じた複数の給与レベルを想定しておいた。一番低くて課長クラス、上は政務官クラスとした。本当は閣僚クラスも設けたり、民間人を登用するために高い給与も出せるようにすることも考えたが、そこまではできなかった。

戦略スタッフの一人ひとりに付与される権限は形式的にはさほど強くはないが、いったん総理の指示が下れば、事実上なんでもできる。その事項に関する、実質的に大きな権限を持てる。

しかし、大きな権限を与えることができるのはあくまでも総理だけであって、官房長官や官房副長官は、総理から頼まれない限り国家戦略スタッフには直接指示できない。

経済財政諮問会議は、政策の調査・審議はできたが、行政組織への指揮命令の権限は有してはいなかった。対して国家戦略スタッフは、総理の頭脳となって政策を考え、総理の手足として、命令さえあれば、総理の声も直接各省庁に伝えられる。

私のシステムなら、総理が予め、戦略スタッフの一人の指令に従うよう、各省庁にお触れを出しておき、総理の命を受けた戦略スタッフの幹部が指揮を執るといったやり方も事実上、可能になる。

この場合、霞が関のサボタージュが予想されるにしても、総理の意向が直《じか》に反映される仕組みになることが大きい。総理の指示が官邸官僚によっていつの間にやら捻《ね》じ曲げられて各省庁に伝えられたり、十分に下まで届かなかったり、その結果誰の命令かよく分からなくなり、責任の所在もはっきりしない、といった現在の仕組みを変えるのだ。

総理直結の組織を使って総理が指示し、政策を立案・実施する仕組みなら、明らかに総理に責任がある。もし、公約を実施できなければ、説明責任も生じる。

自民党は政権を握っていた当時、政策がうまくいかないと「官僚にやられた」と弁解していた。実際に官僚が政策を潰したのだとしても、官僚にやられるような政治では困る。「官僚にやられた」とは、「私たち自民党の政治家には力がない」といっていたに過ぎないのだが、それを言い訳に使わざるを得なかったことが、末期の自民党政権の末期症状でもあった。

総理直結の戦略スタッフ制になれば、末期の自民党政権のような責任のなすりつけはできなくなる。「スタッフがやってくれなかった」などと総理が弁解すると、即座に記者や野党議員から、「スタッフは総理が選んだんですよね」「あなたが指示して、あなたが選んだスタッフにやらせたわけだから、責任は総理にある」と突っ込まれる。

戦略スタッフ創設が法的に確立されれば、総理の座に就く政治家はいやでも、予めどのようなチームを編成するのか考えておかなければならない。新総理は、マスコミから「どのような人を国家戦略スタッフに起用するのか」という質問が真っ先に飛ぶので、総理になる前からチームを準備しておく必要がある。安倍氏や民主党政権のような過ちも起きない。そして、新総理就任と同時に、政治主導による政策提言が活発に行われるようになるはずだ。

ちなみに、この議論をしていると、官僚から必ず出てくる反論がある。それは、「こんな仕組みを作ったら、総理がよほどしっかりしていないと指揮命令系統が不明確になって、行政が混乱する」というものである。実際は、「こんなものができても自分たちは国家戦略スタッフの指示には従わないから混乱する」といっているに等しい。そもそも「しっかりしていない総理」というものを前提に議論すること自体、官邸官僚が政治家をバカにしていることを物語っている。

いずれにしても、すでに述べたように鳩山政権の政府案では、国家戦略スタッフはすっぽり抜け落ち、別枠で、意味のよく分からない国家戦略局を創設することになっていた。しかも、その法案に賭ける熱意もまったく感じられなかった。官僚を怒らせることをわざわざすることはないという民主党政権の判断があったのだろうか。

もし仮に、われわれが策定した公務員改革法が成立していれば、菅政権では総理直属の国家戦略スタッフが任命され、東日本大震災の初動場面でも活躍していただろう。そのシミュレーションは序章に書いた通りだ。

人事権はなきに等しい大臣

次に「モノ」「ヒト」「カネ」の「ヒト」、すなわち政策を実行するための組織と人事。国家公務員の人事権は、法制上では、国家公務員法が「人事権は各省庁大臣にある」としており、これを素直に解釈すれば、大臣が有していることになっている。

ここで気をつけなければならないのは、国家公務員法でも、大臣全員が人事権を持っているとしているわけではないということだ。

一口に大臣といっても、法律上は「国務大臣」と「省庁大臣」の二つの呼び方がある。国務大臣は総理が任命した大臣全員に使われる呼称であるのに対して、省庁大臣は省のトップである大臣にだけ使われる呼び方だ。

たとえば菅内閣のときは、経産省の海江田大臣は経産省のトップなので国務大臣でもあり、省庁大臣でもある。しかし与謝野経済財政政策担当大臣は内閣府の特命大臣であり、所管の省庁を持っていないので、国務大臣ではあっても省庁大臣ではなく、人事権はない。

しかし実際には、省庁大臣であっても、人事権をほとんど行使できない状況に置かれている。たとえば、大臣が独断で外から人を入れようとすると、「役所に不利益をもたらすような人事は認められない」と官僚から圧力がかかる。もちろん表向きは「外の人を入れてもかえって混乱して大臣の責任が問われかねませんよ」と、親身になったふりをして「アドバイス」するのだ。官僚組織にそっぽを向かれると、大臣としての仕事にたちまち支障をきたすので、大臣はそれ以上、ゴリ押しできない。

現行のシステムでは、役所の幹部人事は、各省庁が人選を行い原案を作り、官房長官の主催する官邸の人事検討会議の了承を得て、形式的には閣議で承認を取り、大臣が任命するという流れになっている。しかし、これはあくまで形式的な手続きに過ぎない。

実態は、事務次官が作成した推薦リストを人事検討会議がそのまま承認し、大臣が任命する。推薦リストのなかに、たとえ大臣が適任ではないと思う人物の名が入っていても、拒否はむずかしい。

大臣はその役所にずっと勤めているわけではないし、自分の任期がどれくらいか予想もつかない。多くの場合一年程度で交代させられる。そのような短期間の任務だとすれば、あえて官僚と軋轢《あつれき》を生むより楽な道を選びたくなる。現場のトップである事務次官から「この人こそ、このポストにふさわしい」と強く推されれば、反対はできない。

従って現在の仕組みでは、政治主導による人事は不可能。これを根本から改革する必要がある。

そのための新システムが内閣人事局の創設だ。前に述べた通り、各省庁の幹部人事を内閣人事局で一元管理して実施するのだ。

具体的には、各省庁の幹部候補の名簿は官房長官が作り、そのなかから各省庁大臣と総理、官房長官が相談して決める。そういう仕組みになれば、省利省益をベースとした官僚による官僚のための人事はなくなるし、次官に遠慮して人事に介入できない大臣も、本来の自らの考えでもっとも望ましい幹部人事ができるはずだ。われわれの作った案も鳩山政権下で作られた法案も、この点については一緒だ。

この改革は、二〇〇八年の国家公務員制度改革基本法に則《のっと》ったものだが、幹部人事に絞ったのは、そのほうが効率的だと考えたからだ。

政治主導の究極の人事形態という意味では、内閣人事局で一括採用し、係員の人事まですべてやるかたちが理想的かもしれないが、現実にはむずかしい。全省庁の全人事を内閣官房で決めるのは時間的にも無理だし、第一、官房長官や官房副長官などの政治家が、一年生官僚、二年生官僚といった若手の仕事内容まで把握できるわけはないからだ。

仮に可能だとしても、私はやめたほうがいいと思う。あまりにも中央集権的過ぎて、柔軟な人事がやりにくくなるという弊害があるからだ。

採用を内閣一括にするにしても、省庁横断的なものは除いて、課長職までは現場を知る各省に委ねたほうがいいだろう。たとえば民間のホールディング・カンパニー・システムでいえば、部長職ぐらいまでは現場の経営陣に人事を任せ、各社の経営陣はホールディング・カンパニーのトップが決める方式だ。

内閣人事局の創設は、政治主導という観点からも必須である。

改革官僚を養成する方法をGEから

人事についてもう一つ触れておきたい。「幹部候補育成課程」の導入だ。前にも述べたが、若手で頭角を現してきた人を選抜し、社会保障など国家的な重点政策を担当している内閣官房のチームに入れ、育成するという方法である。

このやり方の重要性に気づくきっかけになったのは、日本GEの社長であり、GE本社の上席副社長を務める藤森義明《ふじもりよしあき》さんとの会話だった。

ＧＥの人材登用に関心があった私は、藤森さんに「ＧＥでは優秀な人を外部から引き抜いて幹部として登用しているのですか」と尋ねると、「いいえ。幹部は基本的に社内で育成しています。土地勘のまったくない新事業に進出する場合は外部の人材を集めますが、既存の事業の幹部は社内からの登用が中心です」との答えが返ってきた。

ＧＥは非常に独立性の高い事業部制を敷いている。しかし、各事業部に幹部人事を任せると、全体最適になりにくいし、組織が硬直化してしまう。そこで常に改革を意識し、本部から指示して、事業部ではできない改革を実施する必要がある。そのため、ＧＥ本部が各事業部から優秀な若手を集めて様々なプロジェクトを通じて育成し、そのなかで能力を認められた者を、各事業部や本部の幹部に抜擢するということだった。

本部での若手育成は徹底したＯＪＴ（オン・ザ・ジョブ・トレーニング＝現場研修）だという。若くて優秀な社員は本部に集められ、主に事業部横断的なプロジェクトに従事する。そして、事業部からはなかなか出てこない改革案を作る。その過程でチームのメンバーは評価され、幹部に登用されるという仕組みで、なかには四〇代で本社役員になる者も出る。

これを官僚組織に当てはめれば、幹部の育成だけでなく、改革も進むのではないかと思い、国家公務員法改正案にも盛り込んだ。

この「幹部候補育成課程」は国家公務員制度改革基本法のなかに書かれている。ところが、民主党政権の政府案では、これまた抜け落ちていた。

官邸が中心になって若手を育成し、幹部として登用するというやり方に、霞が関が反発したのだろう。各省庁の幹部たちは、有能な人材は自分たちで囲い込んでおき、自分たちの省庁の力にしたいと考えている。だから、優秀な若手を官邸に持っていかれる案などは認められない。省庁の利益を離れて全政府的な見地で仕事をする官僚など、各省庁から見れば危険分子でしかないのかもしれない。

若手育成を官邸でやるというと、幹部官僚からは「官邸でやらなくても、役所のなかの研修を強化すれば済む話だ」との反論が返ってくる。そんな発想しかないのでは、到底改革などは無理である。

財務省の絶対的な二つの行動原理

「モノ」「ヒト」「カネ」の「カネ」。つまり最後は予算。政策と予算、法案は一体だ。大きな政策は予算をつけなければ実施できない。官邸に「予算局」を設置して、予算の編成権も持ってくる必要がある。

ところが予算局の設置は封印され、あえて議論の対象から外された。予算編成権に政治が手をつければ、財務省の猛反発が始まり、大変なことになるという民主党政権の判断からだ。

財務省は霞が関の官庁のなかでも突出した権力を握っている。なぜ、財務省は省庁のなかの省庁と呼ばれ、霞が関の象徴になっているのか――。

財務省パワーの源泉の一つが予算編成権だ。予算編成権は、言い換えると、国民から集めた税金など国家の収入を再配分する権限。ある意味、国家の存在意義そのものである。各省庁は、財務省に概算要求をして、予算をつけてもらう。

予算に関しては、国会で承認を得て成立する決まりになっている。政府案をまとめる大詰めの段階では、財務大臣と各省庁の大臣との大臣折衝など、政治が深く関与する。とはいえ、膨大な数がある予算の細目を、短期間に政治が一つひとつチェックするのは実際にはむずかしく、実質的に予算の差配《さはい》は財務省に委ねられている。

家庭でもそうだが、もっとも力を持っているのは、家計を預かる人だ。たとえば、ご主人が稼いできたおカネをいったん財布のヒモを握る奥さんの懐に収め、それの使い道を決める過程では、どうしても奥さんの権限が強くなる。ご主人は奥さんの許可がないと、小遣いも上げてもらえない。それと一緒で、財務省に予算をつけてもらえないと、公益法人一つ作れないので、他省庁は自然と財務省の顔色を窺《うかが》うようになる。

さらに財務省は、予算を査定する権限を背景に各省庁に職員を送り込んでいるうえ、役所が気にする業務を行っているポストも掌握している。たとえば、国家公務員のポストの格付けを決める人事院の給与第二課の課長や、各省庁の局や課の組織や定員を査定する総務省行政管理局の総括担当管理官ポストも財務省の指定席になっている。これは前にも記した通りだ。

もっとも、不況による税収減と財政危機で、財務省が自由裁量で差配できる額がどんどん少なくなっており、その威光は年々輝きを失いつつある。財務省が消費税の大増税を悲願としているのも、財政破綻を危惧しているという理由以上に、自分たちの財布が潤《うるお》えば、権限もそれだけ大きくなるという思惑《おもわく》からである。

財務省の行動原理は、二つに分けられる。一つは財政破綻は絶対に避けたいという思い。もう一つは、自分たちの支配装置である予算の配分権をなるべく強化したいという願いだ。

この二つを実現するための消費税増税なのだが、後者の予算の配分権の強化は、自分たちの裁量で配分できる自由な財源の拡大という表現に置き換えることができる。年々増えていく年金の支払いや医療費などの社会保障費。消費税増税分がこうした社会保障費の増加分で相殺《そうさい》されたのでは、財務省にとって増税した意味がなくなる。

これは消費税に、福祉目的とか社会保障目的に限って使うというタガがはめられるか否かには関係ない。おカネには色はついていないからだ。どうしても出さなければならない社会保障費以上におカネが入ってくれれば、自由裁量の財源は増えるので、とにかく増税率を少しでも上げたい。これが財務省の目下の最大関心事だ。

二〇一〇年の一〇月から一一月にかけて行われた事業仕分けの第三弾で、財務省が狙ったのも自由な財源の拡大だった。特別会計に焦点が当てられたこの事業仕分けで、台本と演出を担当する財務省は、特別会計の中身には一切手をつけないほうがいいと考えたようだ。

特別会計は様々な目的で、一般会計とは別建てで収入と支出を管理する仕組みだ。空港使用料や航空機の燃料への課税などを収入源として空港を作る特別会計などがその代表例。この特別会計は、同じ予算でも財務省の関与は事実上極めて限定されていて、各省庁が自民党族議員とともに好きなように運営してきた。だからその実態を見て、「母屋でおかゆをすすっているのに離れですき焼きを食べている」と揶揄《やゆ》されてきた。

財務省から見れば、年々自分たちの自由裁量の余地が小さくなっていく一般会計予算よりも、まだまだジャブジャブと裁量余地がある特別会計を支配下に置くことができれば望外の喜びだ。

事業仕分けでは、そのシナリオを財務省が作る。その時点で、すでに財務省としては特別会計の支配権確立に大きく前進したことになる。一方、事業仕分けを本気でやって、まず削るべき予算を全部削ると決めてしまうと、その分は子ども手当の財源などに使われてしまうので、財務省から見ればおもしろみがない。そこで、事業仕分けでは、財務省が特別会計を支配するという既成事実を作るところにとどめ、適当にお茶を濁したのではないか。

そして、予算の中身はジャブジャブのまま引き取って、翌年以降好き勝手に使うという作戦を取った。財務省の作戦は完勝で終わった。

東日本大震災直後、増税論がすぐに取り沙汰されたが、このようなときでも真っ先に増税のことが頭に浮かぶ人たちがいるということに心底驚いた。このことは、財務省に洗脳された政治家やマスコミ関係者がいかに多いかを物語っている。

内閣予算局ができても財務省は困らない

政策と予算は一体なので、財務省は政界への影響力も強い。自民党時代、財務省以外の省庁も自民党議員と深い関係にあるとはいっても族議員に限られていたのに対し、財務省は与野党を問わず、広く太いパイプを持っていて、自民党の事務局職員にまでがっちり食い込んでいた。

力関係も明らかに財務省が上だった。一部の大物議員を除き、地元や支持団体に予算をつけて欲しい議員は、わざわざ財務省に足を運び、一主計官に頭を下げて陳情していた。民主党政権になって、政治家の霞が関への陳情は民主党幹事長室を通すようシステムが改められ、直接、財務省の役人と一議員が陳情のために接触することは禁じられたりしたが、それでも国会議員にとって財務省の意向は無視できない。

先ほど触れたように、官邸を牛耳《ぎゅうじ》っているのも財務省だ。官房副長官補が財務省の牙城《がじょう》になっているだけでなく、総理や官房長官の秘書官にも、財務省出向者の指定席が用意されている。

総理や閣僚には、複数の省庁から出向した役人が、秘書官としてつく。総理の場合、財務省、経産省、警察庁、外務省から送り込まれるのがこれまでの慣例だったが、現在は厚生労働省からも一人、また、二〇一〇年秋に尖閣諸島で中国漁船衝突事件が起きたこともあり、防衛省からも秘書官が出向することになって、政務秘書官も入れて七人でチームが組まれている。外務省の秘書官は外交、厚労省は社会保障、警察庁と防衛省の秘書官は特殊な役割なので、実質、総理の内政の片腕を務めるのは、財務省と経産省から出向した秘書官であることが多かった。経産省は最近とみに力が落ちているが、財務省の秘書官は内政全般にわたり引き続き大きな発言力を持っている。

四六時中、総理と行動をともにする秘書官が与える影響は非常に大きい。財務省は秘書官を通じて総理をコントロールしている。これは官房長官以下、多くの特命担当大臣にしても同様で、財務省は内閣を支配する力を有しているのだ。

事実、財務省に逆らい、行革や公務員制度改革を進めた橋本龍太郎《はしもとりゅうたろう》内閣や安倍晋三内閣は、財務省を頂点とする霞が関に打倒されてしまった。

他にも国税庁など財務省のスーパーパワーの源泉はいくつもあるが、予算編成権こそが財務省パワーのベースであり、それを取り上げるとなると、相当手ごわい抵抗が予想されるので、あえて政治家は棚上げにしている。

しかし、実は民主党政権の誕生が濃厚になった時点で、財務省のなかには予算局の設置を覚悟した官僚もいたようだ。

二〇〇三年の民主党のマニフェストには、「内閣財政局」の設置が明記されていた。政治主導を旗印として政権に就いた鳩山内閣が、この政策を持ち出してくる可能性は十分あった。

無論、財務省からしてみれば、予算編成権は何があっても死守したい。しかし、もし、民主党政権が強硬に推進しようとした場合、ギリギリのところで妥協できるラインだと考えていたようである。予算局の設置を阻止するために、民主党政権打倒に動くかというと、この点に関しては、そこまで単純ではなかったのではないか。

なぜ、虎の子を取り上げられる危機なのに、財務省の抵抗感がさほど強くなかったかといえば、これは少し考えれば分かる。

たとえ内閣官房ないし内閣府に予算局が設置されたところで、予算編成は誰でもできるという類《たぐい》の仕事ではなく、財務省の協力がなければ一歩も進まない。現実的には、内閣官房に予算編成権が移されようとも、予算局に横滑りした財務官僚が、財務省出身の官房副長官補の主導の下で予算をまとめ上げることになり、財務省の権限は実質、損なわれることはない。

こういう読みと自信があったからこそ、財務省のなかには、内閣予算局の設置くらいなら、容認できる範囲だと考えている官僚がいたのだ。

しかし、財務省の思惑はどうであれ、内閣府に予算編成機能が移され、総理直轄で予算が組まれる仕組みに変わる意味は大きい。とりわけ、予算の優先順位を大きく見直して予算の組み替えを行おうと思えば、その仕組みは不可欠だろう。

政治主導を目指す政権にとって、国家戦略スタッフ、内閣人事局、内閣予算局をすべてに先がけて創設することが必要なのだ。

民主党政権は、このすべてを先送りした。いや、諦めてしまったのではなかろうか。

次の章では、真の政治主導を確立するために、役人たちのその行動原理を紹介しよう。私が取り組んできた独占禁止法の改正、あるいはガソリンスタンドでのセルフ給油の自由化、またクレジットカードのスキミング対策の確立などに際し、省益を守るため、役人たちはどう動いたか——。

第七章　役人——その困った生態

不磨の大典「独禁法九条」

私は通商産業省（当時）に入って以来、二〇のポストを経験した。その時々でおもしろい仕事ができたこともあれば、そうでないこともあった。ただ、残念なことが一つあるとすれば、同じ公務員でありながら、国民のため、という基準ではなく、自分の所属する役所のため、という基準を優先する官僚たちの行動を常に目撃し、多くの場面でそれと戦わざるを得なかったことである。

経済企画庁への出向、大臣室、外務省に出向しての南アフリカ共和国の領事、産業政策立案の要である産業政策局産業構造課、基礎産業局総務課、大臣官房会計課などでの業務を経て、一九九四年六月、私は産業政策局に戻った。ポストは産業組織政策室の室長であった。

産業組織政策室は、名門の部署ではあるが、難解な法律を扱うため、政策のプロといわれる若手が登用されることが多いポストだ。所帯は一〇人ほどの小さな組織。私にとっては初めての管理職ポストだが、担当分野も限定されていて、より具体的な政策を求められる。主な分野としては、競争政策、特に独占禁止法や規制改革、そして企業法制、特に会社法などが挙げられる。

私が戻った頃、ちょうど二年前に産業構造課で後任に託した産業構造審議会総合部会基本問題小委員会という通産省の審議会での検討結果がまとまり、報告書として日本経済の課題がズラリと書かれていた。数ある課題のなかで、私が注目したのは「純粋持ち株会社の解禁」だった。

日本は自由主義経済を基本としているから、企業の活動は自由だ。しかし、何でも自由だということにしておくと様々な弊害が生じる。たとえば、強い企業がどんどん勝ち続け、ある商品を生産できる会社が一つになると、不当に高い値段をつけても、消費者は他に代わりがないのでその値段で買わざるを得なくなる。あるいは、その商品を生産する会社が三社あったとしても、この三社が相談して値段を不当に吊り上げれば同じことになる。

そのような独占的な状況になることや、独占的な地位を利用して最終的に消費者の利益を損なうことがあっては困る。そこで、自由主義経済の国では必ず独占禁止法という法律を作って規制し、対応している。最近では中国でも独禁法が作られ運用されている。

日本の独禁法九条では「純粋持ち株会社の禁止」が定められていた。純粋持ち株会社とは、簡単にいえば、自分ではほとんど事業を行わず、もっぱら子会社の株を持って支配し、その子会社を通じて事業を行う会社のことだ。戦前の日本では、少数の財閥が独占的な地位を利用して経済、そして社会全体を牛耳っていたことが戦争の一つの原因だ、そう考えたＧＨＱは、戦後財閥解体を実施した。「経済民主化」の柱の一つである。

財閥は持ち株会社を中心として運営されていたので、占領が解けた後も財閥が息を吹き返さないように、独禁法九条を作って持ち株会社を作れないようにしたのだ。

もちろん、どこの国でも、独禁法は経済法規のなかでももっとも重要な法律だと考えられている。しかし、日本では、財閥解体、経済民主化というスローガンと一体となって、経済法といっても極めて政治色の強い法律になってしまった。社会党をはじめとする左派の人々は、独禁法を経済の憲法とし、とくに九条は戦争放棄を定めた憲法九条と並ぶ「もう一つの九条」と呼ばれ、絶対に手をつけてはならない聖域扱いだった。そのため、経済界の不満の声をよそに、憲法九条同様、改正議論さえもタブーという空気が長らく支配していた。

私は、農業問題も似たところがあると思っている。つまり、農地解放で、大地主から小作農に土地を分けて農業が小規模化した。その結果を固定しようと戦後の農地法が作られて、農地の移転に厳しい制約を課したため、農地の集約化による効率化が阻《はば》まれ、農業発展の足かせになっているのだ。

独禁法九条は、これまで本格的に法改正をやろうという話が一度もなかった困難なテーマである。私は、着任してからずっと、なんとかこの問題にチャレンジできないかと考えていた。いうまでもなく、財閥を復活させたいと考えたわけではない。産業構造課で勉強して感じたのは、一つは、日本企業の経営の甘さだった。日本の企業のなかには、ほとんど儲からない事業なのに、なかなか撤退せず、横並びで事業を続けているところがたくさんあった。

たとえば、日立や日本電気、富士通といった電機メーカーは、多角化して様々な分野に進出していたが、どこかがいつも赤字で、利益率も高いとはいえないうえ、どんぶり勘定になりやすかった。

経営者も日本型経営の欠陥をよく認識していて、事業部制や社内分社化といったアイデアで、事業ごとの収支を明らかにする工夫をしていた。しかし、事業部制や分社化には限界があった。同じ社内、同じ労働組合なので、たとえその事業が赤字でも、給与を抑えることもできない。どう工夫しても財務はいい加減になってしまう。

子会社は当時でも認められていたが、子会社の資産が全体の半分以上を占めてはならないなど制約が多く、すべての事業を子会社化して独立採算を徹底させるのは不可能だった。

もう一つ、純粋持ち株会社の解禁が必要だと考えたのは、その頃から世界中でM&A（企業の合併・買収）が非常に盛んになっていたことがある。選択と集中という概念もようやく日本で広まり始めた頃だ。

各社はこれから本格的に戦略的な事業再編に着手するだろう。そのとき、日本の企業だけ持ち株会社という経営形態を封印されていては、自由に事業ごとのM&Aや再編を行うことができない。そういう思いが極めて強かった。ただ、その後の推移を見ると、産業界ではその当時、そこまでの覚悟を持っているところは極めて少数だったようだ。

大蔵省が連結決算を嫌がった理由

純粋持ち株会社を解禁すれば、一つひとつの事業がガラス張りになり、経営効率化に極めて有効だ。しかも、M&Aで不採算の関連会社を売ったり、新たな事業に進出するためによその会社を買収するといったことも可能になり、戦略的な経営がやりやすくなる。

当時、純粋持ち株会社を禁止していたのは、われわれの知る限り世界ではたった二ヵ国、日本と韓国しかなかった。いまは韓国のほうが法整備でも先を行っているが、当時は、何でも日本の後追いだったので、韓国も日本の法制をまねて遅れていた。

日本の独禁法に禁止を入れさせたアメリカももちろん、純粋持ち株会社を認めている。世界の常識とはかけ離れた状況になっているのだから、法改正すべきだった。

こういった趣旨で、純粋持ち株会社の解禁に取り組もうと考えたのだが、実現まではいくつも障害があった。

まず、税制の問題。連結決算に関する税制度が必要だが、当時はなく、大蔵省（当時）は法改正に難色を示していた。

大蔵省が首を縦に振らない理由は二つあった。連結決算は読み解くのが難解で、大蔵省にはそれが分かる人間が三人しかおらず、人材育成もたいへんだし、税の徴収も面倒になるという理由が一つ。世界中で普及していた制度なのに、なんというお粗末な話だろうか。官僚は優秀でもなんでもないことを示す典型だ。

二つ目は、連結納税を認めると、実質減税になってしまうという理由である。

非常に単純化していえば、同じ額の赤字と黒字の二社の子会社があったとしよう。単独で税をかければ、赤字の会社は税金を払わずに済むが、黒字の会社は法人税を納めなければならない。ところがこれを連結納税にすると、黒字と赤字で差し引き利益は相殺《そうさい》され、税金を納めなくて済む。連結納税はかように減税効果があるので、大蔵省は嫌がるのだ。

さらに、企業をいっぺんに複数の子会社に分割した後に統括する持ち株会社を作るための会社法の規定が整備されていない。しかも、その課題の整理すらされていない状況だった。これらは法務省の所管だ。

独禁法改正を恐れる学者たち

とはいえ、大蔵省や法務省の説得よりも、やはりたいへんなのは、左派の圧力をどう撥ね除けるかだ。どこか応援してくれるところがなければ、実現は不可能である。

誰でも真っ先に思いつくのは経済界だ。経団連で競争政策を担当していた阿部《あべ》泰久《やすひさ》氏（現・経団連経済基盤本部長）に話しに行くと、ぜひ、やってくれと乗り気である。当時、経団連のなかに、競争政策委員会という組織があり、委員長だった旭化成の弓倉礼一《ゆみくられいいち》社長と話をすると、「通産省が本気で取り組むのなら、こちらも特別な部会を作って後押しをする」といっていただいた。

経団連が部会を作るのだから、こちらもと考え、帰って上司の産業政策局長に許可を求めると、「いいんじゃないの」というので研究会設立の準備を始めた。ただ局長には、そのときは競争政策をやりますというくらいにとどめ、具体的な話はしていなかった。

ところが、名だたる学者を訪ねていくと、みなけんもほろろ。聞く耳も持たないという様子で、話を始めるや否《いな》や追い返された。

有名な学者は左翼がかった人が多く、独禁法九条は堅持すべきという考えに凝り固まっているうえに、公正取引委員会を応援している学者が大半だった。当時、公正取引委員会は極めて閉鎖的で、情報をなかなか公表しない。だから、公取と仲良くしていろいろな情報を教えてもらわないと、学者は研究対象がなくなり、お手上げになってしまうのだ。だから、彼らは持ちつ持たれつの関係を築いていた。いわば、競争政策の世界での談合だ。

ただ、私は公取に敵意は持っていなかった。むしろもっと強くなって欲しいと思っていた。当時、公取は虐待されており、しっかりした規制をしようとすると政治的な横やりが入って、泣き寝入りせざるを得ない。それで、「吼《ほ》えない番犬」などと揶揄《やゆ》されていた。その中心となって、この弱い公取をいじめているのが通産省だと目されていた。

古くは富士製鐵と八幡製鐵の合併による新日本製鐵の誕生。巨大な製鉄会社を合併させて、超巨大な会社にする。この合併により独占に近い状態が生まれるし、その結果、価格が上がる可能性も十分ある。さらに、戦後の財閥解体、巨大企業の解体に逆行する政策だとして、公取は阻止に動いたが、政界、経済界の圧力に屈した。

そんなとんでもない政策の旗を振る通産省に協力などできるはずがないという学者ばかりだ

った。

いま一つ学者がためらった理由としては、日米構造協議以降に高まっていた系列批判が挙げられる。

アメリカは主として日本の自動車産業を攻撃するため、テーマに系列を選んだ。アメリカの自動車は、日本車より性能がいいはずなのに日本で売れないのは、日本では系列の販売店でしか販売が許されていないからだ、系列化をやめろ。あるいは、アメリカの部品メーカーは優秀なのに、トヨタや日産の系列に入らなければ部品は買ってもらえない。日本の系列化は自由競争を阻害している。これがアメリカの主張だった。

純粋持ち株会社などを認めれば、ますます系列化が進む。そんな時流に反する話には乗れないというわけである。

比較的、柔軟に対応してくれるのでは、と思われる学者に当たっても、通産省に足を運ぶのも憚《はばか》られるという感じで、商法の学者でさえ、大御所には断られた。

それでもなんとか参加してくれる学者を探し出した。座長を引き受けてくださったのは、成蹊大法学部教授の松下満雄《まつしたみつお》先生である。松下先生は、独禁法では極めて開明的な学者で、世界の独禁法にも詳しい。欧米の独禁法学会では知らない人はいない方で、前々から日本の独禁法の問題点を指摘されていた。

松下先生は、通商法でも活躍されており、後にＷＴＯ（World Trade Organization＝世界貿易機関）の最高機関である上級委員会の委員にまで出世し、その分野では大御所におなりになったが、当時は、なぜか日本の独禁法学会では異端児扱いだった。

アメリカのスタンフォード大学教授の青木昌彦《あおきまさひこ》先生も参加してくださった。青木先生は一時期、もっともノーベル経済学賞に近い学者といわれ、現在はスタンフォード大学の名誉教授である。日本に帰国していた青木先生に会いに行くと、「ぜひ、やりなさい」と快く参加を引き受けていただいた。

商法では、東京大学の江頭憲治郎《えがしらけんじろう》先生にも参加していただいた。これからの商法学会を背負って立つといわれる先生の参加で、会もだんだんと格好がついてきた。あと数名、中堅、若手の学者に参加していただいた。なかには、反対の世論が高まると、途中で「騙されちゃったなぁ。学会で肩身が狭くて困ったなぁ」などと言い出す先生もいたのだが、とにかく研究会の陣容は整った。

経団連さえ二の足を踏んだテーマ

なんとか研究会の目処《めど》が立ったので、経団連に報告に出かけた。すると経団連からは思いもかけぬ話が……。

「うちはちょっと……。時期尚早《しょうそう》だという結論になりまして、部会の立ち上げは見合わせることになりました」

経団連では阿部氏が部会設立に尽力されたが、どうも部会長の引き受け手がいなかったようだ。世間の批判が怖くなったのか。「えっ」と絶句すると、阿部氏は「古賀さん、部会は無理でも経団連は誠心誠意応援しますから」という。誠心誠意といわれても、梯子《はしご》を外されたのか、という思いが頭をよぎる。かといって、すでに先生方には依頼しているので後には引けず、「誠心誠意応援する」という言葉を信じて研究会の検討を見切り発車した。

後に分かるのだが、経団連の弓倉氏や阿部氏は、その言葉通り、最後までわれわれを支援してくれた。

その後の検討の過程では、いわゆるノンキャリの職員が目を見張る活躍をしてくれた。たとえば、ある職員が国会図書館でGHQ時代のわら半紙のガリ版刷りの資料を発掘してきて研究会の教材にした。その資料には、独禁法の草案が作られた頃の議論が逐一記されており、手に取るようにGHQと日本側のやり取りが伝わってきた。日本側はGHQの要求にかなり強く抵抗していたのだ。

独禁法の草案を作った委員の一人に当時、通産大臣だった橋本龍太郎氏の父、橋本龍伍《りょうご》氏がいた。大蔵官僚だった橋本龍伍氏は、吉田茂《よしだしげる》氏に勧められて政界入りしたが、占領下では内閣参事官として経済安定本部にいた。このとき独禁法起草作業に携わったとされる。その橋本氏が「GHQの主張はおかしい」という趣旨の発言をしていた。子息、龍太郎氏が通産大臣のときに、このような資料が見つかったのは、何かの因縁だろう。

研究会は難産だったものの、スタッフのがんばりもあって理論武装はかなり堅固なものができ、最終的なまとめの段階まで来た。しかし、政治的には非常にセンシティブな話なので、結論の方向性を最後まで示さないまま、水面下で進めている研究会である。全面解禁を打ち出すことが洩れては、と神経を使った。

だが、外部のメンバーもいるので、いつかマスコミに流れる。もし、何もマスコミに話さず、記事にされて反対に回られたら、厄介《やっかい》なことになるので、事前に記者たちには事情を説明し、解説しておいた。「簡単に書いてもらっては困る」と釘を刺して。

ところが、一九九五年二月一二日、毎日新聞の記者が、「持ち株会社全面解禁……通産省の研究会、報告書で提案」と書いてしまった。この記者が悪いのではなく、私の油断が原因だった。

この記者が応援部隊の一人として通産省にやってきて、挨拶に訪れたときにこの話が出た。このとき、ストップしてある話は伝わっているものだと早合点《はやがてん》して、書かないという条件を明示しないで話してしまったのだ。

毎日が記事にしたため、大騒ぎになった。他の新聞社も後追いで記事にしたが、毎日に抜かれてしまったためか、批判的なニュアンスで書かれていた。さらにしばらくすると、どこも社説で「財閥を復活させるつもりか」「系列の不透明な取引をまた強化する気か」といった論調で、明確に反対の意を表明し始めた。

三月になると、とうとう参議院の予算委員会で社会党が取り上げるという騒ぎにまで発展した。大臣にも詳しい説明はしていないし、公取とも何の調整もしていない。さすがにこれはまずいことになったと困った。

このまま大臣が国会に出て行くと、公取から攻撃される。通産省が退却宣言してけりをつけるという方法もあるにはあるが、それではいままでやってきたことがすべて水の泡になってしまう。かといって、やるというと、公取と通産省の意見が真っ向から対立し、予算委員会は閣内不一致で紛糾《ふんきゅう》することは必至だ。審議ストップして大臣の責任問題に発展しかねない。

厄介な事態になったので、上司の産業政策局長に相談すると、「任せる」と一言。局長が無責任なわけではない。彼は後に事務次官になった大物で、これぞ武士というタイプだった。

昼間はテレビで時代劇を見ていることが多い。大枠の指示だけ出しておき、部下が相談に来ると、なんでも「ああ分かった」と応じる。部下に自由にやらせておき、任せられなくなったら自分が出て行って決着させるというのが彼の流儀だった。普段は細かいことばかりいうのに、いざという時は腰砕けになったり、責任逃れに終始したりする幹部も多いが、それとはまったく逆のタイプだ。

政治主導の見本は「橋龍」

その夜、大臣の答弁を作成した。大臣になんといわせたらいいか――。海外ではどの国も純粋持ち株会社を容認している。会社経営の自由度を高めるためにも、純粋持ち株会社の導入が必要だと理由を述べ、最後にこう表現することにした。

「少なくとも早急に検討に着手すべきだ」

解禁しろなどというのは少し行き過ぎだ。少なくとも国会ではまだ議論さえしていない。いきなり解禁とは何事だ、と反対派の反発を食らい、入り口で止まってしまう。役所言葉でいえば「積極的に」といいたいが、それではたいへんな騒ぎになる。しかし、「慎重に」とするのは変なので、このような表現にした。

これぐらい後ろに下がっておけば、「検討に着手」だから、検討して結論を出さなくてもよい、と読ませるわけだ。もちろん結論を出すことも含まれる。反対派も真っ向から非難できないだろうし、ギリギリ前には出て行く感じは残されている。

問題は、橋本大臣に納得してもらえるかどうか――。大臣にはたくさん質問が入っているので、大臣室での説明は、二、三分ほどしかない。順番に呼び込まれて、私の番になり、入室して恐る恐る説明した。

その間、橋本大臣は答弁書に目を落としている。私の説明が終わると、大臣が顔を上げていった。

「分かった。これは大事だな」

怒られることを覚悟していた私は、「だけどなあ、今後は気をつけろ」、あるいは「だけど、なぜ、こんなことを俺に黙ってやるんだ」と続くはずの叱咤《しった》の言葉を待った。だが、橋本大臣は無言。江田憲司《えだけんじ》秘書官（現・みんなの党幹事長）が、「次」と私の後ろの人を呼んだ。

橋本大臣が本当に理解してくれたのかは分からなかったが、ともかく怒られずに済んだ。退室した私は胸を撫で下ろした。

予算委員会では時間が押して、われわれの件に関する社民党の議員の質問時間は短くなったが、橋本大臣と公取委員長が答弁に立った。案の定、委員長は解禁論をボロクソに批判した。

「相互持ち合いあるいは系列、企業集団の存在が海外からのわが国市場への参入あるいは投資の障壁になる……今日においても株式所有による事業支配力の過度の集中を防止する必要がある……。……経済力集中の手段であり、企業の系列化、集団の形成強化の核となるおそれのある持ち株会社を解禁することは……。持ち株会社の禁止規定は堅持すべきものである……」

むずかしい言葉を並べ立てるのはいかにも公取の答弁だが、要するに、これだけ日本の系列化が世界から批判を浴びているときに、そんなことをやると世界に恥を晒すことになる、独禁法九条は断固守りぬく、という意味。歯牙《しが》にもかけないとはこのことだ。

一方、橋本大臣は、「公正取引委員会からも系列とか様々な御意見に基づいての御批判がありますけれども、私は積極的な検討はさせていただきたいものと思っております」と答弁した。

……私は「少なくとも早急に検討に着手すべきだ」と柔らかく書いた。しかし、「積極的」

と大臣はいった。大臣のいい間違いではないかと思った。霞が関言葉で「積極的に」は、基本的に「やる」という意味だからだ。

ついでに永田町の政治家言葉と霞が関の役人言葉に関して記しておくと——。永田町言葉の特徴は、「しっかりと」といったあまり意味のない表現で、ニュアンスを出す。菅直人氏が得意とした言葉だ。一方、霞が関言葉は、どんな些細《ささい》な表現にも意図が込められている。「霞が関文学」では「○×等」と「等」を入れた場合、後で拡大解釈するための布石だし、「前向きに」は「やる」、「慎重に」は「やらない」という意味だ。

大臣の場合、答弁は官僚が書くのだから、基本的に霞が関言葉である。橋本大臣は普通の大臣と違って、そういう厳密な言葉づかいを理解できる人である。「積極的に」はやるという意思表示だと解釈して良かった。

大蔵省の橋本内閣倒閣運動

公取がやらないといっているのに、通産大臣はやるという。このまま進めば、委員会がストップする恐れがあった。大臣がいい間違えた場合、官僚や秘書官がすぐに訂正するよういいに行く。

ところが、予算委員会では、われわれ官僚が座っている席は大臣席から遠く、秘書官の席も少し離れていたためか、結局、その場で大臣の意向は確認できなかった。

そのときは、これはまずいことになったと思ったが、後で分かったところでは、いい間違いでもなんでもなかった。橋本大臣は、本当にこれはやったほうがいいと考えており、確信犯的にわざと答弁を変えたのだった。これだけ大きな問題に対して、短時間に咄嗟《とっさ》の判断を下すとは思えない。前々から橋本大臣がこの件について問題意識を持っていたのだろう。

もう一つ見逃せないのは、当時、橋本大臣には江田憲司氏が秘書官としてついていたことだ。彼は、競争政策にも詳しかったので、私は答弁にやや詳細なメモをつけておいた。江田氏は私のことを信頼してくれていたので、橋本大臣に、これは大事な話だと解説してくれたようだ。信頼する側近からの進言も得て、橋本大臣は、自信を持って前向きな答弁ができたのだと思う。

私は、このときの橋本大臣こそ、政治主導の見本だと思っている。政策に関する緻密《ちみつ》な検討は役人が担当する。その結果を、最終的に閣僚がリスクを取って政治判断する。その際、絶対的に信頼できるスタッフを持っている。これが政治主導である。

役人が勝手にやったと、責任をすべて役人に転嫁《てんか》するような政治家では、到底、政治主導は実現しない。これは二〇一〇年秋に起こった尖閣諸島中国船衝突事件でも見られたが、民主党が政治主導を確立できなかった原因は、ここにもある。

一方、橋本氏の場合、役人のわれわれでさえむずかしいのではと思っていた政策を、自分の判断でやるといったのだ。まさに政治主導の見本だった。

通産大臣の任期中には、独禁法の改正はかなわなかったが、翌年、総理に就任した橋本氏は、一九九七年、改正法案を国会に提出し、成立させた。

総理を辞めた後、日歯連献金疑惑もあって、橋本氏の評価は下がってしまったようだが、構造改革という言葉を前面に出したのも橋本総理だったし、小泉時代に有名になった経済財政諮問会議の創設を決めたのも橋本氏だ。橋本氏は霞が関の抵抗を押し切り、省庁再編も断行した。信念のある立派な政治家だった。宰相の器とは橋本氏のような政治家が持つものなのだろうと思っている。

ただ、橋本氏ができなかった行革もあった。歳入庁構想だ。橋本内閣は、消費税増税で失敗したといわれているが、霞が関では、大蔵省から国税庁を引っ剥《ぱ》がして歳入庁を作ろうとしたため、敵に回った大蔵省に倒されたと見る向きも多かった。

当時、大蔵省は、山一證券などの証券会社を廃業に追い込んだ。あれは大蔵省の橋本内閣倒閣運動だったという人もいる。

民主党も以前は歳入庁構想を高らかに唱えていたので、真っ先に手をつけるかと思ったが、いつの間にか後退して、いつやるのかまったく分からなくなってしまった。やはり、財務省が怖かったのだろう。

反対派を翻意させたポスト格上げ

話を戻せば、橋本通産大臣の「積極的に検討」という国会答弁は、案の定、反対派に火をつけた。当時は自社さきがけ政権で、総理は社民党の村山富市《むらやまとみいち》氏だ。われわれは与党社民党の商工部会に呼ばれるのだが、彼らが反対派の急先鋒となって、「独禁法九条の改悪は絶対阻止するぞ」「はんたあーい」とシュプレヒコールを上げる。こんな光景は学園紛争の頃に見て以来だ。

表ではこうした激しい対立が続いていたが、実は裏では少しずつ公取の懐柔策が進んでいた。

もともと検討を開始したときから、公取や独禁法学会と、ずっと同じ議論を続けていた。「世界中、どこでもやっているのに、日本だけに悪いことがどうして起きるんですか。仮に起きたとしても、取り締まればいいじゃないですか。日本には独占禁止法という法律がある。財閥ができても分割できる。系列化でがんじがらめにする企業が出てきたら、公取が潰せばいい」

理詰めで相手の主張を潰していくと、最後には「日本の公取はそんなに強くない」と反論してきた。ならば、話は簡単だ。公取を強くすればいい。「強くできるのか」というので、しめたと思った。

実は前々から、アメリカからも公取を強化せよとの要求が来ていた。私は以前、産業構造課で日米構造協議を担当していたので、彼らの要求は熟知していた。そこで、これをうまく利用しようと考えた。

強くするというと普通、増員を考えるが、私の案はポストの格上げによる組織強化だった。公取の事務局を事務総局にする。経済部と取引部を統合して経済取引局に、審査部を審査局に格上げする。

単なる名称の変更に過ぎないように見えるかもしれないが、役人にとってはこれが非常に大きい。なぜなら、上のポストが増えるからだ。普通の役所では事務方のトップは事務次官、その下にいくつかの局長ポストがあり、その下に次長あるいは部長、審議官などというポストがある。上から順に給料も下がっていく。

公取の事務局長は他省庁では局長に当たる。つまり、一番上のポストが次官級ではないのだ。事務総局にすると、そのトップ事務総長は次官級に、部が局になれば、部長は局長へと格上げになる。次官級ポストはゼロから一になり、局長級は一から二に増えるのだ。

経済社会情勢が大きく変わったわけでもないのに、組織全体を格上げするなどという話はまず普通、あり得ない。当たり前だ、仕事の内容が変わるわけでもないのに、単純に幹部の給料を上げるというのに等しいからだ。しかし、公取の強化は、日米の懸案事項の一つなので、産業政策局長から橋本大臣に上げ、行革本部に根回しすれば、できないことはないのではないかというのが私の判断だった。

それに、私は、もともと通産省が公取を目の敵《かたき》にしていじめることには反対だった。公取がもっと強くなってくれなければ、日本の市場は良くならない。そう信じていた。通産省の普通の官僚は公取強化には絶対反対という人が多かったが、そんなことは無視しようと思った。ただ、ポストの格上げだけではやはり、不真面目だ。そこで、人員も大幅に増やすということを進言することにした。そして、こうした動きは表の研究会の検討中から静かに進めていた。

公取の職員はプロパーなので、次官ポストができるというだけで大喜びするはずだ。公取の懐柔策としてはこれ以上のものはない、という私の予想は的確だった。

思った通り、公取は一も二もなく乗ってきた。ただ、公取としては、あれだけ反対していたので、すぐに持ち株会社解禁ＯＫと掌は返しにくい。村山総理の社会党が支援してくれているのだからなおさらだった。内々に合意が成立したものの、法案をいきなり出すわけにはいかない。いったん棚上げにして、先に組織強化をやるという、やや危ない橋を渡った。

弱ったのは、たまたま通産省と公取の両方の定員を査定していた行政管理庁の担当官だった。ポストを新設する場合、スクラップ・アンド・ビルドが原則になっているからだ。

他の役所で次官級ポストの削減はあり得ないし、局長級ポストにしても減らすのは無理である。それなのに、公取の次官級ポストや局長ポストを増やせというのだ。事務的にはほとんど説明がつかない。非常に真面目な性格の担当者は途方に暮れ、いつ会っても憔悴《しょうすい》しきった顔だった。

私は「何もしなくてもいいんじゃないですか。私のほうから、政治決着で上から落とすように根回ししますから」と助け舟を出した。実際、政治決着で片がつくと、担当者がいった。

「それにしても、公取ってひどいですね。何もしなくてこんなに焼け太りして……」

確かに公取は図々しかった。途中、こちらの足元を見て局長級ポストを三つにしてもらえないか、といってくる始末である。もちろん、そんな強欲《ごうよく》な要求は受け入れられなかったが。

担当者は続けた。

「実際に動いた古賀さんのところに何の見返りもないのはおかしいですよね。産業組織政策室を課に格上げしましょう」

役所では、室は課よりも格が下である。室長は管理職としては駆け出し、課長になって一人前の管理職と認められる。私にとってはどちらでも良かったが、せっかくの好意だから課にしてもらうことにした。

かくして組織改変の法案は成立し、七月一日に施行され、公取のポストが格上げになると同時に、産業組織政策室は、産業組織課となり、私は初代課長となった。しかし、その三日後、定例の人事異動で私は日本を離れることになったのだが……。

一方、独禁法改正の法案作りも、通産省と公取によって裏で密かに進められた。まだ持ち株会社解禁の方針は出されていない段階だったため、公取の人たちは「こんなことをやっていると世間に知れたら、われわれは死刑だ」と恐れていたので、何があっても表沙汰にはできない。

そこで、目立たないようにと、少し離れた特許庁の会議室を借りて、草案作りの議論を始めた。特許庁は特別会計を持っているので潤沢に予算があり、ビルも立派だし、使える部屋もいっぱいあった。

こうして法案は極秘裏に練られ、私が日本を離れた後、翌年の国会で可決されたのだった。この独禁法改正が、いまのところ私の官僚人生で、もっとも大きな仕事である。

霞が関と戦うときの二つの必須要件

産業組織政策室長だったときには、規制緩和にも取り組んだ。

当時、村山内閣のもとに行政改革委員会規制緩和小委員会というものがあった。その後、橋本内閣で行政改革推進本部規制緩和委員会となるが、その後この規制改革の世界では、一〇年以上の長きにわたってオリックスの宮内義彦《みやうちよしひこ》社長が政府の審議会をリードされてきた。われわれは、その流れを作るための動きを、裏で経団連と連携しながら進めていた。

当時はまだ規制改革は緒《ちょ》に就いたばかりで、いまでは信じられないような規制がたくさん残っていた。酒・たばこ・医薬品の販売、トラックや内航海運など、かなり厳しい参入規制が行われていたし、大店法の古い規制も残っていた。安全規制に名を借りた競争制限も数々あった。ガソリンスタンドのセルフ給油の禁止などもその一例である。

われわれは、これらの規制一つにつき、一枚ビラを作成する。それを経団連に持っていくと、経団連が永田町を回り、先生方にビラを配りながら説明する。一方で、こちらは日本経済新聞とタイアップして記事を書いてもらって、キャンペーンを盛り上げるという作戦である。

ところが、ある新聞が、通産省が裏で動いているとすっぱ抜いた。他省庁の規制が多いので、霞が関ではわれわれの行動に非難囂々《ごうごう》となった。

当時、こんなことがあった。通産省の外局の資源エネルギー庁の石油部の課長がやってきて、「ガソリンスタンドのセルフ給油の規制がさあ」と雑談していく。いまでは考えられないことだが、当時はセルフ給油は危険だという理由で禁止されていたのだ。これを解禁すべきだとわれわれは動いていた。

セルフ給油が認められれば、販売コストが下がり、消費者へのガソリン販売価格も下がる。しかし、それで価格競争が激しくなるのを恐れたガソリンスタンドの業界は、この規制緩和に強く反対していた。

セルフ給油に関する規制自体は消防庁によるものだったので、通産省は直接担当ではないが、セルフ給油解禁で影響を受けるのはガソリンスタンド。それを所管している課長は、つまり、裏にいるらしい私に、規制緩和に向けて動くのはやめて欲しいといいに来たのだ。

しかし、私は表立って動いているわけでも、実際の担当でもなんでもない。証拠もないのに決めつけては話ができないので、要領を得ない雑談が長々と続くだけだった。

「お立場があるので、たいへんですね。お気持ちはよく分かります。でも、課長が何をおっしゃりたいのか、私には理解しかねます」

といってお引き取り願った。

この話を聞いて、頭に来たのが、その課長の上司だった。「なんだ、あいつは」と怒っているという話が聞こえてきた。しかし、その後もまったく意に介さずどんどん規制緩和のキャンペーンを続けていた。

そうこうするうちに、なんと、その上司が私の上司として産業政策局にやってきた。私のことを良く思っていなかったのか、私のやることにことごとくケチをつける。私がかまわずやると、その上司からは直接何もいわれないのだが、なぜか事務次官から呼び出しがある。誰かが告げ口したのかな、と思った。次官との間で二度ほど次のようなやり取りがあった。

「規制緩和を一生懸命やっているそうだね。やっていることはいいと思うんだけどさあ、やり方っていうものがあるんじゃないのかなあ」

「はあ」

「他省庁を刺しているという人もいるんだけど、そんなことやってるのか」

「ぜんぜん、やってません」

「それならいいけど、もう少しお行儀良くやることだなあ」

そのときの次官は、改革に理解のある方だった。しかし、霞が関の仁義に反するようなことを指摘されると、放っておくわけにはいかなかったのだろう。いつも遠慮がちに苦笑しながら、やんわりと私を諭《さと》そうとした。やんちゃ坊主をたしなめるという感じだ。私は、次官は本当は応援してくれている、と嬉しかった。

規制改革は霞が関では鬼門だ。前向きなことは何をやっても非難される。しかし逆にいえば、役所から文句がつくならむしろ効果があるという証明でもあるから、迷わずやったほうがいいということだ。だから、腹をくってやりたいようにやると決めて、その後も新たな試みにチャンレジした。

私が最初に試みたのは、国民に規制について意見を求め、意見があれば、担当課に答えを書かせ、それをまとめて公表するというやり方だ。私がいつもやっている、表での議論だ。返ってきた答えはほとんど「できません」だったが、国民の指摘はもっともなことばかりだったので、「できない」と書くだけでも恥ずかしい。私はこの問答集を分厚い本にまとめて国民に公表したので、世の中で無駄な規制が浮き彫りになった。

実は、これは経団連の阿部氏と話していて思いついたことだ。宮内小委員会が実施を検討したが、各省庁が許すはずはなかった。では通産省でやればいいと思って実施した。それにしても官房総務課が、やることをよく許してくれたものだ。恐らく、理屈では私のほうが正しいので、「やるな」とはいえなかったのだろう。

私が問答集を宮内小委員会に持っていったので、宮内さんが「通産ができるのだから、やれないことはない」と強行突破し、以後、年に一度、国民にパブリックコメントを求め、答えを公表することになった。理詰めと気合い——霞が関と戦うときの二つの必須要件だ。

英語もできないＯＥＣＤ課長

私の次の仕事は、パリにあるＯＥＣＤ（Organization for Economic Co-operation and Development＝経済協力開発機構）事務局の職員だった。役職は科学技術工業局規制制度改革担当課長である。

ＯＥＣＤに出向するといっても国連と同じで、代表部と事務局に出向する場合がある。代表部はＯＥＣＤと日本政府の間の連絡窓口のようなもので、事務局はその会議を運営したり、様々な調査を行い、報告するなどの仕事をしている。ＯＥＣＤ事務局職員は国連でいえば、国連職員に相当する。

ＯＥＣＤの職員として派遣されるはめになった経緯は、瓢箪《ひょうたん》から駒という表現が当てはまる。

人事の季節が近づいて、局長に呼ばれ、「君、次はどうしたらいい」と聞かれた。希望のポストはあるか、という意味である。私の答えは「ゆっくり休んで暮らせるような海外勤務とかあったらいいですけどね」。冗談でいったつもりだった。というのも、その頃には、すでに海外に出る職員は全員決まっていたからだ。

「海外か」、局長はぽつりといったが、私はさして気に留めなかった。ところが、局長から総務課に私の人事の話が行ったらしい。総務課長は、断ればいいのに、無理だと思っていても逆らわず、「はい、分かりました」と秘書課長に上げたのだろう。

秘書課長は頭を抱えたはずだ。産業政策局長は次の事務次官になるというのが衆目の一致するところだった。事務次官になる人の指示は無視できない。さりとて、空きはない。困った秘書課長は、通商政策局に、何か適当なポストはないか相談した。

ちょうどその頃、日本がOECDに資金を拠出してプロジェクトを作るという話が動いていた。おカネを出すのに合わせて一人ぐらい職員を雇ってもらおうという話も進んでいたのだ。秘書課の指示で、私がそこに手を上げることになった。

局長からその話が来たとき、私は乗り気ではなかった。なぜなら、正直、私には荷が重い。たとえばJETROの出先の次長や大使館の書記官であれば、周りは全部日本人で、部下もいて、秘書がついていて、かなりのサポート体制があり、仕事もそれほど忙しくない。

一方、OECDの職員は、まるで逆である。周囲はすべて外国人。仕事もフルにやらなければ、務まらない。もちろん、英語だけで仕事をする訓練をしている人なら、むしろ楽しい職場かもしれないが、私は留学もしていない。しかも、OECD事務局の公用語は英語とフランス語。職員は修士は普通でドクターも多い。南アフリカ共和国に赴任していたとはいえ、総領事館は日本人ばかりだし、かなり気楽なものだったのだ。

加えて私は、フランス語など、まったくしゃべれない。どう考えても私には荷が重かった。それに、相手も困るのではないか。いろいろ考えて、私は秘書課長のところに直談判《じかだんぱん》に行った。

話しているうちに秘書課長が、「君、留学していないの」と驚いている。深刻な顔になり、弱り果てていた。その直後、上司の総務課長から呼ばれて怒鳴られた。「直接、秘書課長に話しに行くなんて、どういう了見だ」と。自分の頭を通り越して、秘書課長と話したことがおもしろくないのだろう。局長に「古賀君も、喜んでいる」と報告し、点数を稼ぎたいという思いもあったはずだ。「黙って従え。以後、君の人事の件は一切口にするな」と頑《かたく》なになり、結局、私はフランスに出されることになった。

予想通り、たいへんだった。会議の途中、英語からフランス語に切り替わると、どんな話になっているのか、さっぱり分からない。いままでのように思い切り仕事をするという状況ではなかった。

「発送電分離」パリの空の下から叛乱

もっともまったく仕事をしなかったわけではない。日本でやりかけていた規制改革に取り組んだ。

テーマはベンチャーなどの小さな企業が成長するための規制緩和の整備。私のアイデアでプロジェクトが始まったが、終了間際に急に帰国命令が出て、中途半端な仕事になってしまった。

そんななかで、一つ大きな騒動になったことがある。当時、ＯＥＣＤのプロジェクトのなかで、電力の規制改革の議論が行われていた。その議論を聞いていると、発電部門と送電部門の分離が焦点となっていた。

日本では、各電力会社は発電部門と送電部門をともに持っていて、地域ごとに供給を独占している。東京に住んでいれば東京電力から買うしかないし、東京電力は基本的には自分の発電所の電力だけを供給するという具合だ。そこで発電部門と送電部門を分離して、地域を越えて需要家が電力会社を選んで電気を買うことができることにして、競争を導入しようという考えだ。

もともと私は、日本の電力会社はぬるま湯に浸かっていて非効率だし、イノベーションが進まない状況に陥っているのではないかと思っていた。

後に述べるが、通産省と電力会社の癒着ぶりは目に余るものがあり、特に東京電力に睨まれたら出世はできない、などという話を聞いたことがある。「東電は腐っている」と思っていた私は、発送電分離の話を聞いたとき、これは電力改革の切り札になるのではないか、と感じた。

電力会社は独占企業でありながら民間企業なので、基本的に株主総会以外に経営チェックは入らない。もちろん、原子力の安全規制はチェックが入るが、経営についてのチェックは極めて限定的だ。料金値上げのときなどは通産省がチェックするが、各社には通産省の幹部が天下るポストが用意されているので、本気でチェックはできない構造になっている。それが電力会社の悪しき体質を生んでいた。

電力会社は独占なので、いくらでも儲けられる。あまり儲けすぎると、料金を下げろと消費者から文句をいわれるので、あまり儲けない。そして、福利厚生などを見えないかたちで充実させたり、様々なフリンジベネフィットを拡大しようとしがちである。私から見れば、本来の利益が無駄な経費に注ぎ込まれている、ということになる。

電力会社の社長が経団連や他の経済団体の会長に推されることが多いのはなぜか。電力会社は日本最大の調達企業だからだ。発電プラント、送電線、鉄塔。地域には、発電所や事務所が無数にある。生活必需品も必要なら自動車も必要。電力会社は、鉄をはじめ、ありとあらゆるものをそこらじゅうから大量に買う。だから、経団連の会長に電力会社の社長がなるというと、誰も文句がいえない。

さらに、独占企業だから企業経営のほうも基本的に心配がない。電力会社が経営の危機、などということはまず起こらない。社長は毎日本を読んで天下国家を論じたり、財界活動に精を出すこともできる。

厳しい国際競争に晒され、毎日為替レートの上下に一喜一憂している他の産業の経営者よりも気楽に見える（だからこそ、東日本大震災で福島第一原発の事故が起こると、危機など経験したことのない経営者たちは、迅速な判断やリスクを取る果敢な決断ができず、結果、すべてが後手後手に回ってしまったのだ）。

電力会社は、この圧倒的な力を背景に、政官癒着の構造を作りあげていた。昔、先輩に聞いた話だが、電力会社は通産省の役人を頻繁に接待していた。電力会社でその経費を落とすと癒着がばれるので、下請けの工事会社などの取引業者につけを回す。下請けはこれを会議費などの名目で落とすので、電力会社と役人の癒着は表に出ず、闇に葬られるというのである。

一方で、電力会社は有力政治家に多額の政治献金をし、便宜《べんぎ》をはかってもらっていた。そのため、電力に強い自民党の議員には多額の政治献金が集まった。

そして電力会社は、政治力と役人との癒着で得た力を駆使して、補助金にも口を挟む。発電所が立地している地域には補助金が出る。その配分額は、通産省と電力会社が裏で協議して決めていたそうだ。

電力会社の上層部はみな贅沢《ぜいたく》な暮らしを謳歌《おうか》し、一方で、壮大な無駄と癒着利権の構造ができあがっていた。こんな澱《よど》んだ構図ができてしまったのはひとえに、競争がないことに起因していた。

ならば、競争させる環境を作ればいいというのが私の発想だった。

当時、送電線は、たとえば東京電力の管内なら東電が所有していた。これを、送電線は別会社にし、発電部門もいくつかの会社に分割する。発電した電力を購入する側は、自由に電力会社を選べるように変えるのだ。この仕組みにすると、競争が生じ、癒着の構造も解消する。

電力会社からすれば、とんでもない話である。癒着している通産省でも、発送電分離の実現はむずかしい。

そこで、ＯＥＣＤが日本に勧告するという作戦で、そうなるように動いた。正式に報告書を出すまでには時間がかかるし、発表後では新聞でもベタ記事で、結局は闇に葬られることも考えられる。一方、検討段階での予想記事なら扱いも大きくなるし、国内の準備も整っていないから、ショック療法としては効果的だ。

私は旧知の読売新聞の記者に連絡を取って、記事にしてもらった。正月はニュースがない。記事はたしか、一月四日の朝刊に、「ＯＥＣＤが規制改革指針　電力の発電と送電は分離」と大きく載った。この日は土曜日で、六日が御用始め。年頭の記者会見で、佐藤信二《さとうしんじ》通産大臣が前向きなニュアンスで答えたものだから、大騒ぎになった。

正月だったので、役人と佐藤大臣のコミュニケーションがうまくいっていなかったのかもしれない。八日の日本経済新聞には、「通産相が検討指示、発電と送電を別会社に」という見出しが躍った。私は「動いたな」と手ごたえを感じた。

通産省ではすぐさま犯人探しが始まり、ＯＥＣＤでこんなことを言い出す奴は誰だとなった。全員が思い当たるのはただ一人。「古賀しかいない」となり、「あいつをすぐ呼び戻せ」となった。

「資源エネルギー庁の○○さんが本気で古賀さんを帰国させて即クビにする、といってます。古賀さん気をつけてください」と、通産省の改革派の課長補佐から電話があった。幸か不幸か、それでも私はそのまましばらくパリにいることになったのだが。

当時の通産省幹部が退官した後教えてくれたことには、「いやあ、あのときはたいへんだった。省内は大騒ぎだし、電力会社は、騒ぎまくるわ……。でも、いまから考えれば良かったんだよ。あれから本格的に電力の規制改革の議論が動き出したんだから」とのこと。

このことがあったせいか、私はその後、一度も資源エネルギー庁や原子力安全・保安院に勤務することはなかった。

三年弱のパリ勤務を終えて、私は帰国し、取引信用課長というポストに就く。

なぜ犯罪を放置しておくのか

私が配属された取引信用課はクレジットカードやリースに関する規制を扱う部署である。当時としてはまだ珍しかった債権の流動化などという先端的な金融商品の導入や振興なども行っていた。

サラ金は金融庁の所管だが、クレジットカード会社はカードローンなどの消費者金融もやっているので、そちらの分野も関係していた。サラ金とクレジットカードは、規制のうえでは別のジャンルになっていたが、私にはなぜわざわざ分けているのか、さっぱり理解できなかった。

当時の仕事でおもしろかったのは、クレジットカード偽造対策である。その頃もすでにクレジットカードの偽造が横行していた。クレジットカードの情報を磁気テープから読み取り、偽造カードに移して正規のカードを装い使う。クレジットカード会社はその対策に必死だった。

たとえば、クレジットカード会社のセキュリティーセンターに行くと、時折、ピポという音が聞こえる。カード加盟店に置かれている端末のリーダーから送られている情報を分析し、偽造カードの疑いがある買い物に関しては瞬時に警告音が鳴る仕組みになっていた。

警告音が鳴るのは主として次のようなケースだ。まず、換金性の高い商品の立て続けの購入。当時ならテレビやビデオデッキといった高額の家電製品は換金しやすい。また、ビール券や商品券、新幹線の回数券なども金券ショップで売れる。

家電製品を何台も、別々の電器店で間をおかず買うことはまずない。回数券などの購入についても、常識的に見て、あまりにも大量だった場合はチェックされる。

あるいは不自然な買い物。たとえば、東京都の杉並区在住のサラリーマンは、過去の記録では、家の周りと新宿近辺で買い物をすることが多い。ところが、休日でもないのに、遠く離れた千葉で電器製品を買ったという場合なども警告音が鳴る。

警告音があると、センターでは販売店への承認の信号を出すのをやめ、店に電話をかけて、性別や年齢などがカードの所有者と合致しているか、確かめてもらう。その結果、怪しいとなると、店員が利用者に事情を聞く。偽造カードの場合、だいたいその前の時点で、相手は逃げるとのことだった。

クレジットカード会社は、このようなソフトを開発し、涙ぐましい努力を続けて偽造カードの使用防止に努めているが、しょせんイタチごっこだ。クレジットカード会社が新たな対策を講じれば、偽造グループはそれを破るシステムを考案する。どこまで行っても完璧な対策は無理だった。

そうしたなかで、VISA、アメリカン・エキスプレス、マスターといった大手が要望していたのは、偽造カードを取り締まるための法改正だった。

当時の刑法では、クレジットカードの偽造に対する規制は非常に緩かった。クレジットカードの偽造は、法的には「有印私文書偽造」という。偽造のなかでもっとも手厚く禁止措置が決められているのは通貨の偽造で、行使の目的で偽造紙幣を作るための紙やインクを用意しただけで罪に問われる。行使の目的さえあれば、譲り渡しても罪である。偽造罪で捕まれば、最大、無期懲役までの重い刑罰が科される。

ところが、これだけ重罪扱いされているのに、たとえ偽造だと分かっていても、他人から知らずにもらったものを所有しているだけでは罪にはならない。なぜなら、その後、所有者が警察に届け出るかもしれないし、知らないで偽造通貨をもらってしまっただけで罪に問うのは酷であるからだ。

次に重いのは株券などの有価証券の偽造で、有印私文書はさらに重要度が低いという扱いである。その偽造は、たとえ使うつもりで所有していても、罪にはならなかった。

クレジットカード偽造に対する罰則が緩かったのは、情報窃盗に関する法整備が進んでいなかったせいもある。正規のカードからスキミングして偽造カードを作るのは、情報の窃盗である。しかし、当時はまだ情報の窃盗に関する規定がなかった。

お上の発想は「クレジットカードごとき」

クレジットカード先進国の欧米では、ドイツを除いて法整備が進んでおり、偽造カードを持っているだけでも罪になる。ドイツも私がいた間に法改正をした。日本だけが遅れているわけで、クレジットカード会社の大手三社の副社長クラスが揃ってやってきて、「なんとかしてくれ」と陳情する。私もおかしいと思ったので、「分かりました。やりましょう」と答えた。

ところが、部下に聞くと、「ぜんぜんだめですよ。絶対できません」という。理由を尋ねてみると、こうだった。お上の発想は、「クレジットカードごとき」である。通貨でも持っているだけでは罪に問えないのに、クレジットカードごときでは、絶対に法務省が認めないというのだ。情報窃盗罪に関しても、一向に議論が進んでいないとのことである。

「法務省の法制審議会、刑法部会でもう二〇年ぐらい議論しているんですが、表現の自由もあって、いまだに結論が出ていない。こんな案件を持っていっても、法務省はまったく相手にしてくれませんよ。絶対無理です」

これまでも私がやろうといって部下が止めるケースはよくあった。世間では若い人が新たな試みを提案して、上が渋るという例が多いが、私の場合は逆で、私が提案して部下ができないからやめたほうがいいと止める場合が大半だった。

私は、上司にはっきり意見をいう部下が好きだ。意見が違っても、議論すれば、お互いの理解が深まるし、後で反対する人たちを説得するためのヒントも見つかる。自ずと十分な準備ができるし、難しい課題でもやり遂げることができる。

そのときも同じだった。部下が反対したから「そうか、やっぱり無理か」と、いったんは納得しかかった。しかし、後で考えてみて、いやそれでもやるべきだ、こうしたらできるんじゃないか、と思い、再び部下にぶつけて説得を試みた。これを何度もやると、部下もその気になってきた。その後は、みんなでおもしろがって仕事を進めるようになり、実現するというパターンだった。

私は人の管理が得意だとは思っていないが、チームの仕事をおもしろくすることには長《た》けていたような気がする。それと、私は上と喧嘩《けんか》するのは得意だが、部下と喧嘩するのは大嫌いだ。ときには上から押しつけて無理に何かをやらせるというのは、優秀な上司の条件なのかもしれないが、私にはどうしてもそれができない。

このときもそうだった。クレジットカードの偽造は誰が見ても犯罪である。悪いことをやっているのに捕まらないのはおかしい。さりとて、部下のいうことも一つの理屈だし、それを乗り越えないで無理に始めても、結局、途中で挫折《ざせつ》するだろう。部下と徹底的に議論し、半年かけて理屈を整理した。その結果、できる可能性はゼロではないとなったので、法務省に案件を持っていった。

だが、予想以上に壁は厚かった。法務省の担当者は、「古賀さん、刑法の話ですよ。軽々しく持ってきてもらっても困ります」と相手にしてくれない。学者の先生方の見解も、「むずかしいなあ。できたとしても、まあ、早くて五年かかりますよ」。私が、「でも、どの国もやっているんですよ。日本だけがこんな犯罪を放置しておくと、世界の笑い物になりますよ。どう考えてもおかしいじゃないですか」と反論しても、「むずかしいな」というばかりだった。

利権をかぎつけた警察庁の狙いを逆手に

だが、私は納得できなかった。当時の刑法では、たとえば、こんなおかしな事態が現実に起こり得る。

偽造カードの製造の多くは香港をはじめとする中国大陸で行われていた。クレジットカードは同じＶＩＳＡのカードでも発行元ごとにデザインが違う。中国の偽造業者は、様々なデザインのカードを大量生産し、それを詐欺窃盗グループが買う。こうして手に入れたカードを、ビジネスマンを装った人がアタッシュケースに何千枚も入れて町を歩いているときに、転んでアタッシュケースが開き、辺りに大量のカードが散乱したとしよう。ちょうどそのとき、警官が傍《かたわ》らにいても、彼を捕まえることはできないばかりか、男は「一緒に拾ってくださいよ」と警官に頼めるのだ。

警官が罪を犯すであろう人の手伝いをする――これはあってはならない話だ。

法務省が相手にしてくれないのなら、世論に訴え、政治を動かすしかないと思った。そこで、マスコミを使ったキャンペーンを開始した。テレビの番組にカード偽造のひどい実態を話し、取材してもらった。

記者に「なぜ、こんなに甚大な被害があるのに、通産省は偽造カードを規制しないのか」と責めてもらう。それに私が答える。

「日本では法律がないので、政府としてはいかんともしがたいんですよねえ……」

典型的なマッチポンプだが、国民には実態を分かってもらえた。

一方で大臣への根回しも進めて、先に挙げたような分かりやすい現実に起こり得るケースについて話もしたし、大臣の前でスキミングの手口も実演した。

当時、居酒屋では、夜間、裏口などに鍵をかけずに開けっ放しにしているところが多かった。おしぼりの業者が、夜間、交換に来るし、開店前には食品業者が材料を届けに来るからだ。盗まれて困るようなものは置いていないから、無用心でも平気だ。

犯罪グループはそこにつけ込む。夜中に忍び込んで、クレジットカード・リーダーを開け、チップを密かに埋め込む。一週間も経てば客のカードのデータがごっそり集まる。再び、居酒屋に忍び込み、チップを回収して不正なカードを次々と作る……。

大臣も理解してくれたようで、「これはやらないとな」といって法務大臣に電話してくれた。

実はその少し前に、突破口は意外なところから開けた。私の自作自演のテレビ報道を見た警察庁が反応したのだ。警察庁が、「法務省は頭が固い。法務省に刑法をやらせるのはたいへんだから、うちと通産省で、ぜひやりましょうよ。特別に立法して。全面的に協力します」と、申し入れてきたのだ。

警察庁が考えていたのは、道路交通法などが属する行政刑法といわれる法律による刑事罰の強化だった。たとえば、消費者保護のための法律を作り、偽造カードを所有していると刑事罰になるという項目を入れる。刑法を改正しなくとも、同じ効果がある。

しかし、私は乗る気はなかった。警察庁の魂胆が見え見えだったからだ。所管の法律ができると、省庁は天下り先を増やせる。たとえばこの場合は、クレジットカード安全協会といった組織を新たに作り、警察庁は各県警のもとに支部を置く。安全協会は、警察にとっておいしい天下り先になる。

私は警察庁には返事を保留し、法務省に行った。「警察がこんな利権を狙っていますよ」

と。法務省の担当者は、正義感に溢れている。「そんなのは許せない」といい、本気になった。

法務省のキャリア組には、自分たちの天下り先を増やそうなどというよこしまな考えはない。法務省で刑法の改正などを担当するのは、司法試験に合格した検事が中心で、法務省を退官しても弁護士になる道があるので、天下り先を作る必要などないからだ。

自立できる道があるかどうかで、行いは変わってくる。普通の役所のキャリアが省益のために働くのは、結局、最後は役所の世話にならないと生きていけないからだ。

その点、法務省の検事たちは先を心配することがないので、正義感のほうが先に立つ。警察庁の利権狙いをテコに、法務省を動かそうというのが私の作戦だった。この作戦がまんまと功を奏し物事が動きそうなのを見極めて、東大の若手の先生にお願いして、法案の準備に取りかかった。

官僚の「絶滅危惧種」とは

しかし、法制審議会をすんなり通せるかどうか自信はなかった。審議会の議論の進行を阻害していたのは、法律家としての美学である。商法には商法の美学、刑法には刑法の美学という具合に、法学者はそれぞれの法律に美学を求める。

たとえば、本件では次のような議論が慎重に展開されることは確実だ。この法案をクレジットカードに適用するとして、では、プリペイドカードはどうか。法的に見て、これも対象になる。しかし、商店が出すスタンプカードには適用できるのか……。有価証券との関係の整理から始まって、世の中のありとあらゆるカードにまで議論が及ぶ。これでは一〇年、二〇年経っても結論が出ない。

そこで、クレジットカード大手三社に協力してもらって、アメリカの本社からあちらの規制に関する資料をすべて取り寄せてもらった。と同時にアメリカ視察を提案し、法務省刑事局の参事官に私の課の課長補佐をつけて送り出した。

すると、なんとアメリカ出張の最中、当の参事官が自分のカードをスキミングされるという、なんともタイミングのいい事件が起こった。帰国した参事官がいった。

「古賀さん。これは、やっぱりやらなくちゃあいけないね……」

もちろん、それで話が決まったわけではないが、法務省は、やる気になると速かった。最速でも五年かかるといわれていたものが、たった一年で法改正できたのだ。

しかも、中身も徹底していた。刑法のなかに、新たに一章を立てる。殺人罪などと同じ扱いである。あらゆるケースを想定して刑罰が決められていた。できあがった法案は、ほぼ完璧。偽造カードを所有するのも、スキミングするのも、偽造の準備をするのも、犯罪となった。ここまでできるのか、と感心したほどだった。

最近、検察や法務省の評判がすこぶる悪い。しかし、私が知る検事たちは正義感を持ち、正しいことを実現するためには身を粉《こ》にして働いてくれる、頼りになる存在だった。

その後、産業技術環境局技術振興課長、産業再生機構執行役員、経済産業政策局経済産業政策課長、中小企業庁経営支援部長などを歴任してきた。

ここまでに書いたこと以外にも、上とぶつかったことは多々ある。決して公務員制度改革がその始まりではない。

通産省に入省してから、いつの間にか三一年の歳月が過ぎていた。同期の大半はすでに退官しているのに、われながらよくこれまで追放されなかったなあ、と不思議に思う。

しかし考えてみると、上とぶつかったときも、必ず省内に良識のある人たちの勢力があり、私をかばってくれていたように思う。そうでなければ、とっくに私は経産省からいなくなっていただろう。

ただ、寂しいのは、現在は、幹部に良識派といえる人がほとんどいなくなってしまったことだ。ちなみに私は、官僚の良識派を「絶滅危惧種」と呼んでいる。

第八章　官僚の政策が壊す日本

福島原発事故で露呈した官僚の欠点

三一年の官僚人生を通して、時折感じたのが、霞が関の秀才たちの悲しい習性だった。「利口だ」「秀才だ」と人から褒められると、われわれの脳はアドレナリンを分泌する。アドレナリンは快楽物質だから、気持ちがいい。また褒められたいと思い、一生懸命がんばる。そのかいあって良い成績を取れると、また両親から「なんて頭のいい子なんだ」と褒められ、アドレナリンが出る。

キャリア官僚の多くは、小学生の頃から「まあ、今日も一〇〇点なの、凄いわねえ」と母親から褒められるのに始まって、地域で一番の進学校に入ってトップの成績だ、東大に合格した神童だ、国家公務員試験に通った超エリートだと、事あるごとに賛美される人生を送ってきた。アドレナリンは出っぱなしで、次もまた褒められたいと、勉強に全力を投入してきた人が大半だ。

私は生来、怠惰で、勉強でも仕事でも少し気を抜くところがあったので、そうはならなかったが、秀才は性格が歪みやすい。入れ込み過ぎると、視野が狭くなる。これが秀才の陥りやすい罠だ。

秀才は、ただでさえ視野が狭いのに、世間から隔絶された霞が関という村社会にキャリア官僚として棲みつくと、さらにどんどん視野が狭《せば》まっていく。

それでもまだ、若いうちは多少なりとも周りも見えるが、時が経つにつれ、霞が関村しか見えなくなり、頭は固くなる。

しかし秀才の悲しい性《さが》で、常に褒められていたい。裏返していえば、秀才は他人からの非難に弱い。内心、おかしいなと思っていても、上司から褒められたい、叱られたくないと思い、従う。

そのうちに、たとえ世間から見ると「悪」であっても、気にならなくなる。

官僚が世間の非難の目に晒《さら》されているとはいっても、官僚の行動は常に「匿名」だ。自分が非難に遭うわけではない。上司は褒めてくれるし、自分の周囲にいる人たちもキャリア官僚だというと、「へえ、超エリートなんですね」といってくれる。

このように褒められ続けていると、人は増長するものだ。自信過剰になり、実寸大の自分を見失う。キャリア官僚がみな優秀なわけではない。客観的に見れば、一般の会社と同じように、優秀な人もいれば、能力の足りない人もいる。

ぬるま湯の霞が関だからこそ置いてもらえる、民間会社では使いものにならないだろうと思われるキャリア官僚も少なくない。だが、本人には自覚がないし、また霞が関にいれば、気づく機会もほとんどない。

褒められたいという秀才には他にも欠点がある。それはリスクを取れないということだ。通常、危ないことをして失敗したら、怒られるか批判される。子供の頃から怒られたことのない秀才は、失敗を極端に恐れるのだ。だから、みんなで渡れば怖くない「前例踏襲方式」に陥る。新しいことには挑戦できないし、イノベーションなど夢のまた夢だ。

その結果、責任も取れない秀才は何事も責任者を不明確にしておく。何時間も会議をして責任をうやむやにしながら、なんとかコンセンサスを作ってみんなの責任ということにしようとする。彼らは、少数派が反対を続けて、白黒をはっきりさせないといけない状況を極端に嫌がる。

東電の福島原発事故への対応でも、そうした欠点が露呈したのではないか。緊急事態で情報が限られるなかで、重要な決断が求められる——ベント、海水注入、米軍への協力依頼。「褒められたい秀才症候群」の秀才集団では、何一つ決められなかっただろう。総理に強く進言した官僚はいなかったのではないか。

官僚の辞書に「過ち」の文字はない

官僚の特性の一つに「過ちを認めない」というのがある。秀才の特性といってもいい。常に褒められていた秀才は、怒られることと批判されることを極端に嫌う。だから、批判のもととなる「過ち」は、絶対に認めたくないのだ。

自分たちは優秀だから間違えるはずはないという驕《おご》り。仮にそれに気づいたとしても、なんとか糊塗《こと》するだけの知恵を有している彼らは、官僚特有の「レトリック」を駆使して決して過ちを認めない。

これが官僚の「無謬《むびゅう》性神話」である。

福島原発の事故でも、事故を「事象」と言い続け、想定外の津波のせいにしようとしたり、「すべて東電が悪い」といった説明に終始した。今後もなぜ津波の想定を五・七メートルとしたのか、なぜ全電源機能停止を想定しなかったのかについて、さまざまな言い訳がなされるであろう。

とりわけ、このときに多用されたこの「想定外」という言葉は、彼らにとっては実に便利な魔法の言葉だ。ＪＣＯの臨界事故も、柏崎刈羽《かしわざきかりわ》原発を緊急停止させた揺れも、やはり想定外だった。

しかし、それは単に自分たちが想定していなかったということに過ぎない——。

津波の高さの想定が甘すぎることはすでに知られており、特に、電源が津波にやられたらどうなるかという議論まで行われていたのだ。現に東海村では、この議論を受けて、電源を保護するための補強工事を実施していたという。

つまり客観的には想定外でもなんでもなく、単に自分たちにとっての想定外だっただけなのだ。こうした驕り、リスク回避、無責任、無謬性神話は、「褒められたい秀才症候群」『私の』想定外症候群」の典型的な症状だ。

官僚は公正中立でも優秀でもない

政治家やビジネスマンの場合、秀才の思い上がりがあると、やがてわが身に返ってくる。ビジネスマンが、いくら俺は凄いんだ、頭がいいんだといったところで、仕事の成績が悪ければ、笑われるだけである。政治家も世論の批判にさらされるし、なによりも選挙という国民の審判がある。

対してキャリア官僚は、成果で評価されることはないので、自分が驕り高ぶっていることさえ分からない。

多くのキャリア官僚は政治を軽んじている。

「大臣なんてすぐに代わる。永続して政策を考えているのはわれわれだけだ。われわれがいなければ、政策一つ満足にできない。日本の官僚は公正中立で優秀だ。政治家は専門知識がなく利権に走る。従って、われわれ官僚が行政の主たる担い手になるべきだ」

と、本気で思っている人が少なくない。

私は、この自信が良く理解できない。第一、自分たちが優秀だという根拠がない。東大を出て官僚になったことが根拠だとしたら、あまりにも思慮が浅い。

確かに官僚になった時点では、人材の質は高い。省庁の選考は、ディベートなどもあって、民間に比べると比較的厳しい。それを潜り抜けてきたのだから、優秀だったのだろう。

しかし、これは二〇代前半の時点での話だ。その後のスキルのレベルアップやキャリアで、いくらでも能力は伸び縮みする。

逆に官僚が優秀でなかった証拠ならいくらでもある。もし、日本のテクノクラートが本当に優秀なら、現在のように財政が火の車になるまで放置していただろうか。経済がこれほど急速に萎《しぼ》んでいただろうか。

官僚は優秀でも公正中立でもないのでは、と疑わせる事例は、枚挙《まいきょ》にいとまがない。社会保険庁の消えた年金問題、空港の需要予測、一四〇〇兆円の国民金融資産を抱えながら世界で競争できない銀行を作った護送船団方式、住宅行政への信頼を地に落とした耐震偽装問題、摘発しても摘発しても続く官製談合……これが本当に優秀な官僚のやることかといわれれば、俄《にわ》かに反論できない。

おそらく福島原発事故を検証すれば、日本の官僚がアメリカやフランスなどの官僚と比べて、一〇年以上遅れた世界にいることが分かるのではないか。ニューヨーク・タイムズ紙などには、早くもそうした論評が載り始めている。

にもかかわらず、霞が関の官僚組織は日本最高の頭脳集団で、彼らに任せておけばなんとかしてくれるという幻想を抱いている国民が、まだいる。もはや、こんな幻想は百害あって一利なしである。公務員制度改革や経済再生を進めるに当たっては、公務員は公正中立で優秀だという前提を捨ててかかるべきである。

インフラビジネスはなぜ危ないのか

霞が関と民主党政権が一体となって熱心に取り組んだ「パッケージ型インフラ海外展開」も、適切な政策かどうか、怪しい限りである。

日本にはインフラ関連の優れた製造業がある。原子力発電、新幹線、水関連技術など、これから新興国を中心に大きな需要のある分野だ。

しかし、単品として、あるいは個々の技術としては世界最高レベルでも、それを長期間にわたりシステムとして管理・運営して利益を出していくという取り組みでは、欧米の企業に後れを取ることが多かった。最近では韓国やロシアなどの追い上げにも遭っている。だから、この分野で、官民挙げてオールジャパンで取り組もうというのである。

この分野に目をつけるのは正しいし、政府と民間が協力して取り組むこともいい。だが、目的が正しいから何をやってもいいとはならない。手段の適切性を慎重に吟味《ぎんみ》しなければならないのだ。

「パッケージ型インフラ海外展開」の発想の原点は、これをやれば、日本は儲かるだろう、である。では、本当に儲かるのか。総理が首脳会議で「日本の企業にもいい製品がありますよ」と売り込むのはコストゼロなので、いくらやっても損はない。福島原発事故の際、フランスのサルコジ大統領がいち早く訪日し、自国企業の宣伝を大々的に、しかも巧妙に行ったのは一つの手本だ。

しかし、問題はその先だ。こうした国家的なお祭り騒ぎは、後で国民につけが回ってきて終わりということが多い。

まず第一に、インフラ事業の海外進出は一〇年から二〇年という息の長い取り組みが必要だ。国家戦略としてこうした取り組みを継続的に進めていけるような体制が政府にあるのかどうか。つまり、組織力の勝負で勝てるのか。これまでの経験では、答えはNOだ。

日本人は、「組織力が強みだ」と自画自賛することが多い。政府にはとりわけその傾向が強い。個人で戦うことに自信がないのでチームワークをことさら強調する。

しかし、日本の強みはチームワークの「和」ないし「協調性」の部分であり、たとえば、組織としての決断力、俊敏性、行動力などにおいては、欧米の政府や企業に比べて明らかに劣っているということをあまり自覚していない。とりわけ、大企業や政府においてその傾向が強い。

私の経験では、俊敏果敢な行動や意思決定においては、大企業よりオーナー経営の中小企業などのほうがはるかに優れていると思う。

たとえばイランで日の丸油田開発を目指したＩＪＰＣ（イラン・ジャパン石油化学）事業。三井物産を核とした三井グループが、イランの原油確保を目指して一九七一年からスタートさせ、円借款《しゃっかん》や貿易保険も用いた国家的プロジェクトとして進められたが、一八年の歳月を費やしても油田はできず、イラン革命、イラン・イラク戦争で撤退を余儀なくされ、膨大な損害をこうむった。政府も莫大な損害を出した。

ＩＪＰＣに取り組んでいたとき、企業も国も最大級のプロジェクトだとみな気分が高揚していたが、見事に失敗に終わってしまった。このとき、イラン・イラク戦争に関する情報入手やその後の意思決定でも、日本はもたついて被害を拡大させた。つまりこれは、日本は組織力という点で決して秀《ひい》でていないという一例である。

そしてこの組織力の弱さは、福島原発事故の対応でもはっきりと証明されてしまった。政権中枢や担当省庁、主体となる企業はただ右往左往するばかりで、組織としてまったく機能できなかった。難しい決断や迅速な判断は、いずれも組織の命運がかかる重大事項だ。日本の政官すべてがそうした面で、比較劣位にあることを十分認識すべきであろう。

競争力のない分野に無理やり突っ込んで行くことがいいのかどうか。むしろメインコントラクターのもとで、部分的にその機器を売り込んで、利益を短期で確定すべしという考え方も十分ある。やみくもにパッケージを賛美し、何十年分ものリスクを取ったほうが勝ちだという偏《かたよ》った考え方は取るべきではない。

第二に、組織力の話とも関連するが、日本政府が前に出ることで、相手との交渉で有利に立てるかということがある。途上国といっても、独立や国家統一のために何回も戦争や内戦を経験し、生きるか死ぬかの困難な外交交渉を乗り越えてきた国々が相手である。この海千山千の国々を相手に、日本政府が強《したた》かな交渉をできるかどうか。

過去の例を振り返れば答えは簡単だ。「否」である。現在の日本政府の浮かれたお祭り騒ぎを見ていると、相手からすれば、カモがネギを背負ってやってきたという状況になっているのではないかと、不安でならない。

事実、新幹線や原発の受注交渉で、各国から次々と条件を突きつけられている。たとえば、新幹線の車両を現地生産しろ、あるいは超長期の運転保証をしろ、また技術移転をしろと。機器を現地生産するとなると、技術の流出は避けられない。

中国では新幹線を売り込んで技術を取られ、いまや「中国製新幹線」は日本の強力なライバルとなりつつある。

これは日本だけが直面している問題ではない。中国は、二〇〇二年に上海《シャンハイ》リニアモーターカーを開通させ、上海万博が開かれた二〇一〇年、杭州《こうしゅう》にまで延長した。上海リニアの入札はフランス、ドイツ、日本で争われ、最終的にはドイツに決まり、工事が行われ、延長区間も引き続き、ドイツの企業が請け負うことになっていた。

ところが、ドイツのリニア工場に中国人技術者が忍び込む事件が起き、その後、中国政府は延長リニアの「一〇パーセントはドイツに発注するが、後はすべて自国でやるから技術移転をしろ。その条件を呑まなければ発注しない」と要求してきた。そして実際、独自で開発したリニアの実験を開始、国産リニアを完成させてしまった。

経産省が仙谷長官を持ち上げたわけ

この中国の新幹線やリニア事件のように、今後も技術が流出して終わりにならないとも限らない。

もちろん、日本政府もこのようなリスクに気がつかないはずはない。民間企業はさらにこの問題に敏感だ。しかし、政府が動き出すと、客観的な情勢分析に様々なバイアスがかかり、正しい戦略を取れなくなることが多い。とりわけ、パッケージ型インフラ海外展開ビジネスを成長戦略の目玉としてぶちあげてしまった民主党菅政権にとっては、あらゆるプロジェクトに前のめりになっていくリスクが極めて高かった。

実際、二〇一一年二月末には、仙谷由人民主党代表代行は、国会で予算審議が難航する最中にベトナムを訪れ、「鉄道・原発」の売り込みに勤《いそ》しんでいた。

政治がそのような姿勢を取ると官僚はこれを巧みに利用する。民間もうまくリスクを国に押しつけて、おいしいとこ取りを狙う。こうして、戦略的な判断による強かな交渉とは似ても似つかぬ、政官挙げての無防備な突撃作戦になってしまう。まるで特攻である。

経産省も仙谷氏のPRを盛んに行ったようだ。これは、相手国を利する動きになっている。たとえば、日本がインドやベトナムで優先交渉権を得たというが、原発の建設予定は一つではない。日本以外にも複数の国々と交渉をしており、互いに競わせ、もっとも自国の国益にかなう道を探っている。だから、優先交渉権を取れたからといって、大騒ぎするほどのものではない。

しかし、大きなプロジェクトの受注は政治的な宣伝材料としては格好のものなので、民主党は声を大にして「凄いだろう」といいたくなるだろう。

経産省は、プラント型パッケージセールスの主導権を取りたいがため、これを後押しして政権のご機嫌を取る。もちろん、自分たちもそれで高揚しているから、そのうち、本当にこれは凄いことだと思い込んでしまう危険性が高い。

たとえば、「ベトナムの優先交渉権取得は厳しい状況だったが、仙谷官房長官が各省に号令をかけ、日の丸チームを作って一気に流れが変わった」と持ち上げる解説を、記者たちを呼んでやる。経産省にべったりの新聞が早速取り上げ、記事にした。

そもそも、相手国から見れば、日本だけ本当に特別扱いして儲けさせるなどという発想はない。相手を引きつけて、それから思い切りしゃぶり尽くそうと考えるのが当然だ。ベトナム側からすれば、しめしめである。

大々的に宣伝すればするほど、日本は後には引けなくなる。条件が折り合わず、途中で降りるなどというみっともないまねもできなくなるのだ。

こうしてベトナムは、いくらでも要求を突きつけられる。一方の日本は、無茶な条件でも呑まざるを得なくなるのだ。

これでは本当に先が危ぶまれる。交渉が不利になることが分からず、日本が一方的に得しているように思い込んで、内向きの政治宣伝のお先棒を担ぐ官僚、そしてそれを鵜呑《うの》みにする記事が出るようなナイーブな国——。こんな国が、強かな新興国を相手に、有利な交渉ができるとはとても思えない。

福島原発事故でのサルコジ大統領の訪日は、フランスの原子力産業のためのセールスに他ならない。一歩間違えば日本や世界中から非難されるかもしれないなか、彼の売り込みは一定の効果を上げそうだ。平時に売り込みをしたところで、逆に足下を見られて見返りを要求される。日本が窮地に立たされているいまなら、恩を売りながらセールスができると踏んだのであろう。

こうした芸当が日本政府にできるだろうか。残念ながらはなはだ心もとない。

天下り法人がドブに捨てた二千数百億円

第三の問題として、政府が金儲けの目利《めき》きができるかという問題がある。とりわけ、二〇年から三〇年にも及ぶビジネスの先を見通すことは極めてむずかしい。だから民間だけでは対応できないというのだが、では、政府が入ることでその確実性が増すのか。

途上国では、民間よりも政府のほうが人材も優秀だったり、情報収集力でも勝っていたりということで、政府が前に出るメリットがはっきりしている。では、先進国ではどうか。

アメリカでも国を挙げてインフラを売り込むビジネスは「ステートキャピタリズム」の名で話題になりつつあり、日本でも「新重商主義」として注目が高まっている。しかし、アメリカ政府の情報収集力はもちろん他の追随を許さないものだ。政府高官には民間企業の経営で実績を示したプロも多い。さらに軍事協力など民間にはできない特別の武器もあり、政府が前に出ることにそれなりの合理性がある。

それに比べて日本はどうか。ビジネスに関する目利き能力という点では、日本政府ははっきりいって幼稚園以下である。

ＮＴＴの株式売却収入などを原資にして、三〇〇〇億円近くの資金を、経産省がベンチャー支援と称してあまたの企業に出資したことがある。結果がどうなったか——。還ってきたのはわずかに五パーセント。なんと二千数百億円がドブに捨てられたも同然、大損失を出したのである。運営したのは天下り法人。それに対して誰一人責任を取っていない。

そもそも、日本政府がやったインフラ整備の結果を見てみるが良い。車より熊のほうが多いといわれた地方の道路、空港、港湾、至るところで失敗の山。成功例は失敗に比べれば一〇分の一以下だろう。インフラについては政府の競争力は極めて低いのである。とにかく、政府が出て行くと金儲けの確実性が増すという考えは捨てたほうが良い。

インフラをビジネスにすれば、一時期、日立や東芝など複数の日本企業は潤うかもしれないが、日本の国益というトータルに見た場合、儲けが出るかどうかは別だ。

たとえば原発を売り込む場合、三〇年保証などといった条件がいっぱいついてくる。できあがって納入しても、事故が起これば一発で儲けは吹っ飛ぶ。これは東電の福島原発の事故を見ても一目瞭然だ。

政権が代わればビジネス環境が一変する可能性もある。その結果、一〇年後、二〇年後に、数千億円単位の大きなつけとなって国民に回されてくる可能性が高い。

国が入ってビジネスを展開するとなると、国は円借款などで直接支援をしたり、JBIC（国際協力銀行）に融資をさせたり、民間のリスクの部分に貿易保険をかけることになる。その貿易保険は、独立行政法人がやっている。いずれも直接、間接に国の資産に影響を及ぼし、失敗すれば結局、国民の税金が注ぎ込まれることになるのだ。

そもそも民間だけではできず、円借款や融資といった国の支援がないとできないプロジェクトは、ビジネスとしては成立していない可能性も高い。国民の税金が無駄に使われるのがオチだ。

インフラは国が作るというのは、国内では成立する議論だ。道路や公園、下水道など、純粋な民間ビジネスとしては成り立ちにくいが、国民生活のためにどうしても必要なので、国が責任を持って整備する。しかし、海外のインフラはまったく別だ。

海外でインフラを整備しても日本国民には裨益《ひえき》しない。逆に新興国のビジネス環境を整え、日本企業がそれらの国へ移転するのを後押しすることにつながる。

ベトナムやインドで原発を作ることによって電力の安定供給が保証される、あるいは高速鉄道を整備して物流網を整備するのも同じことだ。もちろん経済協力という側面もあるので、その部分は別に考えなければならないが、そうであれば、その分は経済協力の予算を減らして良いことになる。

いずれにしても、国民に直接裨益しないという面において国内のインフラ整備とは根本的に違うのだから、各プロジェクトの推進に政府がリスクを取ることによってどれだけのリターンがあるのか、しっかり見極めなければならない。ハイリスクならばハイリターンがなければならないのだ。

役人がインフラビジネスで得る余禄

最後に、パッケージ型インフラ整備が大失敗に終わる可能性を高める最大の要因について指摘しよう。これまで述べたところから概《おおむ》ね推測がつくと思うが、役人が「パッケージ型インフラセールス」に執心するのは、おいしい汁が吸える可能性があるからだ。大型プロジェクトには、政治家も役人も企業家も蜜に集まる蟻《あり》のように寄ってくる。

たとえば、原発を世界に売り込むに当たって、官民出資の投資ファンド、すなわち産業革新機構が出資して、国際原子力発電なる新会社を設立した。いまはさすがに天下りは行っていないが、そのうち、この会社は役人の天下り機関になる可能性がある。

インフラビジネスは余禄《よろく》があるだけでなく、経産省や国交省などの役人にとって、とても愉しい仕事でもある。

受注すれば大きなビジネスになるので、関係企業の社長は、大臣以下、事務次官、局長のところに日参して、「お願いします」とペコペコする。貿易保険やＪＢＩＣの融資を引き出したり、経済協力プロジェクトにつけてやったりすれば、なおのこと、社長は経産省に米搗《こめつ》きバッタのように頭を下げる。

経産省は規制や補助金などの利権が少ないので、最近はとくに企業のトップが経産省に頭を下げるという関係は少なくなってきた。それがインフラビジネスなら、続々と社長が集まってきて、しかもみな頭を下げて帰る。役人にとってこんな気持ちの良いことはない。

企業から見れば、自分たちが負うべき数百億円あるいは数千億円単位の巨大なリスクを国民に押しつけることができるのであるから、頭を下げることなど安いものだ。何百回でも頭を下げるだろう。

ここで、企業が頭を下げるということは、役人の発想では、天下りを送り込める可能性が高いということ。今後、パッケージ型インフラ整備で産業革新機構に出資してもらったり、貿易保険をつけてもらったりした企業などに、天下りやそれに代わる現役出向などで経産省の役人が面倒を見てもらうことになる可能性が十分にある。すでに天下りを受け入れている企業では、今後もそのポストを提供し続けるということになるだろう。

損する可能性の高い事業に役人が平気で国民の税金を注ぎ込めるのは、役人ならではのおかしな金銭感覚も関係している。

役人は、いま損するわけではないものには、あまり考えずにどんどんおカネを出す。役人にとって、仕事は予算を取って使うこと。そこで、ピリオドだ。その結果には関心がない。投資したキャッシュがすべてなくなっても、キャッシュを追加するわけではない。つまり新たな予算とは関係ないので、自分の仕事とは関係ないというのが、役人の感覚なのだ。

役人の世界では成果を問われない。役人は投資したカネがどのような成果につながったのか、ということには、まるで関心がないのだ。先ほど述べたＮＴＴの株式売却益を二千数百億円なくしてしまっても何の問題にもならず、誰も責任を取らなかったのがいい例である。

わざわざ借金して投資する産業革新機構の愚

産業革新機構も役人的な発想でできあがった政府系ファンドだ。同機構は、先端技術や特許の事業化の支援などを目的として、産業活力再生特別措置法に基づき、二〇〇九年七月に設置された。投資対象は、先端技術による新事業、有望なベンチャー企業、国際競争力の強化につながる大企業の事業再編などとしている。

政府が出資する投資ファンドを「ソブリンファンド」という。資源国のソブリンファンドは石油や天然ガスで儲けて余った国のおカネから成り、資源を持たない先進国では、積み上がった年金や外貨準備を原資としている。

日本の産業革新機構も、国のおカネを運用している点ではソブリンファンドに近いが、政府が出資している九二〇億円は、基本的に国民からの借金。機構が金融機関から資金調達する場合、八〇〇〇億円まで政府保証がつけられるので、最終的リスクは国が負う。

いずれにしても、わざわざ国が借金しておカネを運用しようとしているという点で、普通のソブリンファンドとは違う。そもそもこれだけ財政状況が悪化しているときに、借金をしてまで投資をするという発想自体が変だ。結局、無駄のオンパレードとなった昔の財政投融資のプロジェクトと似ている。

現在は財政状況がより悪化しているからもっとたちが悪い。借金返済で首が回らなくなったので、一発逆転、大穴狙いで万馬券の夢を追うというのに近い。

しかも、時限立法で定められた機構の設置期間は一五年。つまり最長一五年の間で出資したおカネを回収する。

民間会社の一五年先のことは誰にも予測できない。その間に経営者も変わるだろうし、企業を取り巻く環境も大きく変化する。途中で出資した企業が倒産し、焦げつく恐れはいくらでもある。

従って、よほど高いリターンでないと、投資する人はいない。しかも、どかんと投資する人は皆無に近い。そこで多くの人から少しずつ出資させて、リスクの分散をはかる。

しかし、それだと今度は多額のおカネを集めるのは非常にたいへんになり、なかなか資金が集まらないので、政府が投資ファンドを組んで、有望な企業に投資するということになり、産業革新機構が設置されたのだ。

――これはよく考えれば非常に危ない話である。民間が投資しないのは、プロジェクトの成功確率が低いとか、そもそもまゆつばだとか、なんらかの理由があるからだ。

成功した産業再生機構の秘密

事業をこれから始めようという人はみな自信がある。成功間違いなしなのに、なぜ自分たちに投資しないのだと思う。日本のビジネスマンは先を見通す力がないからだめなのだと息巻く起業家も多い。

しかし、私にいわせれば、それだけ自信があるなら、なにも日本国内で投資を集める必要はない。海外の投資家を口説けばいい。実際、多くの起業家は、海外の投資家やファンドから資金を調達して起業している。

ということは、国内でも海外でもおカネを集められない、二番手、三番手のプロジェクトが、政府になんとかならないかと泣きついて、産業革新機構に回ってくる可能性があるのだ。事業が失敗する確率は極めて高いといわねばならない。危ないところに投資するのだから、リスクは途轍《とてつ》もなく大きい。

機構のインセンティブの構造がおかしいという問題もある。いま産業革新機構にいる人は、案件をたくさん作れば有名になり、当面の市場の評価を得られる仕組みになっている。しかし、本当にその案件で儲けられるのか、結果が出るのはずっと先だ。

一五年間、ずっと居続ける人はいないだろう。一〇年以上先に結果が出たときには、案件を作った人はすでにいない。だから、結果は考えず、投資先をなるべく多く見つけようとする。

私は二〇〇三年に立ち上げられた産業再生機構に執行役員として出向していた。産業再生機構が成功したのは、組織の存続期間が最長で五年、実際には四年で終わったからだ。しかも、個別案件単位では三年以内にプロジェクトを終了しなければならない。三年先なら、その案件に携わった人が結果責任を問われる。

失敗すればその人の市場の評価は下がり、再生機構の廃止後の転職で著しく不利になる。短期間で辞めれば逃げたといわれるし、わずか数年前のプロジェクトだから、誰が責任者かはすぐ分かる。よって、結果が悪ければその人の評価に響く。

自分の市場価値に関わるので、参加した民間の人たちは、死に物狂いで成果を出そうとした。産業再生機構が成功した裏には、こうしたインセンティブ構造があったのだ。

一方、産業革新機構では、そういうインセンティブ構造になっていないところで国のおカネを使わせる。これはたいへん危険な話だ。

最近の産業革新機構が取り上げた案件を見ていると、当初考えられていたベンチャー支援とは似ても似つかぬ政治案件があったり、大企業支援案件のための打ち出の小槌《こづち》として使われ始めたりしている。私にはそうとしか見えない。

役人の政策が浅はかになるのは、利益の誘導もさることながら、現場をほとんど知らないからだ。たとえば経産省の官僚はビジネスマンとして得意先と丁々発止《ちょうちょうはっし》の交渉をしたこともなければ、実体経済に詳しいわけでもない。審議会にかけて検討してもらい、まとめるといっても、しょせん耳学問だ。利益誘導を抜きにしても、実情に即した政策を作るだけの経験も知識もない。そういう意味でも、回転ドア方式で、霞が関に民間の血を入れる必要がある。

終　章　起死回生の策

「政府閉鎖」が起こる日

私は、いまの日本は非常事態に突入していると、警告を発し続けてきた。そう聞いても、どこが非常事態なのか、と思う読者もいるに違いない。景気が悪く、学生の就職口がないといっても、大方の日本人は日々の暮らしには困っていない。生活のレベルも、悲惨というほどではない。

しかし、現状がそこそこであっても、日本が急激に衰退への道を辿《たど》っているのは紛《まぎ》れもない事実だ。

GDP世界二位の座はすでに中国に奪われた。中国の人口は日本の一〇倍以上だから、GDPで抜かれるのは仕方がない。では、国民一人当たりのGDPはどうか。こちらはもっと悲惨だ。

先進国の集まりであるOECD三〇ヵ国の比較では、購買力平価で見て、一九九三年の二位をピークに、ここ数年急落してきた。一九九八年には六位まで落ち、二〇〇〇年三位と少し回復するも、後は秋の日のつるべ落とし。二〇〇一年には五位まで後退し、二〇〇四年一二位、二〇〇七年にはシンガポールにも抜かれ、二三位まで下降、国民一人当たりのGDPでも、アジア・ナンバーワンとはいえなくなった。

いまは、円高なので、二〇〇八年には一七位まで持ち直したようだが、OECD平均よりも低いのが現状だ。日本の下には韓国、トルコ、メキシコ、スロバキア、チェコ、ポーランド、ハンガリー、ギリシャ、ポルトガルなどが並んでいるが、これらの国は普通の日本人の感覚では先進国と呼んで良いのか疑問がある国々である。それらを除けばビリから何番目という水準だ。

それにしても凄まじい凋落《ちょうらく》ぶりである。もはや日本は、世界有数の経済大国だと胸を張っていえる状況ではなくなった。先進国と呼べなくなる日も近いかもしれない。

ここで使った購買力平価とは、一言でいえば、二つの通貨がそれぞれの国内で商品やサービスをどれだけ購買できるかという比率で、生活のレベルを比べるのに適しているとされている。

たとえば、日本でマクドナルドのハンバーガーが二〇〇円で、アメリカでは一ドルだったと仮定しよう。購買力平価では比率、二〇〇対一となる。この場合、月給二〇万円の日本人と月給一〇〇〇ドルのアメリカ人はほぼ同程度の豊かさを実感している。

為替レートは一ドル、約八〇円。この為替レートで比べれば、アメリカ人に対して日本人はけっこう収入がある計算になるが、生活のレベルを購買力平価で比べると、日本人のほうがはるかに貧しい。

日本経済の長期的な先行きを見ても、明るい材料はほとんどない。経済成長を促す三大要素は、人とカネと生産性である。人口が増えている国では、その分消費が伸びていくし、労働人口も増加していく。これを人口ボーナスという。貯蓄率も高く、国内の資金を用いて企業は設備投資し、人を雇い、事業を拡大するという好循環になる。これに加えて生産性が向上すれば、高い経済成長率が達成できる。

現在、日本では少子化に歯止めがかからず、人口が毎年、減っている。少子化対策はいまからやってもその効果が出るのはかなり先のことで、今後しばらく人口は減り続けるしかない。人口ボーナスとは逆の効果だ。これを人口オーナスと呼んでいる。

カネも余っているようで、実はそんなに余裕はなくなってきている。政府の借金で個人金融資産をすべて食いつぶすのも時間の問題。さらに、高齢者の割合が増えて、長期的には貯蓄率も下がっていくと予測される。人もカネもマイナスになっていくのだ。

残るは生産性だけ。人とカネのマイナス分を補って余りあるほどの生産性向上を達成できれば、経済成長はできないことはないが、これにも限界がある。

なぜなら、いまと同じことを続けていては生産性は上がらないが、大きな変革をしようとしても既得権者が幅を利かせて、それができない。これでは、どんなにがんばっても、せいぜいマイナス分を帳消しにするぐらいの向上しか見込めないかもしれない。その場合、ゼロ成長でもやむを得ないということになる。

こうした状況から、日本の潜在成長率は一パーセント台前半だという認識が広がっていたが、最近では一パーセントもないのではという悲観的な見方さえ強まっている。

財政破綻《はたん》するのではだめだ、なんとか回避する方法はないか。こう考えて、さらに知恵を絞っても、政府には増税でなんとかしようという知恵しかない。バリバリの増税論者である与謝野馨氏が、自民党政権でも民主党政権でも経済財政政策担当大臣を務めたことが、それを証明している。

増税で国民から金を集めて増大する社会保障に充てる。そのうえでさらに借金を減らそうと思えば、消費税は三〇パーセントになり、経済は縮小しながら国民は肩を寄せ合って耐えていく——こういう将来しか見えない。

このままでは今後も凋落現象には歯止めがかからないわけで、いま、そこそこの生活をしていても、一〇年後には町には失業者が溢れ、経済的困窮から犯罪者が増え、治安も悪いという悲惨な国になっている可能性は非常に高い。

現在、日本は危急存亡の危機に面しているといっても過言ではない。大震災でますます追い詰められた。

いま何もしなければ、確実に日本は世界のなかで埋もれていく。それどころか数年以内に、歳入の不足で行政がストップする「政府閉鎖」という事態にもなりかねない。分水嶺に立たされているいまこそ、非常事態であることを認識し、対策を考えなければ、滅びへの道が避けられなくなる。

増税主義の悲劇、「疎い」総理を持つ不幸

ここで私がいいたいのは、もちろん、「日本経済が危機的状況だから一日も早く増税して税収を増やし、それによって財政赤字を縮小しよう」「増大する社会保障費を賄《まかな》うことができないから早く増税をして安心社会を実現しよう」などということではない。

むしろ、その逆で、安易に増税に頼ってはいけないということである。もちろん単に増税反対と唱えるつもりもない。いいたいのは、「『将来どうするのか』という全体像を描かなければならない」ということだ。そう簡単にそれが描けるはずはないが、増税すればすべてが解決するというのは錯覚《さっかく》に過ぎない。

真実は、「なんとかして成長しないと破綻への道から抜け出せない」というところにある。少し考えてみれば分かることだ。消費税増税ですべてを解決しようとすれば、当面一〇パーセントなどというレベルでは足りない。一五パーセントにしてもやはり当座しのぎである。これから高齢化による社会保障費の増加だけが問題というわけではない。

実は、高度経済成長期以来作り続けてきたインフラが一気に老朽化し始める。その維持更新だけでも、公共事業費が現在の何倍も必要だという試算もある。将来金利が上昇すればさらに負担も増える。

累積債務を少しずつ減らすところまで持っていくには、消費税二五パーセントの世界がやっ

てくるだろう。一生懸命働いても、収入の何割かを所得税・社会保険料で取られて、さらにお金を使うときにも二五パーセントの消費税がかかる。単純計算で考えても、二五パーセントの消費税がかかるということは二五パーセント分の消費が減るということだ。

こんなことでは、これを二〇年やったとしても毎年の経済成長はほとんどゼロ。それどころかデフレから脱却できず、いずれ破綻への道を歩むことになるだろう。

二〇一一年に入って、アメリカの格付け会社スタンダード＆プアーズの日本国債格下げや、同ムーディーズの格下げ可能性が伝えられた。菅総理が「こういうことには疎《うと》いので」と発言して世界中に日本の恥を晒すことになったが、他方、「経済通」といわれる与謝野氏は、待ってましたとばかりに「消費税増税を促された」という趣旨の発言をした。

しかし、これこそ我田引水の極致だ。そもそも一格付け会社の行動にそんなに大騒ぎすること自体がおかしい。それを増税の口実に使おうというのはさらにレベルが低いとしかいいようがない。なにしろリーマン・ショックを引き起こしたサブプライムローンの格付けに失敗した会社なのである。

そもそもスタンダード＆プアーズのたった一枚の日本語プレスリリースを見ると、「増税」という言葉は一度も出てこない。そこで触れられているのは、二〇〇四年の社会保障改革を上回るような改革が必要だ、というのが一つ。二〇〇〇年代前半に匹敵する財政再建、それに加えて成長率の向上策が実現できれば格上げもあり得る、というのがもう一つ。

この「二〇〇〇年代前半の改革」というのは、いわゆる「小泉構造改革」を指す。当時の財政再建は増税ではなく、歳出の見直しと成長戦略が二本柱だった。あのときは経済が成長していたので税収も伸びたのである。

いま四〇兆円しかない税収も、一九九〇年度のピーク時には六〇兆円あったし、過去一〇年のピークだった二〇〇七年度にも五一兆円はあった。元気な頃の日本経済に戻れば、一〇兆円から二〇兆円は増える。とすれば、経済を元気にする道を考えないといけない。では、どうしたら良いか。

過去、各国が不況から抜け出すために打ったマクロの経済政策や、危機に陥って財政再建した歴史の教訓を見ると、増税中心で成功している国はほとんどない。政府の収入があればあるほど支出が緩くなってしまうからだ。

もちろんどこかの段階で増税は必要かもしれない。歳出カットや社会保障改革、成長戦略も必要という点で、やらなくてはいけない個々の経済政策については、誰も異論はない。重要なのは経済政策を展開する順番だ。

経済学的に見れば、現在の日本で「まず増税」というのはあり得ない。こんなことをいう人は経済音痴といわれても仕方がない。

財務官僚は経済が分かっているのか

日本の状況を考えると、最初に力を入れなければならないのはデフレ対策だ。デフレがすべての経済活動を停滞させている大きな原因だ。来年物価が下がるだろうと思っている人が多数派なら、何を買うにしてももう少し先延ばしにしようと思う。物価が下がって景気が悪いから給料も増えない。企業だって、なにも不景気なのに投資する必要はないと考える。

毎年一パーセントも物価が下がっているのは世界でも日本だけだ。

もしデフレが解消して、「来年は物価が上がりそうだ」となれば、経済の成長も絵が描けるようになる。投資や消費も活発になり、資産価格は将来の期待の問題だから、土地の価格も場所によっては上がるようになる。

そうなれば、国の保有資産もどんどん売ればいい。いまだに財務省の天下り先確保のために、ＪＴの株を持っているなんてちょっと信じられない話だ。それも売りに出せる。

資産売却の関連でいえば、東日本大震災の復興対策で国債を発行する際に、公務員宿舎や独立行政法人の資産を償還財源とすることを提案したい。一〇年物国債で三〇兆円発行するなら、三〇兆円分の国の資産を一〇年以内に売却して、残高の増加がなくなることを保証するのだ。こうすれば、震災を奇貨として増税しようという動きへの牽制にもなる。

さらには数百兆円の資産売却計画を発表し、一〇年後には国債発行残高を一〇〇兆円以上減らすことを宣言するというのも一案だ。国債残高が一〇〇〇兆円を超えると大騒ぎしている人々は、これでずいぶん安心するだろう。無駄な利息の支払いも減り、金利上昇局面に対する備えにもなろう。

デフレを解消して、資産を売りに出して、それと同時に成長戦略を描く。世界のどの国よりも早く成長分野に手をつけて、国全体の経済の成長率を押し上げる必要がある。

かといって、成長戦略を考えてなんらかの成長分野に補助金を出すとか、研究開発のための大減税をするとか、そういった「ばら撒き行政」的なことも財政的には許されない。新しい産業や成長分野は、民間主導でがんばって切り開いていくしかない。

だからこそ、自由な企業活動のための「開国」、すなわちＴＰＰ（環太平洋戦略的経済連携協定）への参加が必要だ。いままでタブーだった改革であっても思い切ってやるしかない。農業でも医療でも保育でも、基本的には民間でなんでもできる仕組みを作るからがんばってくれという戦略と、それを信じてもらうメッセージが必要になるのだ。

また、「一体改革」というからには、入るほうだけでなく出るほう、つまり社会保障の効率化も不可避だ。ところが、民主党政権では、たとえば医療の効率化を進めるためのレセプトの電子化も止まっていた。こうした社会保障の効率化も思い切って進める。

そうした全体像、全体の政策パッケージがあるなら、消費税増税の議論もどんどんすればいい。税といっても消費税だけでなく、たとえば相続税改革などを含めた税制全体の議論も必要だ。全体を改革するなかで、「景気回復と経済成長がうまくいけば、消費税は一〇パーセントで済むかもしれない、うまくいかなくても一五パーセントで済みそうだ」といった将来像を描ければ、国民も納得する。

では、こうした全体像を誰が描くのか。これまでは、日本経済が高度成長に乗って順調に発展してきた仕組みに、旧大蔵省・財務省も含めて、みんな安心しきって乗っていた。財務省だけが悪いのではなく、官僚も政治家も、政治家を選んでいる国民も、油断していた。私は、財務省が強力に主導して今日に至ったということより、財務省が本当に問題を分かっていたのかということのほうが不安だ。

財務省の官僚たちは、二〇一〇年末の予算編成の過程でも上手にシナリオを作り、増税のための説明資料をきれいに準備して、「二〇一一年度以降の増税は絶対に不可避です」というイメージ作りを一生懸命やっていた。でも、彼らの議論を聞いていると、「この人たちは本当に経済のことが分かっているのか」という不安が大きくなる一方だ。

一つには、先ほども何度もいったように、成長戦略への言及がほとんどない。国の財布を預かっているから自然と堅め堅めに見積もるメンタリティーがあるのは分かるが、増税だけで一〇〇〇兆円の借金の問題を解決しようとしているのではないか、という疑念が拭《ぬぐ》い切れない。

消費税は広く薄く徴収するので抵抗が少なく、他の税に比べれば増税しやすいし、歳出を削るのに比べれば批判の声も少ないかもしれないという考えがあるのだろう。

財務省がこうした袋小路に入り込んでいるとすれば、政治家が全体の絵を描く必要性はますます高まっている。各省庁がばらばらにやってもうまくいくはずがない。全体の絵を描くために、財務省や経産省、内閣府など各省庁をコーディネートして動かす必要がある。いまほど霞が関を超える目を持って、全体を動かすことのできる政治家の能力が問われているときはない。

霞が関の内外でいろいろな議論を聞いていると、役人の議論そのものに限界がある部分が見えてくる。やはり役人にばかり頼って政策を作る現状を変えなければいけない。

若者は社会保険料も税金も払うな

ここで、少し視点を変えて、若い人の立場に立って日本の将来を見てみたい。

経済財政政策担当大臣になった与謝野氏は、就任直後に、いまがんばって税金を払っておけば将来しっかり戻ってくるという安心感があれば、国民にも納得してもらえる、というような趣旨の発言をした。消費税増税について、テレビ局が街頭インタビューすると、多くの人が、将来が心配だから増税は仕方ない、といっているのを見る。

しかし、この考え方は根本的に間違っている。民主党政権がいったことは、「社会保障費がどんどん増えていく、さらにこれを充実させたい、そのためにはお金が足りない、だから税制と社会保障の見直しをして、どうしたらいいか考える」ということ。要するに、いまのお年寄りのために払うお金を工面するために増税させてくれといったのである。

日本の年金は賦課《ふか》方式である。つまり、今年の年金は今年の保険料収入と税金で支払うというもの。積み立て方式だと思っている人が多いから、「いま払っておけば将来戻ってくる」という発想になるが、そうではない。いまのお年寄りが払った年金保険料や過去の税金はほとんど使ってしまった。今年必要な年金は今年の保険料と今年の税金で支払わなければならないのだ。

これを理解している人は、驚くほど少ない。自分が払った保険料はしっかり貯金されていると思っている人が多いのだ。政府もわざとそう思わせているのではないかと私は疑っている。

もし仮に、若い人に、「あなたが払った保険料や税金は、すべて今年お年寄りのために使ってしまいます」といったら、若者は果たして保険料を払うだろうか。

「じゃあ、僕たちの年金は誰が払ってくれるの？」「それは四〇年後の若い人たちです」「だって、その頃若い人はもっと減ってるんでしょ」「だから、税金をどんどん上げるんですよ」「いまだって、僕たちギリギリの生活だよ。その頃の若者はもっと苦しくなってるんだから、払ってもらえるはずないじゃない」「だから、政府は成長戦略で経済成長を確保しようとしていま す。将来の日本はバラ色ですから、私たちを信じて、いまたくさん保険料や税金を納めてください」「成長戦略？　冗談じゃないよ。そんなもの当てになるか。何をやるにも年寄りや農家や中小企業経営者やできの悪い大企業、それに組織労働者を守るだけで、どうやって成長するというんだい。誰もそんなもの信じてなんかいないよ」「……」「もう保険料なんか払わない。税金も払いたくない。その分自分で貯金して、中国やインドの株でも買っておいたほうがよっぽど安心だ。少なくとも消えてなくなるなんてことはないからね」

――こういうことになるのではないか。

しかし、実はこれは若者としては極めて正しい答えだと思う。彼らから見れば、社会保険料を払わない、増税にも応じない、それが正しい答えだ。

それは企業のことを考えてみれば分かる。普通の企業なら次のようにするだろう。

構造的な問題で業績は簡単には回復しない。借金は山のように積み上がり返す当てはない。しかし、いまならまだ望みが完全に断たれたわけではない。ならば、会社更生法を申請して、思い切ったリストラを行い、債権者にお願いして借金の一部を棒引きしてもらおう。それで身軽になれば、新たにスポンサーとして出資してくれる企業も出る。債権者の理解を得るためには年金債務のカットもやむを得ない。

そう、日本航空が最近たどった道筋である。若者は、将来の日本の株主として税金や保険料を強制的に徴収される、いわば出資者である。彼らから見れば、日本が破綻して、IMFが乗り込んで、公務員を削減、無駄な既得権保護の補助金をカットし、年金の額を引き下げ、支給開始年齢を引き上げるなどの改革をやってもらったほうが得だ。

つまり、本来はこれと同じことを政府がやらなければいけない。

年金をはじめとした社会保障改革。支給開始年齢の引き上げはもちろん、裕福な層を中心に支給額も引き下げるべきだ。医療も高齢者だからと無条件に優遇するやり方はやめなければならない。医師会がいくら反対しても、レセプトの電子化を直ちに義務化し、株式会社の医療参入も認めるなどの改革を行う。

農家だから、中小企業だから、組合だからという助成策はすべてやめる。

公務員は大幅削減、給与も民間以上にカットする。天下り団体は廃止する。

新たな産業を伸ばすためにタブーとなっている改革もすべて直ちに実施する。農業を例に取れば、農業への株式会社の参入を完全自由化する、休耕地への課税を強化する、農地の転用を厳格に禁止する、TPPに参加して、たとえ時間をかけても例外なく関税を撤廃する……。

若い人たちにとってみれば、こうした血を流す改革を実行して、三〇年後の日本の経済が万全だということを保証することこそが、真の社会保障だ。税金を上げます、だから安心だ、などという政策はまやかし以外の何物でもない。

消費税率は「当面一〇パーセント」と自民党がいった。「当面」とはどういう意味か。つまり、「もっと上げます」といっているのである。それに菅総理は飛びついた。

放蕩《ほうとう》息子が家に帰ってきて、こういう。

「母さん、金がなくなったから、『とりあえず』一〇万円くれない」

「あんた、何いってるの。仕事するっていってたのはどうなったの。ちゃんと稼ぐこと考えないとだめじゃない」と母。

息子はこう開き直る。

「仕事のことはいろいろとむずかしくてさ。でも今年中にはなんとか探すからさ。それよりも、急がないとサラ金の取り立てが厳しくて、違約金でどんどん借金が膨らんでるんだよ。そのうち家にも取り立てに来ちゃうかもしれないよ。そうならないようにさ、とりあえず一〇万でいいからさ。早く出してよ」

いま日本で起きていることは、まさにこれだ。まず、稼ぐことを考えなければいけないのに、国民に危機感を煽《あお》って、「とりあえず」の増税を受け入れさせようとしているのである。

若い人から見れば、増税を決める前に稼ぐための痛みを伴う改革を決めるべきだ、となる。もちろん、血が流れる改革だから命がけだ。しかし、それにこそ政治家は政治生命を賭けなければならない。

だが、菅総理は何を間違ったのか、増税に政治生命を賭けてしまったようだ。まったく経済が分かっていないとしかいいようがない。

「最小不幸社会」は最悪の政治メッセージ

とはいえ、悲観してはいけない。不安だけを膨らませ、後ろ向きになると、衰退が早まる。

私がもっとも懸念しているのも、日本人に蔓延《まんえん》しつつある縮小の思考回路だ。中国をはじめとするアジアの国々に猛追され、いま、日本人は自信を失い、競争をすると負けるのではないかという不安に怯《おび》えて、萎縮《いしゅく》している。すると、どうなるか。

リーマン・ショックが世界を覆う前、欧米の投資家が投資先を求めて、日本を訪問しにきたことがあった。日本は復活してきた。しかも、中国をはじめとする伸び盛りの市場が近くに控えている。日本は高い技術も持っているし、資金力もある。中国とは古くからの歴史的関係を築いており、同じ漢字を使っている。今後、日本経済は再び急上昇し始める可能性が高い。だから、そろそろポートフォリオを変えて日本に本格的に投資しようかと考え、現地で調査したいというのが彼らの来日目的だった。

しかし、日本に来てみると、会う日本人、会う日本人、「もう日本経済はだめだ」と暗い顔をする。自分たちの国はアジアで商売したいが遠い。言葉もまったく違うし、資金的にも限りがある。日本は羨《うらや》ましいと思っていたら、当の日本人が自分たちの見方を打ち消す。

彼らは本当に日本経済はもうだめなのかと思い、日本への投資から徐々に手を引いていった。実際に、欧米の投資家たちが来日した前後、日本の株価は少し上がったが、その後、また低迷を始めた。

逆にいえば、われわれ日本人が元気を取り戻し、これから日本は再び成長軌道に乗るに違いないという期待感を世界の国々に抱かせるだけでも、海外からの投資は増え、日本経済は活気づく。ところが、まだGDP三位の経済規模と世界最高水準の技術と人材、有数の資産を持っていながら、日本人はみな塞《ふさ》ぎ込んでいる。メンタル・デフレという言葉があるが、まさにぴったりだ。

これはメンタリティの問題なので一朝一夕には変わらないが、政治と行政にも責任がある。いい例が、菅総理の基本方針、「〈最小〉〈不幸〉社会」だ。ネガティブな言葉を二つ重ねたこの標語には、この国はこれ以上発展しないというイメージがある。ジリ貧の方向性こそ最大の危機になっている、この時期の政治のメッセージとしては最悪だ。

子ども手当や農家の戸別所得補償にしても、子供を持つ親の苦しい家計を助ける、弱い農家も救ってあげるから大丈夫という後ろ向きのイメージしかない。

法人税五パーセント減税を実施するのはいいが、そのそばから税制見直しで増税する。これでは景気に温水をかけた後に、氷水をぶっかけるようなものだ。

仮に菅総理が、

「これからはビジネス、ビジネスで行こう。国民みんなで金儲けしようではないか。そこらじゅうにチャンスは転がっている。日本にはこんなに高い先端技術がある。優秀な人材もいる。使いきれていないカネもまだまだある。みんなが思い切り活躍できるように、政府は聖域なき改革に邁進《まいしん》する。だから、自信を持ってみなさん一人ひとりがチャレンジしてもらいたい。そして、企業はたくさん稼いで、働く人は給料をたくさんもらおう。株にも投資して、さらに資産を増やそう！　もし、挑戦してそれで倒れたときは政府が責任を持って助ける」

と力説し、「最大幸福社会」の構築を目指すとぶちあげれば、国民の意識が変わっていただけではなく、世界も日本を見直していただろう。政治が内向きで、しかも混乱し、世界を見ていないのでは、国民の意識も変わりようがない。

東日本大震災は、自信をなくしている日本人をさらに萎縮させる危険がある。「花見自粛」などは気持ちとしてはよく分かるが、そうした自粛は被災者にも日本経済にも何ももたらさないだろう。

むしろ被災しなかった者は、ボランティアや募金などを通じて被災者支援を行うのと併せて、なるべく平常時の活動を維持するという姿勢が大事だ。景気を良くして消費税を納め、それを被災者支援に回す。こちらのほうがはるかに被災者のためになる。

東日本大震災が日本人の心理に与える影響について、ロンドンの『エコノミスト』誌は次のようにいっている——日本人はこの震災を機に、自らの対応能力と世界から寄せられる畏敬《いけい》の念によって自信を取り戻すかもしれない、と。われわれはこの期待に応えられるような社会を作らなければならない。

だめ企業の淘汰が生産性アップのカギ

客観的に分析すれば、日本はまだ捨てたものではない。欧米の投資家が日本に期待したように、国際的には、日本は恵まれた立場にある。

人口減少が食い止められない限り、昔のような高成長はむずかしいだろう。しかし、GDPが高成長を続けなくても、生活の豊かさはレベルアップできる。事実、現在、国民一人当たりのGDPでトップに位置しているのは、わずか人口五〇万人余りのルクセンブルクである。日本の国民一人当たりのGDPは、ルクセンブルクの四割程度しかない。日本の潜在力から考えて、これはあまりにも低過ぎる。肩を並べるところまで行かなくとも、ルクセンブルクの八割の額ぐらいは、本来なら簡単に到達できるはずだ。

日本人には勤労精神が根づいている。放っておいても、夜中まで働く国民性だ。日本人は身を削って働く。教育レベルも高い。なのに、経済がどんどん衰退しているのは、国を動かす仕組みが悪いからだ。一人ひとりの日本人はがんばっているが、政治家と官僚が知恵を出していないので、国民のがんばりが空回りしている。

生産性を向上させるというと、何か目に見えるイノベーションが必要だと思う人は少なくないだろう。たとえば、工場に次世代型の最新機を導入すれば生産効率は上がる。ITを駆使して、経営効率を上げるのも可能だ。あるいはコスト削減という手もある。

しかし、コスト削減やイノベーションをしなくても、実は生産性を向上させられる方法がある。マクロで見ると、生産性向上のもっとも大きな鍵を握るのは「スクラップ・アンド・ビルド」だ。すなわち、だめな産業や企業が潰れて、将来性のある新たな産業や企業に資源が回る。別の表現をすれば、産業構造の転換、企業の淘汰である。マクロ経済としては、これが、もっとも生産性の向上につながるのだ。

これを各国別に数字で表すのはむずかしいが、様々な研究によると、この淘汰による生産性向上の割合は日本が一番低いとされている。そうなってしまったのは、日本を動かしている政治家や役人の発想が、いま存在する企業や産業を守ることを前提にしているからだ。

新しい時代の波が来たときに思い切った改革をやろうとすると、役人はすぐに「それじゃあ、日本の電器産業、自動車産業が弱くなるだろう。中小企業も、農家も……」といい始める。そして、実施するのは、補助金や特別保証でだめな企業を支え、効率の悪い農家を救う産業政策だ。

これがどういう結果につながるか。第三章に記した建設機械リース企業の嘆《なげ》きがいい例だ。だめな企業が優良企業の足を引っ張り、産業全体としても伸び悩む。

消えゆく者は助けない。助けるのは本当に困っている個人に限定する。でないと、日本の生産性は上がらない。特に労働力が年々減り、財政悪化が進む日本は、限りある資源をどこに重点的に使うか、すなわち選択と集中が重要になる。衰退産業・企業はスクラップし、有望産業・企業に人材を注入しないと、少ない労働力を有効に活用できず、経済が沈んでいくのは自明の理だ。

まだ足りなかった構造改革

小泉構造改革はその意味で方向性は正しかった。「民でできるものは民で」をキャッチフレーズに、役所にぶら下がっていた事業を民の競争のなかに放り込み、規制緩和をして民の自由競争を促進した。競争となれば、市場原理によって自然に、だめな企業は淘汰され、優秀な企業だけが生き残る。そうでなければ、国際競争に負け、日本は埋没していくというのが、小泉・竹中改革の考え方だった。

その過程では、小泉純一郎総理がいったように「痛み」を伴う。失業者が大量に出る。しかし、再チャレンジできるよう、職業訓練や失業期間中の生活を支える仕組み、いわゆるセーフティネットがしっかり構築できていれば、やがて人材は然《しか》るべき産業、企業に振り分けられ、経済が活性化するし、働く人の生活も向上する。

しかし、役人の発想では、一時期でも「痛み」を伴う政策は認められない。そんなことをしたら、自分たちが批判される、与党の政治家にも怒られる、というのが役人の発想で、失業者が出ないように、だめな企業にも巨額の予算を注入して支える。

小泉構造改革は、セーフティネットの部分では不十分だったために、役人にそこを突かれ、すっかり悪者にされてしまった。小泉時代は、内閣の支持率が高く、勢いがあったので、役人は表立って反発できなかったが、霞が関は自民党の守旧派と組んで、内閣が退陣した途端、小泉・竹中構造改革に対するネガティブキャンペーンを一斉に始めた。残念なことに、民主党もこれに乗ってしまった。

マスコミを使って、「弱肉強食の非情な改革が、日本経済を足腰から弱くした」「格差社会を助長しただけの小泉・竹中改革は悪以外のなにものでもない」と国民に吹き込んだ。

構造改革は道半ばだったので、地方の企業や商店は青息吐息《あおいきといき》だった。ああ、やっぱり小泉と竹中がわれわれを苦しめていたのか、となって、あれほど国民が支持した構造改革路線が萎《しぼ》み、否定され、頓挫してしまった。

構造改革が間違っていたわけではない。むしろ、逆である。改革が足りなかった。小泉総理以降も、積極的に構造改革を進めていれば、日本はいまのような最悪の事態にはなっていなかったはずである。

農業生産額は先進国で二位

もちろん、本当に困っている人は助けなければならない。しかし、いまの民主党政権の政策を見ていると、救うべきでない人たちまで助けている。

一つ例を出せば、農家の戸別所得補償である。居酒屋チェーンや介護施設の経営で知られているワタミという企業がある。ワタミでは、品質が良くて安心な食材を安く仕入れるために、農家から土地を借りて、野菜の自家生産に乗り出した。

ところが、ほとんどの農家が一年契約でしか貸してくれない。なぜか。農地は税金面で優遇されており、保有コストはほぼゼロ。農家は相続税もまけてもらえる。所有していても損はないから持ち続けられる。

だから、農家はどんなに収穫が少ない農地でも手放さない。一部の農家にとって、農地はただで宝くじを持っているようなものだからだ。

景気が持ち直して、消費が活発になり、大型ショッピングセンターが進出してこないとも限らない。道路ができることになって多額の補償金が入るかもしれない。おらが農地の地価が急騰すれば、濡れ手に粟《あわ》だと期待し、持ち続けている人がかなりいる。そんなおいしい話が転り込んできたときに、すぐに売れないと好機を逃すので、一年単位でしか貸さないのだ。

しばらく放っておくと農地はたちまち荒れる。耕して、土地改良するには一年以上かかる。ワタミは、借りて一年目、二年目には大きな投資を強いられた。さあ、やっと立派な作物が作れる状態になった。そこに民主党の戸別所得補償制度である。

とりあえず、経営努力のいかんにかかわらずお金が入るので、来年は契約はできないと断ってくる農家が続出した。ワタミにしてみれば、とんでもない損失になる。

農家の人に経営状況を聞いてみると、たいがい「赤字」と答える。赤字ならば普通やめるのに、農業をやっていられるのは、手厚い優遇措置が受けられるからだ。

普通の人は土地を所有すると、結構高い固定資産税を毎年徴収される。農家は本来払うべき税金も減免され、宝くじが当たるのを待っている。これは、ある意味、犯罪に近い。

誤解しないで欲しいが、私は農家が全部悪いといいたいわけではない。真面目に農業に取り組んでいる人も、たくさんいる。そういう人に補助金が回るのならまだ分かるが、本当は農業を本格的にやる気がないのに、農地を手放さない人も多い。農業に携わっているのは、おじいちゃん、おばあちゃんとお嫁さんの三人で、お父さんやお兄さんは近くの工場で働き、それが一家の主な収入になっているといった兼業農家をどこまで保護するのか。

こうした農家を保護するときに必ず叫ばれるのは、「日本の農業を守れ」というスローガンだ。こうした声を年中聞いているので、いまにも日本の農業が滅びる寸前であるような錯覚に陥る。

実は、日本の農業生産額はアメリカに次いで先進国のなかでは二位である。もちろん、関税で保護されて国内価格がかさ上げされているとか、円高でドル換算額が増えるという要因があるが、それにしても堂々とした地位にある。GDPに占める割合一パーセント以下と極めて低いともいわれるが、これも先進国には共通することで、製造業や第三次産業が発展したからそうなったに過ぎない。

また、日本の農家の数が減ってきたといって騒いでいる人たちがいる。しかし、日本の農家の数は決して少なくない。ヨーロッパの主要国では農業人口の割合が一パーセントを切っているところも多いが、日本はまだ五・七パーセントと、むしろ先進国では多いほうである。しかも、そのかなりの部分は兼業小規模の農家で、もともと生産に占める割合が低く、そういう農家の数が減っても、日本の農業が縮小する心配はない。

逆にいえば、そういう零細兼業農家が多いから、日本の農業の全体の生産性が見かけ上極めて低くなり、いかにも競争力がまったくないかのように見えてしまうのだ。

実際、世界全体で見ても四番目に生産額の多い日本農業では、たった七パーセントの優良農家が六〇パーセントの生産額を上げている。

高齢の農家が多いことも問題にされるが、そもそも、農業には定年がなく、サラリーマンや公務員をやりながら農業をやっていた人が、定年後も農業をやっているというケースが非常に多く、そういう人は年金もあり、むしろ元気な間は農業を楽しみでやっているという層も多いのだ。老後の楽しみでやっている農家に跡取りがいなくても大騒ぎすることはないのである。実際、農業で生活が苦しくなってホームレスになったという人は極めて少ないだろう。

よく考えてみて欲しい。一生懸命、真面目に働いている人は農家だけではない。中小企業にもたくさんいる。

たとえば、作っているものの値段が下がって経営が苦しくなった中小企業が潰れたらどうなるか。そこで働いている人は、失業保険しかもらえない。一生補助金をもらい続けるなどという仕組みは、もちろんない。非正規雇用だったため失業保険の対象にもなっていないという人もたくさんいる。なぜ、農家だけは保護されるのか。

普通のサラリーマンには経営者の失敗の責任を労働者までが被るという過酷な世界がある。もし、農家も同様の保護が欲しいというのであれば、農家も失業保険の対象にしたらどうだろうか。それで普通の人たちと同じ条件になる。

零細兼業農家の保護は、仮にその農家に悪気はなく、真面目にやっているとしても、日本の農業の発展という観点から好ましくない。非効率な経営をしている農家が多い日本の農業は、別の見方をすれば、高成長が見込める数少ない分野でもあるのだ。

「逆農地解放」を断行せよ

私は「逆農地解放」を実施すればいいのではないかと考えている。戦後、ＧＨＱが行った大地主から土地を取り上げ、小作農に分け与えるという政策は、非常にまずかった。農地を分割したために非効率な生産になり、意欲のある農家が大規模農業を経営する余地を著しく狭めた。そして、サラリーマンとして安定した収入を得ながら農業を副業とするだけの兼業農家を多数生み出した。

現在、全農家に占める専業農家の割合はたった二割。後の八割は兼業農家だ。年間収入が一〇〇万円、二〇〇万円、さらには赤字の兼業農家がざらにある。たったそれっぽっちの収入でも農家は農家だ。救いの手が差し伸べられる。

生産効率の悪い農地を、真剣に農業をやっている専業農家に売る。有能な農業従事者が大規模経営をすれば、生産性は一気に上がる。あるいは、兼業農家が、大規模化やブランディングできる優秀な農業経営者に長期契約で貸しつけるように誘導する制度を考える。儲かる農家に土地を貸せば、地代も入ってくるし、勤めていないお嫁さんやおばあちゃんは収穫時にアルバイトに行けば、臨時収入も手にできる。

こうした大規模化を進める手段として、すぐに補助金や優遇策を打ち出すが、むしろ、生産性が低いまま農地を持っていると損をするという仕組みにすることも必要だ。少なくとも、生産性が低いままで土地を持ち続けるインセンティブがある税制は抜本的に見直したほうが良い。

また、農地をいい加減な運用で他用途に転換することを認める現在の農地法の規制も抜本的に見直すべきだ。後で述べる観光の振興の観点からも、景観規制を強化して、農地は基本的に転換できないということにし、仮に転換する場合は、それまでに減免されていた税金をすべて過去に遡《さかのぼ》って転売利益の範囲内で課税するという制度なども導入すべきだ。

これが、平成の「逆農地解放」だ。「土地を解放して小規模農家から大規模農家へ」という標語になるだろうか。兼業農家にも専業農家にもただの農家というレッテルを貼って、同じように扱い、結果的に日本の農家と農業をだめにしている農業政策は即刻やめたほうがいい。

農業にもプラスになるFTAとTPP

農業に関しては、再度、政府の農業政策が日本の農業をだめにしていると強調しておきたい。農業といった途端に国境を高くして守ることしか思い浮かばない貧しい発想が、どれだけ日本の農業の発展を妨げているか。

二〇一〇年秋、地方出張に行ったとき、部品産業の人たちが異口同音に私に語ったのは、農家と農協に対する非難だった。多くの人たちの憤《いきどお》りは、「どうして農家に生まれただけで守られるのか」だった。この後に身分制について書くが、草の根レベルでこうした考えが広がっているのだ。

菅内閣は二〇一一年六月までにTPP参加の方針を決めるとしたが、これに対して農協や多くの農家が反対の大合唱を始めた。その間にもアジア諸国は欧米などとFTAを締結し、TPPの交渉もどんどん進んだ。このままでは、日本の製造業は近隣アジア諸国に比べてハンディを負ってどんどん苦しくなる。農業政策をなんとかしてくれないか。地方では、政府の農業政策に対する怨嗟《えんさ》の声が渦巻いていた。

日本の農業基盤を強くするためには、まず米の競争力を上げなければならない。そのためには日本の米作の状況を正しく把握する必要がある。

日本の米は七七八パーセントの異常な高関税で保護されている。この関税がゼロになれば、輸入米の価格が大幅に下がるのは確かだ。その結果、日本の米作農家は滅んでしまうというのが農水省の言い分だ。

しかし、その根拠が曖昧《あいまい》だ。米の内外価格差が四倍だというときに使っているデータが、日中間の一〇年ほど前のものだという。しかし、現実には、中国では農産物価格が高騰しているのに対して日本では米価が下落。その結果、二〇〇九年の輸入価格で見る限り、日中間の価格差は、六〇キロあたり中国が一万五〇〇〇円で、日本が一万四〇〇〇〇円と、その差はわずか四割弱になっているという。

つまり関税は四〇パーセントで良いということになる。生産コストで見ても、大規模農家なら七〇〇〇円程度で生産しているので、余裕でクリアできる水準になっているのだ。

しかも、一方で農水省は、食糧不足が来るぞ、食糧価格が高騰するぞ、といって危機感を煽《あお》っているが、それなら、これから国際的な米価高騰も起きるはずである。ということは、いまよりも内外価格差が縮まるということ。であれば、なおさら関税が下がっても耐えられると考えるべきなのだ。

それにしても議論のレベルが低過ぎる。理屈で考えれば、すぐにおかしいと分かることなのに、なんとかTPPに反対する口実を探そうと数字を捏造《ねつぞう》しているとしたら大問題だ。前にも書いた通り、官僚は優秀でも公正でもないという典型ではないか。

もし、農水省が本気で日本の農業を育てようと思っているのなら、経産省と一緒になってFTA、TPP参加を推進することだ。

はじめに触れたように、兼業農家の主たる収入は、近くの工場などに働きに行っている大黒柱の給与である。日本が貿易自由化に踏み切らず、部品産業が海外移転を余儀なくされたら、兼業農家も生活できなくなる。

FTA、TPPへの参加は、農家にとってもプラスになる。農産物の売れ行きは価格競争だけで決まるわけではない。品質で勝負という道がある。

四季による寒暖の差があり、品種改良技術も進んでいる日本の農産物の質は高い。誰でもおいしいものは食べたい。ＦＴＡに参加し、農産物の完全自由化がなされれば、日本の果実や野菜、穀物は、高付加価値の高級品として海外に輸出できる。アジアの富裕層は急拡大しているので、将来的に有力な輸出産業に育つ可能性もある。

もう一つ指摘したいことがある。それは、日本の農産物の安全神話だ。農水省が食品の安全行政で大きな役割を果たしているということは、ウナギの偽装などで有名になったのと同様、問題があちこちに潜んでいる心配があるということだ。現に、二〇一一年に入り、農水省は魚市場の衛生基準を見直すと発表した。日本の衛生基準では危なくて、ヨーロッパには魚を輸出できないのだ。青果市場もかなり危ない状況だ。

こんな状態をいままで放置してきた役所が、日本の食べ物は安全だと宣伝すると非常に不安になる。日本の農産物や加工食品が本格的に輸出されるようになれば、当然、競合国は、日本の食品の弱点を探そうとするだろう。そのとき、意外にもその安全性が弱点になってくる可能性が十分にあるということを頭に入れておいたほうが良い。

中国に比べればはるかに安全だというレベルで安心していてはいけない。いますぐ、日本の安全衛生および表示規制・基準のあり方を国際的観点で総点検してみたほうが良いのだ。

こういう話が出るとすぐに、そんなことをすると業界に負担がかかるというような抵抗がある。しかし、助けてもらうことばかり政府に期待して、安全というもっとも大事なことを後回しにするような人たちは、保護するに値しないのではないか。

東日本大震災で、日本の農業は大きな打撃を受けた。震災の被害を受けた地域での農業復興は、今後の日本農業を考えるうえでの一つの試金石となるだろう。文字通りの復旧で、これまでと同じ農業政策を続けるのか、それとも白地に絵を描くように、ＴＰＰにも耐えられる強い農業を育てる政策に転換するのか――。

この地域での農業復興には莫大な費用がかかる。風評被害を乗り越えるためには、先進的な品質・ブランド管理が必要だ。そのためには資金力と先進的な経営能力を持つ民間企業（株式会社）が、完全に自由に農業経営を行えるような規制緩和をすると同時に、私権制限も含めた大規模な農地集約を進めるべきだ。

そうした企業が技術力やノウハウを持った農民の力を活用する形で農業経営を行えば、国際競争力を有する農業が成立するはずだ。日本において農業だけがいつまでも脆弱《ぜいじゃく》であり続けなければならない理由はない。

なお、食品安全の観点からいえば、放射能検査で放射性物質が検出されると出荷できなくなることを恐れて、検査を限定しようという意見もあったようだが、こうした姿勢は逆効果だ。むしろ全量検査をして、安全なものしか市場に出回らないという安心感を人々に与えることが必要だ。

零細農家ではむずかしいだろうが、資本力のある企業なら毎日、出荷前に放射能検査を行い、その模様をネット上で実況し、結果をリアルタイムで公表することもできるだろう。そうすればその企業の生産物は市場で高い評価を受けることになる。

やはり企業の直接参入を早急に進めるべきだ。この際、外資でも受け入れて、強い企業を支援するという政策に思い切って転換する必要がある。

私は民主党には、トータルな視点を持っていただきたいと思っていた。民主党の政策を見たとき、農家にカネをばら撒《ま》けば農家が喜び、中小企業にばら撒けば中小企業が喜ぶだろうという、安直な発想に終始しているように思えてならなかった。それは古い自民党と完全に重なる姿なのだが。

「平成の身分制度」撤廃

いま、日本人は「一億総リスク恐怖症」に陥っている。バブル崩壊から始まったその傾向は、特にリーマン・ショック以降、顕著になった。日本経済は中国をはじめとする海外の国々に負けてしまうと怯《おび》え、FTA、TPPへの参加に躊躇《ちゅうちょ》する。ここ数年、日本では、国際化はまったくといっていいほど進んでいない。

企業部門には二〇〇兆円を超える現預金が唸《うな》っているのに、投資が怖い。個人金融資産もいまだに預金が多く、その預金で銀行は国債を買っている。有り余るおカネを持っている人でも、せいぜい新興国向けの投信に恐る恐る少額投資し、様子をうかがうぐらいだ。海外留学生も年々減少の一途を辿《たど》り、公務員や大企業志望の傾向はさらに強まった。子供に「将来の夢は？」と聞いたら、「正社員」と返ってきたという笑えない話もあるくらいだ。

リスクを取らず、いまある生活を防衛することだけを考えている日本人が多くなった。日本人に縮み志向の思考回路が定着しつつあるのは、リスク恐怖症に陥っているからだ。あたかも、リスク回避という官僚の習性がウイルスとなって霞が関からばら撒かれ、日本人全体に感染したかのような感がある。

だが、リスクを恐れてチャレンジしなければ、明日は拓けない。逆にいえば、リスクを怖がらなければ活路は開ける。

四十数年前、二〇代で勇躍、アフリカに移住し、ケニアで農場を経営していた佐藤芳之《さとうよしゆき》さんという方がいらっしゃる。帰国した佐藤氏にお会いしたとき、こうおっしゃっていた。

「日本の大学生の就職内定率が五十数パーセントだそうですが、私はこれは日本にとっていいことだと思っています。就職できなければ、起業すればいい。海外に飛び出す道もある。若い人たちが塞《ふさ》ぎ込まず、発想を転換すれば、日本が飛躍するチャンスになる」

政治家も役人も経営者も労働者も、日本人全体で、発想と価値観のコペルニクス的転回が必要だ。

日本の財政事情は逼迫《ひっぱく》している。いまあるものを全部守るのは到底無理である。切り捨てるべきものは切り捨て、それで浮いた予算は将来のために注ぎ込む。そういう前向きの政策をやらなければ、ジリ貧は免れない。いまは平時ではないので、少々苦しいぐらいの人を助ける余裕はない。

私が考えているのは、まず、「平成の身分制度」の廃止である。いまの日本には、努力なしに手に入れた地位や身分がいっぱいある。たとえば農家の多くは、親から田畑を引き継ぎ、農業をやっている。中小企業経営者も、ベンチャーはあるにしても、大半の経営者が親の会社を受け継いでいる。たまたま農家や中小企業の家に生まれて得た身分でしかない。他方、中小企業の労働者は、普通のサラリーマンとして大して大きな保護は与えられない。

ある意味、高齢者もこの範疇《はんちゅう》に入る。高齢者は努力してなるものではない。七〇年生きられれば、誰でも高齢者になれる。

公務員もそうだ。公務員になるときに試験はあるが、一度なれば、民間と違い、何もしなくても六〇歳まで安泰。しかも、年功序列で給料も毎年上がり、役職定年もなく、給与がある年齢から下がるという仕組みもない。悪いことをしない限り一度得た地位は絶対に失わないというパラダイスだ。

しかも、キャリア官僚は退職後も「天下り」「渡り」で七〇歳くらいまで生活保障される。これは職業ではなく「身分」だろう。

いまの政策では、こうした努力なしにたまたま得られた身分の人に手厚い保護を与え、守っている。これは一種の「身分制度」である。保護の強さの順でいえば、「官・農・高（高齢者）・小（中小企業経営者）」ともいえるのではないか。

だから、「平成の身分制度」撤廃で、たとえば、満足に経営できていない人にはやめてもらう。農家にも失業保険をと先に書いたが、私は中小企業の経営者でも失業保険がかけられるようにしたらいいのではないか、と思っている。

中小企業経営者は事業を止めると、完全に収入の道が途絶えるので、赤字でも会社にしがみつく。その結果、見切りどきを誤り、最後は悲惨な結末を迎える経営者も少なくない。半年から一年、失業保険をもらえて、これは差し押さえ禁止としたらいい。これで当面は食いつなげるとなれば、本当に危なくなる前に見切りをつけられる。日本の産業構造転換も早く進む。

こうした対策を講じながら、改めて一人ひとりの境遇に目をやり、本当にかわいそうな人だけを守る。親がリストラにあって失業し、高校をやめなくてはならなくなったといった非常事態に直面している子供は救う。しかし、少しかわいそうなぐらいでは助けない。少しかわいそうな人から見ても、あの人は自分よりもっとかわいそうと思う人だけを守る。

できの悪い企業や農家も含めて一律に守る産業政策、農業政策を一切やめる。もちろん、その前にできの悪い公務員をリストラし、出世できないようにし、競争させて公務員の効率を上げる。無駄な産業政策がなくなれば公務員もかなり減らせる。二重の政策効果で人件費も浮く。これらを集めれば、数兆円のおカネが浮く。そのカネを全部使わなくても、職業訓練や教育に向けた予算を相当手厚くすることができる。

仕事をしていない人には、新たに台頭してきた産業に再就職できるよう、技術と知識を身につけさせる。この部分が実はもっとも重要だ。

しかし、いまの厚労省のやっていることは極めて効率が悪く、アリバイ作りに終わっている。成果主義を徹底して、公務員に結果を出させる仕組みに変える。ハローワークの民営化なども含め民間の活力も導入する。こうすれば、やっと、みな安心してチャレンジできる。

また、日本の大学のレベルは国際的に見ると相当に低い。これからの若者は、日本の企業に就職する場合でも、海外の若者との競争になってくる。若者にはそういう環境でも生きていけるだけのものを身につけるために、より高い水準の教育を行う。そのためには、文部科学省の管理する教育行政から抜本的転換をしなければならない。

このようにして、予算を「守る」から「変える」「攻める」に大転換して初めて、日本経済が浮上する可能性が出てくる。逆に、これができなければ、日本は確実に沈んでいくであろう。

中国人経営者の警句

産業構造転換があまり進まない大きな理由の一つに、製造業偏重がある。戦後、日本は技術立国を目指し、モノ作りに精を出して未曾有《みぞう》の復興を遂げ、世界有数の経済大国になった。いまだにその幻影が日本を覆っており、産業政策も製造業偏重が続いている。

しかし、製造業であれば、なんでもかんでも将来的にも有望だというわけではない。消えていく企業や産業もあれば、これから伸びる企業や産業分野もある。それを一束《ひとたば》にして重要視する政策はおかしい。

また、先述したように、世界に通用する高い技術があっても、経営能力に欠けていれば宝の持ち腐れだ。もうそろそろ技術信仰から目覚めるべきではないか。

私はこれからの日本にとって重要なのは、頭を使って働くことだと思っている。日本では労働信仰が強く、一生懸命汗水を流して働けば、豊かになると信じている人が多かった。確かに過去、それで経済が伸びたが、そうなったのは、一九九八年まで、労働人口が増えていたからである。

人口減のいまは、闇雲《やみくも》に汗水を流すというやり方をしていると、たちまち国際競争に取り残される。それでなくとも長時間労働信仰は、子育て、ボランティア、地域活動、政治活動などの時間を奪い、社会全体のバランスを崩す。

以下は、ある中国人経営者が私にいった言葉である。

「日本人は中国人には勝てない。なぜなら、日本では管理職や経営者までが汗を流すこと、会社に拘束されることが美徳だと思っているからだ」

「いかに頭を使うか。いかに人と違うやり方を考えるか。いかに効率的に答えを見つけるか。いかにスピーディに決断し行動するか。それが経営者の競争だ」

「労働者に生きがいを与えて一生懸命働かせるために、『汗水たらして働くことが尊い』と教えるのは当然だが、経営者が同じことをしていたら競争に負ける。労働者の生活も結局は良くならない。中国人と同じ給料で働けということになる」

「日本人は何をするにもみんなで寄り集まって夜まで議論して結局決まらない。中国の経営者は即断即決。いかに効率的に儲けるかを考えている。これでは日本は勝負にならない。経営が悪いから、日本の労働者は、一生懸命働いてもどんどん生活を切り下げるしかなくなるのだ。ただ働くことが尊いという考えからいつ抜け出せるかが日本復活の鍵だ」

中国は、いまは先進国モデルを追いかければ良い時代。ただモノマネをして働けば成長できる段階にある。しかし、その中国人に、日本人は頭を使うことより手足を動かすこと、拘束されることを優先しているといわれている。

日本人の勤労精神は美徳であり、今後も大事にしていくべきだが、いま日本に求められているものは、なるべく無駄な労力を費やさず、頭を使って効率よく稼ぐという姿勢である。日本の労働力は年々減っているのだから、なおさら生産性を高めるために知恵を使わなければならない。

一三億の民がいる中国と、少子化で人口が年々減っている日本が労働力で戦おうとすれば、勝てるわけがない。裏を返せば、日本人がいまそこはかとなく、中国に抱いている恐怖は、勤勉であれば競争には負けないという神話が崩れつつあることに起因している。頭を使うことがすべてと発想を転換すれば、中国に対する不安や恐怖もなくなる。

そして、リスクを恐れず、全面的に国際化に踏み切る。本来、自由貿易の発想は、お互いが得意な分野に特化して国際分業すれば、一国で完結するより最適化され、全体として効率が上がり、それぞれがメリットを享受できて、ウィン・ウィンの関係になるはずという前提に立つ。

いまは産業単位ではなく、企業単位で考える時代だ。モノ作りだから尊いという考えをやめて、どれだけ知恵が集約されたサービスか、商品か、企業か、という考え方に変えていかなければならない。

「死亡時精算方式」と年金の失業保険化で

経済を立て直すには、もちろん、労働力の減少を食い止める努力も必要だ。長期的には少子化対策が必要だが、これは短期間で解決できる問題ではない。労働力の減少を和《やわ》らげる当面の策としては、外国人労働者の導入、もしくは女性・高齢者の活躍に期待するしかない。

高齢者はどんどん増える。元気な高齢者も然りだ。外国人労働者を一挙に増やすのが嫌なら、女性が働きやすい環境作りとともに、高齢者が働ける環境作りが最大のテーマになる。

現在の高齢者は、収めた何倍もの額の年金をもらっている。日本人の資産の大半を持っているのも、六五歳以上の人たちだ。高齢者の年金はもう少し削り、現役世代の負担を軽くしてもいい。

その代わり、高齢者が本気で働ける仕組みを作る。

いまは、元気で働く意欲があっても働き口がないので、おばちゃんたちに嫌がられながら地域のボランティア活動に参加したり、映画館に行って暇を潰したりしている高齢者が少なくない。もちろん、それまで働きづめだった人たちが余暇を楽しむことは決して悪いことではない。しかし、もう少し余裕のある暮らしをしたいとか、まだまだ仕事をしていたいと思っていても、ちょうど良い仕事がないという人も多いだろう。

働きたいのに、働けないのは、本人にとっても不幸せだし、国にとっても損失である。働いて社会に関われば、高齢者の生きがいにもつながる。精神的にも肉体的にも健康になり、財政に重くのしかかっている医療費も少しは軽減されるし、所得税も国に入ってくる。

平均寿命が男七九歳、女八六歳にまでなった。年金支給開始年齢は段階的に六五歳に引き上げられることになっている。しかし、六五歳から一五年、二〇年と、働かないで生活を保障するというのが本当にいいことなのか。そして、少子化のなかで持続可能なのか。そうした観点で、現在の年金制度の見直しをはかるべきだろう。

年金は長生きしたときの備えではなく、長生きしても「働けない」人のための保険という考え方に変えてはどうか。つまり、何歳になっても働こうとすることを前提にする。働けない人、仕事がない人、働いても十分な給与まではもらえない人、これらの人に対する保険、という考え方にすべきではないか。

つまり、失業保険と生活保護の合体型だ。失業保険の部分は保険、生活保護の部分は税金による分配という考え方。働けるけど働きたくない人には支給しないということにすれば良い。八〇歳を過ぎたら全員に支給するという妥協をしても良い。こうすれば、働こうというインセンティブにもなる。

生活の安心という意味では、年を取ったら年金ではなく、働けなくなったら年金があるということで十分ではないか。働けるけど働かない人、ただ年金で楽をしようという人まで国は面倒を見なくてもいいだろう。

年金財政が苦しくなるから支給額を減らそうとする考えもあるが、一律で支給額を下げると、貧しい人でなくてもかなり不安になる。自分はもしかしたら一〇〇歳まで生きるかもしれない、そう思うと一切お金を使いたくないということになり、資産を保有している高齢者までますます萎縮して、所得を貯蓄に回すようになり、消費に悪影響を及ぼし、日本経済を傷める結果になる。

そういうデメリットを考えれば、年金制度に「死亡時精算方式」を取り入れるのがいいのではないか。たとえば高齢者が亡くなり、その人は生涯で一〇〇〇万円の年金給付を受け、総額五〇〇〇万円を支払っていたとしよう。五〇〇〇万円は超過分だから、相続財産から優先的に国に返してもらう。

年金などのもらいすぎで、その子供たちが豊かになるというのは、公平の観点からも問題がある。単純に相続税を上げるという議論もあるが、それでは真面目に働いて貯めた分も年金などで貯金した分も同じ扱いになり、公正とはいえないのではないか。

それには、一日も早く国民番号制を導入し、個々人の口座で年金、健康保険、介護保険の支払いと受給が管理されるようにすることだ。医療、介護も含めて、生涯を通してもらい過ぎた分は国に返納するという制度にしたほうがいい。

六五歳を過ぎて年金の受給が始まった、生活に困らないだけの額をもらっている受給者にとって、おカネを稼いで貯蓄に回すインセンティブは、子供に残すぐらいだ。もらい過ぎた分は国に返さなければならないとなると、子供たちに遺産を残したい人は、働こうかとなる。

富裕層を対象とした高級病院があれば

今後、大きく伸びる可能性を秘めている産業は、農業、医療、介護、観光ではないかと思っている。

特に医療は、現時点でまだ産業化されていないので、やり方次第では急成長する可能性がある。しかし現状では、日本の医療は産業として、大きく立ち遅れている。

医療を受けるために海外に滞在する旅行は「医療観光」と呼ばれている。この医療観光のビザを日本が出し始めたのはつい最近で、韓国やアジア諸国にも大きく水をあけられている。日本に医療観光にやってきた外国人は一年間で三〇〇人余り、対してタイには年間で一四〇万人、お隣り韓国には年間に六万人だ。

日本の医療技術が韓国に比べて劣っているわけではない。産業として確立していないのが原因だ。韓国の仁川《インチョン》空港には医療観光専用のカウンターが設けられている。手術を受ける病院に行けば、日本語もちゃんと伝わる。日本の病院に入院したのと変わらない。英語、フランス語、ロシア語が分かるスタッフもいる。食事もスタッフの応対もホテル並み。

さらに日本では五年待ち、六年待ちの手術でも、韓国の病院ならすぐに予約が取れる。最近は日本人の患者でも韓国に医療観光に行く人が増えている。

もっとも、海外の客を呼ぶ工夫《くふう》も大事だが、その前に日本人の富裕層向けのサービスが充実した病院が欲しい。

お金持ちの高齢者であっても、いまは病院に行くと何時間も待たされる。サービスの悪い医療しか受けられない。富裕層向けの病院がないので、もっと払ってもいいから、サービスのいい病院に行きたいと思っている金持ちでも、一律のサービスしか受けられない。

そこで料金は高いがサービスは充実している快適な病院を作る。待ち時間もほとんどない。たとえ待たされても、併設されたラウンジでお茶やコーヒーを飲みながら、専門知識のある担当看護師、カウンセラーの相談を受けられる。少々高くても、そういう病院に行きたいと思う高齢者は多いはずである。

こういう政策をいうと必ず、医療に格差をつけるのか、人の命もカネ次第か、と食ってかかる人がいる。しかし、おカネがない人でも、いまと同じように最低限の医療が受けられるのであれば、誰も損はしないはずだ。

腕のいい医者は全部給料のいい病院に行って、貧乏な人はやぶ医者にかかるしかなくなるのでは、と思う人もいるかもしれない。だが、いまでも実は医療に格差はある。たとえば、有名病院の一流の先生には誰でも診てもらえるわけではない。手術をしてもらおうと思えば、コネとカネを使う必要があるのだ。裏でおカネのやり取りがあるより、病院全体のサービスを向上させて、高い料金を取ったほうがはるかに健全だ。

介護施設にしても、高級な施設もあれば、安い施設もある。介護施設が良くて、病院が悪いという理屈は良く分からない。世の中には格差がいやでも存在する。三ツ星レストランで毎日のように食事をしている大金持ちもいれば、一度もそんな高級料理を食べたことのない人もいる。これは仕方がない。サービスが一段上の病院があり、がんばって働いたら、医療はちょっといいところで受けられるというのであれば、日本人のがんばりも違ってくる。

格差を容認すれば、あまり裕福でない人にもメリットはある。高度医療では、一回受ければ一〇〇万円以上治療費がかかる検査や治療がある。なぜ、こんな高い価格設定なのかといえば、検査機械が高いうえに、はじめから利用者が多く見込めないこともあって、一回当たりの検査料が高くついているのだ。病院のほうでも割高の設定をせざるを得ない。そうなると機械も大量には売れないから、なかなか値段も下がらないという悪循環になる。

現状では、一部だけ保険の利かない高度医療を受けた場合、本来保険が適用される医療にまで保険が利かなくなるため、高度医療を受けにくいという問題もある。そうなるとやはり単価は高くなり、いつまでも高額のまま。貧乏人に手が届く治療にはならないということになる。

であれば、混合診療禁止の制度はやめて、おカネのある人は保険外の高い診療でも受けやすくする。金持ちがどんどん利用するようになって、機械も薬も普及すれば、大量生産が可能になって、高価な治療費もいまよりずっと下がる。

こうして、おカネがあまりない人でも手が届くようになるかもしれない。保険診療にしても国費の負担が少なくて済む。

医療機器の単価が下がれば、有力な輸出品になる可能性も出てくる。日本では医療産業の需要はどんどん増える。これだけの高齢者を抱える先進国はない。だとすれば、医療・介護産業が発展しないのはおかしい。政策の問題だとしかいえない。

いま世界中で医療産業の国際化が進んでいる。国境を越えた病院のM&Aが盛んだ。しかし、日本はこの動きから完全に取り残されている。

二〇一一年四月七日、三井物産がマレーシアのアジア最大手病院持ち株会社、インテグレイテッド・ヘルスケア・ホールディングスに出資するという記事が新聞紙上を賑《にぎ》わした。日本の企業が、今後の有望産業分野で国際的な活動をすることは本当にうれしいことだ。しかし、同じようなことは日本国内ではできない。

なぜなら日本では、医療には株式会社は参入できないとされているからだ。今後FTAやTPPなどでこの点が問題にされる可能性もある。

医療は金儲けではない、貧乏な人にもあまねくサービスが提供されなければならない、という。それでは電気や電話はどうか。日本人の主食の米はどうか。人の尊厳という点からいえば、葬式はどうか。どんな貧しい人にも提供しなければならない商品・サービスだ。だから金儲けの対象にしてはいけないということにはならない。

より多くの企業が参入することによってより良いサービス・商品が提供される。医療も基本的には同じだ。日本の医療に大資本が参入して、世界の病院と合従連衡《がっしょうれんこう》しながら、より良いサービスを提供し、かつ病院の経済基盤もより強固で安心なものとする。海外からもたくさんの患者を集めて利益を上げ、税金を納めてもらって、それが社会保障に回る。そういう好循環を目指すべきだ。

金儲けを批判する開業医が金儲けしていないと思っている国民はいないだろう。そんな詭弁《きべん》に反論できない政府には、消費税増税を主張する資格はない。

消費税増税を決めるなら、医師会に遠慮せず、医療に株式会社の参入を認める決定を、税・社会保障一体改革のなかで同時に行うべきだ。

観光は未来のリーディング産業

観光業も高い将来性を秘めている産業だ。日本には石油や鉱石といった資源はないが、観光資源を見れば、世界に負けないものがある。まず、四季の彩りのある美しい自然、伝統的な寺社仏閣、豊富な山海の幸《さち》と巧《たく》みな調理技術、世界の人々が欲しがる電化製品、アニメやゲームなどの新しい日本文化。そしてなによりも、日本人の真面目で親切で礼儀正しい国民性……。

控えめで奥ゆかしく、自己主張も苦手な草食系の典型ともいえる日本人は、海外のギスギスした社会では頭角を現すのはむずかしいが、本来、外国人から見ても愛すべき民族だ。明治維新後、文明開化をするため、イギリスから技師や学者を多く招聘《しょうへい》したが、彼らは、日本の風景の美しさときめ細《こま》やかな人情に感動し、本国に帰って日本の素晴らしさを口コミで広げた。その結果、イギリスでは日本観光ブームが起きた。当時、日本にもっとも多く訪れた外国人はイギリス人である。

遠く離れたイギリスからも観光に来たいと思うほど、海外の人々にとって日本と日本人は魅力的だ。われわれは自分たちの国民性にもっと誇りを持っても良い。

しかし、戦後、日本人は、自分たちの良さをほとんど見せていない。世界の日本に対するイメージはソニーの電器製品やトヨタの車だった。さもなくば、団体でパリやローマに押しかけ、高級ブランド店に群がり、ブランド品を買い漁《あさ》る姿……。

日常の日本人の奥ゆかしさや心遣いを多くの外国人が知らない。いい換えれば、それだけ、まだ日本人の良さはアピールできていないといえる。

最近、急増している中国人旅行者が感動するのも、いままで知らなかった日本人の素晴らしさだ。日本製品のショッピングが目的で来日してみると、店員は中国とは比べものにならないくらいマナーがいい。道を尋ねても、日本人は言葉の壁を越えて一生懸命教えてくれようとする。この親切さは、自分たちの国にはないと感激し、もう一度日本に来たいとなる。普段の日本人はあまり知られていないので、観光はまだまだ伸びシロが大きい。

しかも、アジアの国々は人口が多いうえに、中国、インド、ベトナム、韓国と、経済的にも伸び盛りだ。富裕度は上がり、海外旅行を楽しみたいという人が増えている。政府が観光立国に一層力を注げば、観光業は日本のリーディング産業になり得る潜在力を持っている。

そのために政府は様々な改革を進めている。中国人へのビザ発給の拡大などはすぐに効果を表した。やる気になれば、税金を使わずともできる良い例だ。

大事なことは、この先日本に外国人が溢れるようになっていくことをわれわれは嫌がってはいけない、ということだ。中国人が嫌いだなどという声をよく耳にするが、日本に来る中国人は日本が好き、あるいは少なくとも興味を持ってくれている人たち。彼らに日本の良さを十分に知ってもらうこと、これがいかに重要なことか。日本が好きな中国人、アジア人が増えれば、外交的にはどれだけの効果があるか。

いまは教育のせいもあって、多くの中国人が日本のことを誤解している。それが対日世論を悪化させ、二国間の問題の解決を困難にしている。そのことを考えれば、われわれを嫌いだと思っている人ほど日本に呼んで、日本を好きになってもらうことが大事なのだ。

前にも書いた二〇一〇年秋の出張では北海道にも行った。このとき、株式会社ニトリを訪れた。家具の話を聞きに行ったのではない。ニトリが札幌近郊に中国人向けの別荘地を開発し、一七戸を完売したという話を聞いたので、行ってみたのだ。ネット上には、中国人に北海道を買い占められるといった書き込みもあったが、ニトリの担当の方はそうした反応に困惑しておられた。

この話は、ニトリが中国工場で取り引きのある企業の社長さんたちを北海道に招待したことから始まる。北海道の美しい風景を満喫した彼らは、誰からともなく、「こんなところに住みたい」「次回はもっとゆっくり滞在したい」といい出した。この辺りに家を買ったらいくらになるのか、という話になり、その場で二〇人近くが、もしニトリが世話をしてくれるのなら家を買うということになったのだ。

ニトリは、いろいろと心配した。中国人が二〇人もまとめて家を買うといったら、いろいろと反発があるかもしれない、国内の商売に障害となるかもしれない。しかし、これだけ北海道の美しさを賛美してくれる中国人たち。その気持ちに応えて日本に何回も来てもらい、お互いに触れ合えば、日本のこれからの発展にとって有益だ。そう思ってゼロから始めて別荘地を開発、当初約束した全員に販売したのだ。

おりしも、中国映画「非誠勿擾」（邦題「狙った恋の落とし方」）が中国国内で大ヒットし、その影響で北海道への中国人観光客の数が急拡大した。北海道の美しさは、ニトリの取引先だけではなく、広く中国人一般の心をつかんだのだ。

人口より多い観光客が訪れるフランスは

もちろん、こうした話が小さなストーリーとして語られている間は平和だ。しかし、北海道だけでなく、日本のあちこちで中国資本の土地購入という話が聞かれる。中国だけではない。ロシアあり、韓国あり、様々な国が日本に入ってきている。

安全保障という面の話は別途考えなければならないが、基本的には、われわれは、隣の家にアジアの人が住むという時代を想定しなければいけない。若い人たちはアジアの人たちと競争し、また共生しなければならない。好きとか嫌いとかいっている場合ではない。来てもらってありがたいと思うべきなのだ。

日本が再生できるとすれば、そういう社会を厭《いと》わない、それを前提とした社会作りをしなければならない。もし、それを嫌がっているようだと、日本の将来はない、ということを覚悟すべきだろう。

日本に海外から人が集まるということは、日本が魅力的な国であり続けるということだ。日本の経済がアジアの発展から切り離されてジリ貧になり、さびれた街並みとぼろぼろの道路や廃屋が点在することになれば、日本は海外の人々を惹きつけることはできない。そのとき、嫌いな中国人が来なくて良かったと喜べるだろうか。日本人だけでひっそりと肩を寄せ合って暮らしていくことが幸せなのかどうか。よく考えなければならない。

人口より多い年間約七〇〇〇万人の観光客が海外から訪れるフランス人は、幸せそうに暮らしているではないか。

ところで二〇一一年三月の震災で心配なことがある。それは東北地方の観光地に人が入らなくなっていることだ。余震の危険性や放射能の風評被害もあって、内陸部で被災を免れたところも閑古鳥《かんこどり》が鳴いているという。東北といえば日本の代表的な観光地の一つである。有名な温泉があるが、このままでは歴史ある温泉旅館の経営が立ち行かなくなる恐れもある。

そこでこの温泉地に、いまだ十万人以上といわれる避難所の被災者を、まとめて移転させてはどうか。なるべく近いところに移ってもらうのだ。すでに一部の地域ではそうした支援をしているようだが、もっと大々的に行うのだ。がら空きにしておくよりも、一泊五〇〇〇円でもいいから滞在してもらえれば、なんとか旅館の経営も続くだろう。

旅館なら避難所と違い、トイレ、風呂、冷暖房、そしてなによりも食事の心配がいらない。避難民の支援を受け入れ自治体にやってもらえば、被災地の自治体は復旧事業に専念できる。日本の貴重な観光産業が守られ、避難民はつらい避難所生活から解放され、災害復旧も進む。

このやり方には、もう一つのメリットがある。

復旧が始まった頃、闇雲に仮設住宅が作られた。このままでは、仮設住宅用の土地が足りなくなる。本格復興の段階では、恒久的な公営住宅、病院、学校、介護施設などを作る場所が、すべて仮設住宅で埋まっているという事態が生じるだろう。そうなれば、再び仮設住宅を移設することになる。

温泉地にしばらく滞在してもらえば、計画的に空き地に線引きをし、仮設住宅を作り、その後に必要となる土地を確保するという時間的な余裕が生じることになる。

いまからでも遅くはない、すぐに実施してほしい。

「壊す公共事業」と「作らない公共事業」

観光というと日本の美しい風景を想い起こす。しかし、日本の田園地帯は本当に美しいか。地方の門前町、温泉街は本当に風情《ふぜい》があるか。

フランスの田園地帯、田舎の小さな村を訪ねてみると、日本との違いが歴然とする。見渡す限り、緑の畑、黄金色の畑、といった風景が当たり前のように広がる。中世の趣《おもむき》を色濃く残した田舎町。そこには、畑の真ん中の無機質な工場、古びた街並みのなかの黄色やピンクの建物など絶対に存在しない。町全体が完全な調和のなかにある。

日本の農地法が農地を守っていたはずだが、実際にはおざなりな運用で虫食い的に転用され、醜い建物が田畑のなかにぽつぽつと建っている。観光資源としての美しい田園風景が台なしになってしまったのだ。一つ何十億円の被害といってもいいだろう。

今後はこういうことは絶対に許さないようにすべきだ。仮に転用の手続きに不備があった場合などは、過去に遡《さかのぼ》って無効として、原状復帰の義務を課してもいいだろう。それくらい強い姿勢で臨まなければ、景観は守れない。

私の友人のフランス人を京都に案内したとき、彼女が最初に発した言葉。「これは犯罪だ」——。

彼女の眼に映ったのは、美しい社寺と並んで色とりどりのビルや看板が混在する光景。「こんなことが先進国で許されるのか」「全部すぐに取り壊せ」と彼女は叫んだ。人類に対する犯罪だというのだ。確かにフランス人から見ればそうだろう。

日本の規制は、いわゆるアリバイ作りになっていることが多い。ウナギの産地偽装も、汚染米もその典型だ。役人が責任を逃れるために規制を作って、あとは放置しておくということがあまりにも多い。観光資源を本気で守るなら、各地域に、所有権に制約を加えられるかなり強い規制権限を与えるべきだろう。

道路や箱モノを作るのにも同じ発想が必要だ。美しい田園地帯になぜかコンクリートの塊、それも工場ではなくて公共の建物という例も多い。最近ではかなり周囲に溶け込むように工夫を凝らすものも増えてはいるが、まだまだだ。ましてや、昔に建てられたものは相当醜悪なものが多い。こういうものは取り壊したほうが良い。それで景観が甦り、観光資源として価値が増すなら、公共事業だと考えても良いだろう。

温泉街に残る汚い廃墟となったコンクリートの旅館。破綻して廃業したが、周囲に調和させて奇麗にするインセンティブはない。せっかくの温泉街の風情をぶち壊している。こういうものも取り壊して広場にするとか、街並みの整備を行う。つまらなくて誰も訪れない郷土歴史館のような箱モノを作るより、はるかにましだろう。

壊れかかった橋や道路。通行止めのまま放置されているものもあるが、崩落寸前になっているものもある。更新投資の必要がない、あるいはその目処が立たないなら早めに取り壊したほうが良い。これらの「壊す公共事業」をこれからの公共事業の柱にしていくことが必要ではないか。

各地域では自然林を守る運動なども行われている。こうした運動を自治体が支援する。「作らない公共事業」だ。

東日本震災後の復興でも、当面の緊急の復旧は別として、長期的にはいま述べたような視点をぜひ活かしてほしい。それだけでなく、この震災は、われわれの社会の在り方そのものを見直すきっかけになる。少なくとも公共事業そのものが目的化しないように、従来の延長線上とは違った工夫が必要である。

たとえば、もともと大赤字で存続に疑問符がついていた第三セクターによる鉄道。同様に赤字で、鉄道に並走するように運行していた路線バス。これらに二重に赤字補塡をするため自治体の財政は圧迫されていた。しかし、津波で鉄道が止まり、黒字になったバス会社もある。無理に鉄道を再建するのか、あるいは、それを止めることによって浮く赤字補塡分の財源を他の復興需要に回すのか、よく考えるべきだ。

何をやるか、何を造るかも重要だが、何をやってはいけないのか、何を造らないのか、最初にはっきりさせたほうが良い。昔のままの街並みを取り戻したいという住民の気持ちも痛いほど分かるが、ここは一呼吸入れて単なる復興計画ではなく、新たな日本創造を見据えた計画を作ることが重要だ。

日本を変えるのは総理のリーダーシップだけ

これまで私が挙げた政策を政府にやってもらおうと思ったら、国民のみなさんも日本人特有の金持ちを妬《ねた》む気持ちを捨てなければならない。日本人は横並び思想が強いためか、努力していい暮らしをつかみ取った人に対しても、あいつだけ豪勢な生活をしやがって、きっと裏で悪いことをしているに違いないなどと妬む人が少なからずいる。

金融テクノロジーを駆使して大儲けしている人がいると、汗水たらさずカネを稼ぎやがって。ITで成功した起業家が六本木ヒルズに住んでいると聞くと、若いうちから贅沢《ぜいたく》するなんてろくなもんじゃない。こんなふうに嫉妬し、足を引っ張る。

東日本大震災ではユニクロの柳井正《やないただし》氏が一〇〇億円、楽天の三木谷浩史《みきたにひろし》氏も一〇〇億円、そしてソフトバンクの孫正義《そんまさよし》氏が一〇〇億円という巨額の義援金を寄付した。しかし、既存の大富豪といわれる人たちが、そうした巨額の寄付をしたという話を聞かない。若手のベンチャー経営者のなかには、現地に入って支援活動を行った人もいると聞く。

「売名行為」などという人もいるが、そう批判する人たちは、自分ではいったい何をしたというのか。たくさん稼いでたくさん使う。それだけでも十分、所得税や消費税で貢献している。さらに個人で社会貢献をしてもらえれば、これほどすばらしいことはない。

もう金持ちを妬んだり敵視したりするのを止めて、日本経済を引っ張ってくれる新たな産業の担い手たちに一切足かせをはめず、自由に活躍してもらおうではないか。妬みの文化では、国民全員がジリ貧の方向に行くしかなくなる。

そうならないための鍵はリーダーの意思表示が握っている。リーダーが何をいうかによって国民のメンタリティは大きく左右されるからだ。

これからの政治に一番重要なのはリーダーシップだとよくいわれる。私も総理のリーダーシップこそがこの国を変えると思っている。

菅総理は「最小不幸社会」といった。「最小」と「不幸」。ネガティブな言葉を重ねたメッセージが若者にどう響いたか。「元気を出してがんばろう」とはならない。「なんとか不幸になるのを避けよう」「安全な道を選ぼう」となるだろう。「『できる人は損する』という感じかな」

とある若者は私につぶやいた。

オバマ大統領が「Yes」と「Can」という肯定の言葉を重ねて「Yes We Can」といったとき、若者は「よし、挑戦しよう」と呼応したのではないか。

リーダーシップと一口にいっても、様々な要素があるが、とくに今後、国のトップに求められるのは、国民を説得する力だ。

説得力の背景には、理屈でははかれないものがある。それは一種のカリスマ性だったり、あるいは、その人間が醸《かも》し出す雰囲気や信頼感といったものが要素なのだろう。それがあって、国民はこの総理の話を真剣に聞いてみよう、この人がいうのだからいい、と思う。

そのためには、まず、いっていることは終始一貫していなければだめだ。ただ理屈が通っているだけでも人は説得できない。民主党にはその場その場でもっともらしい話をする人はたくさんいた。特に弁護士出身の人たちに多い。しかし、よく聞いていると、その場しのぎの理屈が多かった。理屈が得意なだけではだめだ。ぶれない、一貫性がある、これらが重要だ。

第二に公平であるという信頼感。組合だとか、郵便局だとか、農協だとか、医師会だとか、あるいは電力業界といった特定のグループに肩入れし、あるいは遠慮するということが国民に伝わった段階で、もうだめだ。

三つ目に大事なのは、地位にこだわらないということ。私心がないということ。身を投げ出してやっていることが伝われば良し。逆に地位に恋々《れんれん》としているとなれば、国民は聞く耳を持たなくなる。

二〇一一年一月の内閣改造。菅総理はサプライズ人事で経済財政政策担当大臣に与謝野馨氏を任命した。菅総理は、税制や社会保障のような複雑な問題は苦手だと思ったのだろうか。国民に納得してもらうには与謝野氏の登用が最適だと判断したのだろう。しかし、そのこと自体が総理への信頼を傷つけた。

与謝野氏は、「国会議員のなかでは」頭が切れて理論的だといわれる。おカネにも清潔な政治家としてイメージは良い。しかし、私は与謝野氏が、国民を説得できるという感じを持てない。

与謝野氏は確かに公平そうだ。特定の利益グループのために動くようには見えない。しかし、まず、ブレまくっている。自民党の幹部で、選挙では選挙区で負けたが、自民党候補として比例区で復活。それなのに、自民党を離党、たちあがれ日本を作った。民主党を倒すと叫んで鳩山総理を平成の脱税王と批判した。ところが、あっさりと、たちあがれ日本を脱退して、よりによって倒す相手だったはずの民主党政権の大臣になり、国会では統一会派を組んだ。

これだけで国民は、この人のいうことは絶対に信じてはいけないと思うだろう。一部のマスコミが持ち上げたりしたが、彼らがいかに愚かで国民から遊離しているかの証左といえよう。

本来は、身を捨てて国のためにというのであれば、議員辞職して、若い大臣を裏で支えるというのが一番美しかっただろう。ところが、与謝野さんは議員バッジにこだわった。「私のモチベーション維持」のために議員でいたいといった。国民はあきれ果てた。「あんたのモチベーションのために議員バッジがあるんじゃないよ」「誰もやってくれなんていってない。モチベーションが下がったら辞めればいいだけだ」という声が上がった。

対照的なのは小泉元総理だった。ときには「人生いろいろ」などと相手を茶化《ちゃか》す乱暴な答弁をしたが、なぜか、国民は納得していた。それは、彼には私心がなく、特定のグループの利権に与《くみ》せず、そして決してブレなかったからだ。少なくとも国民にはそう見えた。余力を残して退陣した姿に、やはり、地位にはこだわっていなかったんだと国民は拍手を送った。何をしたかについては議論があるが、少なくとも、小泉氏の言葉で国民は説得されていたことは確かだ。

大連立は是か非か

なぜ、これからの日本のトップに国民を説得する力が必要なのかというと、いまからやらなければならない政策は、国民にとっては非常に厳しいことが多いからだ。

特に「平成の開国」を実現し、財政再建のために聖域なき歳出カットを行わなければならない。いままで補助金や規制などで守られていた特定のグループにとっては血を流す厳しい改革が待ったなしだ。一般の人も政府に頼ろうという考えでは生きていけない時代になる。それから逃げてはこの国は立ち直れない。いま日本が置かれた状況を、国民に理解、納得してもらう必要があるのだ。

大震災後の新たな日本創造のためには、いままでの社会の在り方を根本から見直し、国民が一丸となってがんばらねばならない。そのためには、国を引っ張る政治家がまず、正直に現状を国民に訴えることが大事だ。そういう観点からは、民主党の事業仕分けはかなり疑問だ。

二〇一〇年秋の事業仕分けで特別会計にメスを入れた民主党は、「隠れ借金を見つけた」と声を張り上げていたが、特別会計のなかに借金があるのは、霞が関や永田町では周知の事実だった。それを事業仕分けにかこつけて、いまになってやっと見つけたかのようにマスコミに発表。まったく勉強していないマスコミはこれを仰々《ぎょうぎょう》しく報道する。少し事情に詳しい人はみな、財務省にそそのかされて消費税を上げるための布石を打ったのだなと見透《みす》かした。

姑息《こそく》な手段を使わず、総理が堂々と、いまの財政はこれほどひどい状況になっていると、国民に真正面から訴えて欲しかった。そして国民に選択肢を示し、自らの決断を問う。

たとえば、「現在の厳しい財政状況下で歳出を維持し、増税だけで財政再建しようとすれば、すぐさま一〇パーセントの消費税増税をしても将来足りなくなります」と正直に打ち明け、「しかし、それでは経済はボロボロになるので、私はいままでの手厚い産業保護政策を見直したいと考えている。日本が生き残り、日本国民がもっとも幸せになる道はこちらだと、私は信じている」と考えを明らかにする。

そのうえで、「しかし、それをやれば、こういう人たちは痛みを感じる。でも、みなさん考えてみてください。いまもっとかわいそうな人たちがたくさんいます。私たちはそういう人たちに手を差し伸べたいが、財源がなくてできない。ぜひ、国民のみなさんに協力していただきたい。そして、この国を開いて、みんなで稼いで、なんとか税収を上げましょう。どうしても足りないところは増税をお願いします」と、是非を問うのだ。

東日本大震災の後、もう一つ悪いパターンが見えてきた。震災対応を理由とした大連立構想だ。連立にあたっては具体的政策の議論をまずしなければならないのに、菅総理は政局を優先し、中身のない連立を打診した。自民党も公共事業の配分に関与しようと、守旧派の長老たちが前のめりになった。

しかし、国民はこれが政治家だけの都合による茶番であることを早々に見抜いていた。国民に難しい状況を説明し説得しようにも、政府は自信がないから安易なばら撒きをエサに連立を打診した。自分たちだけで大増税の責任を負いたくないから、協力してもらおうという民主党の魂胆は見え見えだった。

かつて小泉氏は、国民の嫌がることも堂々といったので、国民はみな信頼し、リーダーシップを発揮できた。しかし、多くの政治家はこれができない。下手に厳しい現状を包み隠さず話すと、支持率が下がり、選挙に負けて政権が倒れると恐れ、リスクを取れないからだ。クビになってもいい、これをやらなければこの国はだめになる、という信念と覚悟があって、初めて救国の策を実行できるのだ。

補論——投稿を止められた「東京電力の処理策」

序章で述べた通り、私は、「東京電力の国有化」や「政府が資本注入」などと騒がれ始めた四月上旬、東京電力の処理策として私案をまとめ、経済産業省官房幹部はじめ関係者に送付した。この試案を基礎にブラッシュアップした論文を『エコノミスト』誌に投稿する予定だった。しかし、直前に官房に止められた。理由はよく分からなかったが、「そんな売名行為を許したらみんなそれをやり始める」というようなものだった。

その後、「注目度の高い本件について職員が対外発信で今後の政府の議論や決定に外から圧力を加えようとするのは適当とは思えない」というメールも送られてきた。

もちろん、提言の内容はまだまだ荒削りだったが、とにかく東京電力や銀行などの脅しに負けて、政府がおかしなほうに行かないようにと思って作ったものだ。

そのなかには、発送電分離をはじめとする長期的な電力規制緩和の問題から、一般によく知られた電力業界を取り巻く政官業の癒着のみならず、学界、労働組合、そしてマスコミまで巻き込んだ電力分野の構造的癒着への対応などまで含まれている。

その後、私が指摘した問題は概ね議論のテーブルに載ってきたようにも見える。

しかし一方で、銀行と電力業界が一体となった政官界への根回しが功を奏し、東電で金儲けをした株主や銀行の責任を問わず、また経産省や原子力安全・保安院の現・旧幹部の責任も不問にしたまま、原発事故による巨額の補償負担を、料金値上げや増税で国民に押しつけようという案も有力となっている。

そんな理不尽なことは許されない。一職員が意見表明することは政府に圧力をかけることになるというが、みなさんは、その判断をどうお考えになるだろうか。参考までにその資料（改訂版として四月中旬に送付したもの）を末尾に添付しておこう。ただ、私がこの紙を公《おおやけ》にしたことは、経産省には内緒にしておいて欲しい。

東京電力の処理策（改訂版）

二〇一一年四月一八日

1．今一番大事なこと

○正しい認識で二つのチキンゲームを回避すること

A．東電が夏の大停電に対する社会の懸念を利用して、「東電を破綻させると大混乱になる」と政府を脅しており、それを真に受けている向きも多いが、破綻＝オペレーション停止ではないことを明らかにし、オペレーション確保及びそのための資金調達には政府保証を行うことを早急に明確化させることが重要（それがあれば時間をかけた処理が可能となる）。

間違っても、債務超過だからまず国有化、政府出資という選択をしてはならない。国民にリスクを一気に転嫁することになりかねない。

東電は、基本的にＪＡＬや一般の事業会社と異なり、完全地域独占で顧客が短期で逃げることができず、安定的に料金収入が入るという特徴がある（電力料金値上げを真顔で語れることがこれを物語っている。つまり、再生の時に強調される事業価値の棄損を防ぐため早期に処理を終わらせなければならないということに強くこだわる必要はない）。

B．東電が破綻すると金融不安が生じるとか社債に傷がつくと社債市場が崩壊するという脅しも使われているが、数兆円規模の不良債権化であれば十分市場で対応できるし、仮に貸し出し余力がなくなるなどという銀行があれば金融安定化スキームを活用してこちらに公的資金を注入すると言えばよい（銀行は絶対に嫌なので黙るしかなくなるはずである）。

株式は元来リスク資産であり、そんなことは誰でも分かっている。高齢者の大事な老後の生活資金だという感情に訴える論調もあるが、そういう情緒論に乗ってはいけない。むしろ今の株価で取引に入って来た株主は、国が支援すればぼろ儲けできるという計算で買っている者も多いはず。市場は既にかなり破綻の可能性を織り込み始めており、古くからの株主でも多くは損切りしているか破綻覚悟の保有という判断をしていると思われるので将来一〇〇％減資としても大きな問題はない。現にＪＡＬの時も全く同じ議論があったが、一〇〇％減資が実施された。今後も市場は破綻リスクを徐々に織り込んで行くはずである。

社債については、過去に例のない金額ではあるので市場への影響を勘案して柔軟な対応を可能とすることを明確化してパニックを防止すればよい。社債についてのスプレッドはかなり上がっており、破綻リスクも織り込まれ始めていると考えられる。カット率に差をつけるということも考えられる。

なお、海外投資家筋の標的になることは十分予想されるが、事前に日銀の社債買取枠を引き上げるとともに個別企業ごとの枠をなくす、またはこれを大幅に引き上げておくことも有効ではないか（筆者注：電気事業法第三十七条で、社債は優先弁済扱い）。

ただし、破綻するかもしれないのに、ＪＡＬの時の前原大臣のように不用意に「破綻させない」などと無責任なことを政府が言うのは問題である。国民に対する詐欺行為になってしまい、後々の選択の幅を狭めることになりかねない（訴えられても仕方ないくらいだ）。

基本は、あくまでも正しい情報を提供し続け、最悪の事態を早く織り込ませたうえでの取引になるようにすることが必要である。

C．また、東電に対するペナルティのような感覚で「国有化」を唱える向きもあるが、これは全く筋違いで、責任は東電だけでなく政府にもあることを忘れた感情論にすぎない。そうしたメンタリティは政権内部から早く消去することが必要である。単純な国有化論で資本注入を真っ先に行うということは最悪の策であることを明確にすべき。

2．課題のプライオリティ（概ねの順位）

①福島原発事故の収束
②夏場を含めた電力安定供給（突然死的大停電の回避）
③東電財務不安に起因する金融危機の回避
④福島原発被災者への補償の早急な実施
⑤国民負担の最小化
⑥関係者の公平な負担の実現と国民の納得感獲得（円滑な処理に不可欠）
⑦誘発地震対策、保安院経産省分離を含めた原発規制の抜本見直し
⑧発送電分離を含めた電力事業規制の抜本的見直し
⑨東電の分割を含めた再生処理策の決定・実施

3．二段階処理

課題処理にはすぐ実施すべきものと時間をかけて行うべき（あるいはそうせざるを得ない）ものがある。概ね二段階での処理とすることが必要。

これをせずに、行き当たりばったりで拙速にやれば、後で大きな消費者・国民負担になったり、安易な方向に行くしかなくなり、本質的な改革が実施できなくなって将来に禍根を残すことを十分認識する必要がある。

第一段階では、電力オペレーション確保、すなわち停電回避のための資金需要への緊急対応（DIPファイナンス類似）を万全にするだけとして、国有化などの名目による安易な出資で莫大な国民負担が生じることがないようにするべき。

①第一段階

○以下の措置を取るために必要な事項は法律を作って対応。五月中に成立を目指す（憲法問題なども生じ得るが、国家危機時の対応という点でこの程度の権利制限は合憲とされるはず。慎重になり過ぎるより、リスクを取ってあとは最悪の場合後日訴訟で決着すればよい）。

A．既に行われた東電との取引（金融取引を除く）及び今後福島原発事故処理及び電力供給に必要な取引（簡単に言えば、通常の東電との取引と新たな設備投資に必要な取引）に関する債権は将来的に全て保護する方針を政府が表明。これらの取引債権弁済のための東電による資金調達ができない場合は政府保証を行う。この保証債務を実行した結果生じる東電に対する求償権は最優先債権と位置付ける。なお、各種準備金、引当金、預託金等の取り崩しを認める（外部の積立金を活用すれば一兆円以上のキャッシュが出て来るはず）。

これらの前提として日次のキャッシュフロー管理を徹底する（Xデーの把握）。

B．基準日を設け（例えば五月一日）、それ以降政府保証なしで行われた金融取引についても上記求償権並の最優先債権と位置付ける（実際にはそういう融資は行われないだろうが）。

C．福島原発被災者向け補償の一部仮払いの実施。当面の生活及び事業継続に最低限必要と考えられる金額を東電が仮払いする義務を課す。第一次仮払いは東電の自主的措置とするが、原子力損害賠償法による最終支払いまでさらに時間がかかる場合は、二次的な仮払いが必要になる可能性がある。東電は第一次仮払いで事実上補償責任を認めたともとれるが、潜在的には免責を主張する可能性もあり、また、株主や監査役から支払い拒否を要請される可能性も十分ある。

このため、東電に仮払い義務を課し、後に原子力損害賠償法による補償責任の認定が終了した段階で東電に責任がないことになった場合は国が弁償することを法定することで、東電が迅速に支払える環境を整える。

D．東電の経営を監視するための東電経営監視委員会を設置。弁護士、企業経営経験者などを任命するとともに、六月の株主総会でその代表を取締役に選任することを義務付ける。東電に要請して拒否しない場合は自主的に行えば良いが、そうでない場合に備えて立法措置は必要。

企業再生支援機構を監視役として指定し、後の再生計画づくりまで任せるという規定を盛り込むことも一案。

E．既存の金融債権（社債も含む）については、当面の間（二年程度を限度とする）東電の弁済を禁止し、担保権実行も禁止する（私的再生では海外投資家の同意を得ることが難しいので法的に担保）。

以上A～Eにより、会社更生手続き類似の状態に置くことになる。

F．上記措置について、特に海外向けに事前に強力に広報する（燃料の輸出が止まることなどを回避）。

G．東電全役員の報酬・退職金一〇〇％返上または被災地への寄付。相談役・顧問等の非常勤ポスト全廃。天下り役職員の全員退任（国民の理解を得て国会での審議を促進するために不可欠）。

H．東電の広報原則禁止。必要な場合は監視委員会の許可制とする。お詫び広告は即時停止を経産相が要請。その代り、毎日社長が土下座会見をする（これまで見られるマスコミ、とりわけテレビ局への不当な影響力の排除。他の電力会社も同じ問題）。

無意味な節電広告も禁止してよいのではないか。

I．東電による学者等への資金拠出・原稿料・講演料などの支払いの公開（御用学者による東電寄り専門家情報の流布に歯止め。他の電力会社も同じ問題）。

J．東電及び東電労組による政治家への献金、便宜供与、ロビー活動の禁止。

②第二段階

東電の企業価値は原発被災者に対する補償額、原発の安全規制の具体的内容及び今後の電気事業行政の在り方が決まらないと算定できないので、これらの大前提が明確になるのを待って事業再生プランを策定する。プラン策定と実施は企業再生支援機構に任せるのも一案（そうする場合は法定）。

A．原発補償範囲、国との責任分担の確定（これがないと東電の企業価値が算定できない）。

B．今回の地震・津波被害を踏まえた原発規制の抜本的見直しを受けた東電による規制対応策の策定。これに伴い中期的設備投資等の必要額と償却負担が大きく変わる。

C．発送電分離を前提とした発電所ごとの組織再編、独立採算を可能とする人員貼り付け（下記5．参照）。

D．第一段階で設立した東電経営監視委員会（企業再生支援機構が担当？）が上記A、B、Cを踏まえた東電の再生プランを策定。当該プランに基づくキャッシュフローを前提に財務処理案を一体的に策定。債務超過であれば（その可能性が極めて高いが）、一〇〇％減資、基準日以前の債務の公正な削減、経営責任の明確化などを行う。

E．社債についても削減対象とするが、社債市場への影響も勘案して特別な取り扱い（削減割合の緩和）も認め得ることとする（そこまで必要か要検討）。

F．補償債務は、基準日以前に生じた原因に基づく債権であることから、その支払い資金調達のために行った政府の保証は実行した上で求償権はＤＩＰファイナンスとは別に他の一般債権者と同等の扱いとする（結果的に国と東電と金融機関が分担することになる）。

G．上記策定に当たっては、政府関係機関からのヒアリングを実施し、計画案に政策的要請を合理的な範囲で反映する。最終案に対しても政府は意見を述べることができることとするが、最終決定権は委員会に与える（ＪＡＬの時のような政治的なバイアスをなくし、二次破綻を防止）。

H．下記5．の規制見直しを前提とすれば、東電は、送電線会社（東京電線株式会社）、いくつかの発電会社及び福島原発の廃炉処理会社に分割される可能性が高い。送電会社は将来的には東北電力の発送電分離を受けた東北電線会社との統合が必要。さらには中部電力、関西電力の発送電分離後の電線会社との統合も可能。

分割される発電会社は独立の発電事業者（卸・小売り）などに個別に売却されることになろう（5．A．〜E．）。

4．原発規制の見直し

○原発推進機関の経産省と原子力安全・保安院の事実上の一体化が杜撰な津波規制につながった可能性が高い。

○原発関連情報の隠ぺい・改ざん事件にみられる過去の東電と経産省の天下りを含む癒着の構造も事故原因となり、また、事故後の対応に失敗した原因となっている可能性が高い。

○原子力安全・保安院には実は高度な専門知識を持つ職員が殆どいないため事実上規制能力がなかったことも判明した。

○上記の構造に対して、国民及び海外の批判は極めて強く、現状のままでは既存の原発の稼働にさえ理解を得ることは極めて困難になっている。

A．原子力安全規制は経産省から完全に切り離すことが必要。

B．原子力安全・保安院は廃止し、原子力安全委員会を抜本的に改組・強化（人員も増強）して独立性の高い三条委員会とする。

C．委員会の委員の独立性・公正性を確保するための措置を導入（電力会社やその関係組織・支援組織からの資金提供に関する情報公開など）。

D．事務局には、外国人を含む民間人を大量に登用。専門知識が必要なポストにはそれにふさわしい職員を配置する。必要に応じて給与体系も特別に作る。この分野は極めて専門性が高いが、日本のレベルは米・仏などに比べて官民とも極めてレベルが低いことが判明した。バブル崩壊で金融分野の人材のレベルが暴露されたのと同じ。官民の人材流動化が必要。これによりガラパゴス化した原発規制分野の人材の国際化と高度化を図る。山一、長銀破たんなどが人材流動化の突破口となったのと同様、東電破綻がその突破口となる。

5．電気事業規制の抜本的改革を前提とした制度整備とそれに合わせた東電の分割

○発送電分離を前提とした電力自由化の方向を明確化して乗り越えるべき課題について早急

に検討する。
○首都圏直下型等の地震発生可能性が高まっていることを前提とした、電源の分散設置のための方策を検討する。
○経済機能の首都圏集中を根本的に見直し、一〇年後に首都圏で供給される電力を現在よりもかなり低めに設定し、大口需要者に対する電力使用制限を常用することなどを検討し、経済主体の地方分散を促進する。ただし、国外移転回避のための措置も必要。
○新エネルギー利用・自家発電などあらゆる分野における規制緩和を集中的に行う。消防法など関連規制を総合的に見直す。
○これまで電力会社の抵抗で進まなかったスマートグリッド推進策を根本的に見直し、強化する。

A. 第一弾として、東京電力を持株会社とし、その傘下に発電部門（東京発電株式会社）と送電部門（東京電線株式会社）を別々の子会社として配置する組織再編を実施。

B. 次に発電部門を事業所単位で分割して持株会社の下に子会社として直接配置する。

C. 一年から二年程度の実績を見て各子会社間の連携上の課題への対応、将来子会社を完全売却した場合の問題点の想定と対策案を策定。必要な法整備の検討を行う。

D．福島第一原発の廃炉事業はこれらとは別会社とする。この切り離しの方法については別途検討が必要。

E．これらの準備段階を経て、概ね三年から五年以内に、発電事業会社を順次売却する前提で特に送電会社に対する特別の規制のための法整備を行う。送電会社は上場により資金回収することを基本とする。

F．電力事業の規制主体としては、独立の三条委員会（「電力事業規制委員会」）を過渡的に設置し、電力全体の自由化が終了して安定した段階で、この委員会を公正取引委員会に統合する。

あとがき——改革を若者たちの手に委ねて

二〇一〇年秋、インターネット放送の生番組に出演したとき、視聴者から「霞が関には、どれくらい古賀さんのような改革派の官僚がいるのですか」との質問が寄せられた。

正直いって私にも見当がつかない。たとえ私を心のなかで応援してくれている人でも、私の部屋を訪ねてくるだけで、周囲から白い目で見られ、マイナス評価がつくので、誰も私には近寄らない。

ただ、時折、中高年職員への手厚い政策に悲鳴を上げる若手からのメールが届く。誰もいないエレベーターのなかなどで一緒になると中堅以上の同僚は目をそらす人が多いが、周りを気にしながらではあるが、若手のなかには「どうされてますか？　お元気ですか」と気遣ってくれたり、「がんばってください」「今度ゆっくり話を聞かせてください」「古賀さんのいう通りなのに」と応援してくれる人も多い。経産省OBから激励の電話もかかってくる。

幹部のなかにも、議論していると、「君がいっていることも分かるんだが」と理解を示してくれる人も実は少なくない。だが、幹部は行動を起こすまでには至らない。

霞が関は改革すべきだと考えていても、自分は将来、いまのシステムのなかでお世話にならなければならないのに、批判をするのは潔《いさぎよ》くないので黙っているという、ある意味、生真面目な幹部職員もいる。

私は、中堅以上になったら、若手を育てることが大きな職務の一つだと考えている。仕事の半分くらいはそれに費やしてもいいと思うくらいだ。だから、課長になって以来、なるべく若手に活躍の機会を与えてきた。そうした私の経験からいっても、若い人たちは大なり小なり、現在の霞が関の在り方に疑問を感じている。

程度の差はあれ、若い人たちはみな改革派だと思う。旧弊にどっぷり浸かっている中高年職員に退場願い、若手を引っ張り上げるだけで、公務員制度改革は進むし、いま日本に求められている改革も実現できるのではないか、と思う。

だが、現実には若い人たちが団結して上を引きずり降ろすのは不可能だ。声を上げた途端に、上から潰されてしまうだろう。政治の力を借りるしかない。

私は自民党・民主党政権の政策を真っ向から批判したといわれる。なにか大それたことをしているかのように聞こえるが、私自身はそんなに大きなことをしているつもりはなかった。ただ、当たり前のことを考えて、当たり前のことを発信してきた。そうしたら、こんなことになった、というのが正直なところだ。

政権に弓を引こうなどという気持ちは毛頭ない。むしろ、逆だ。政権が短期間で交代し、猫の目のように変わる状況になると、霞が関の守旧派の思う壺《つぼ》になる。どんな政権であれ、じっくり腰を落ち着けて、公務員制度改革、そして新たな日本創造に邁進していただきたいと願っている。

健全な与党は健全な野党があってこそ育つ。与党時代の自民党は霞が関とべったりで、完全に役人に依存していた。そこから抜けきれず、野党になってからも、質問を考えるときに役人を呼んで話を聞くだけでなく、質問作りまで依頼している人もいると聞く。

しかし、霞が関は、もはや自民党の味方ではない。自分たちに都合の良いように質問を誘導することしか考えない。野党が霞が関に頼ったのでは、与党も野党も役人にコントロールされてしまう。

自民党が野党としては品が良過ぎるのも気になった。「まだ政権政党時代のプライドが捨てきれず、民主党政権を徹底追及できないのだ」と分析する人もいた。私は自民党に、古い皮は早く脱ぎ捨てて欲しいと思っている。

二〇一〇年、民主党の公務員制度改革法案の対案を自民党とみんなの党が共同案として出した。私たちが自民党政権時代に作った案の足りなかった部分を補った非常に優れた案だった。私は、それを見て複雑な気持ちになった。

もし、自民党が政権の座に就いていたときに、この案を国会に提出していたら……。あのとき、野党だった民主党も反対できないような完璧な案だったので、出していれば通ったのではないかと思ったのだ。私たちにやらせてもらえなかったのは心残りである。しかし、当時の自民党では、とてもあのような案は出せなかっただろう。政権の座に返り咲くことがあれば、迷わず、あのような案を政府案として堂々と出せる党に生まれ変わって欲しい。

その鍵を握っているのは、ここでも恐らく若手の育成だ。若い政治家がどれだけ育つかにかかっている。「バラマキ大連立」参加の是非を問うて長老行脚《あんぎゃ》を行った自民党総裁には、がっかりした支持者も多かっただろう。そのようなことをする前に、若手の声に耳を傾けていただきたかった。

東日本大震災からの復興プランも、若者の声を生かして作ってもらいたい。復興構想会議に若い人が入っていなかったのは残念なことだ。

明治維新は若者たちの手で成し遂げられた。いまが「第三の開国」「平成の維新」ならば、大鉈《おおなた》を振るって改革を断行し、次の時代を開けるのは、若い人たちだけだろう。民主党も、自民党も、霞が関も、若い人たちが上に起用される体制になって初めて変わる。

官僚は政権の指示に従って、余計な口を挟まず、実務をこなしていればいいのだという意見が一般的だ。私のように、現役官僚でありながら政権の政策を批判するのはもってのほかだということになる。しかし、私は唯々《いい》諾々《だくだく》と従うだけが官僚の仕事ではないと思っている。むろん、最終的には政治の判断に委ねなければならないが、その過程で閣僚とわれわれ官僚が政策論争を繰り広げるのは、決して悪いことではないはずだ。

もちろん、自分の担当であれば、組織としての枠組みのなかで意見をいうことになるが、またまそのとき自分の担当でないことについて個人としての立場で意見を述べることは許されると思う。国民の一人として、国民のみなさんと同じ立場で様々な考え方や選択肢を議論させてもらうことにより、それに参加する人たちに議論の材料を提供することができる。その結果、政府の政策が最適化され、国民の利益につながるのなら、おおいに議論をすべきだろう。

いまなら、まだ日本再生の可能性は残されている。なんとかみんなで力を合わせて、この難局を乗り切り、この愛すべき国、日本を再生させたい。若い人たちが希望を持って活躍できる舞台を作りたい。どうにもならなくなった日本を自分の子供にバトンタッチすることだけは、なんとしても避けたい。

それを誰かに委ねるのではなく、いかなる立場であれ私自身も携わる機会を与えられたら、と思う。むろん、私の力など微々たるものだが、できることであれば、心を同じくする人たちと一緒にこの国を没落の淵から救う活動に身を投じたい。

私は数年前に大腸がんの手術をした。リンパに転移があるがんだった。まだ転移の可能性があるといわれる。がんというと、人は「たいへんですね」という。しかし、生きていられるだけ幸せだ。

時間を経て、心配しても仕方ないと思えるようになった。ある意味、リスクには「鈍感」になった。だからこそ、リスクを取れる。いまの日本人に一番求められることだ。そんなふうに考えると、自分は幸せなんだと思えてくる。

二〇〇九年一二月一七日、国家公務員制度改革推進本部事務局審議官の任を解かれ、経産省の大臣官房付になった。

「次の異動まで、少し待っていてくれ」と次官にいわれた。

それからすでに一年半。私は政府のなかで、官僚として、改革の実行を唱え続けた。

しかし、いまのところ、良い兆候はない。

私は、これからも許される限り、内部から改革の声を上げ続けていくつもりだ。

私は東北にはほとんど地縁がない。ただ、私が公務員制度改革などに取り組む姿を見て、面識がないにもかかわらず、「古賀さんの思いはみんな共有していますよ、がんばってください」と、岩手県庁から激励に訪れてくれた方がいた。そのときの感動はいまでも忘れない。

二〇一一年三月の東日本大震災のあと、思い切ってその方に電話した。幸い無事で、大きな被害には遭わなかったとのことだった。

その方の強い勧めもあり、私は四月の休日に、岩手県の三陸海岸被災地を訪れた。

被災地を一見して、私は言葉を失った。

田老町《たろうちょう》の被災者の方々と話をした。しかし何をいっても、自分の言葉が空虚に聞こえた。

大槌町《おおつちちょう》では、被災後なんとか操業を再開した中小企業の社長さんが近隣住民の支援を行い、さらに他の工場経営者のバックアップをしていた。しばらく話し込んだあと、その方がこういった。

「古賀さんのいう通りだ。これからは、国に頼っていてはだめですね。自分の力で立って、前に進まなければ……」

その言葉に私は、心底、勇気づけられた。すると、岩手県庁の方も、こう力強く語りかける。

「いまこそ本気で日本を変えるときですよ。これまでのやり方で復興を計画してもダメ。古賀さんのような方の考えを早く世に問うべきです。一緒に復興しましょう」

そう求める力強い声に、思った。この災害からどうやって立ち上がればいいのか。これは、東日本という限られた範囲の問題ではない。日本全体でこれからの国の在り方を考えながら、「復旧」ではなく、また「復興」でもなく、新たな日本の「創造」に向けた取り組みをしなければならない。

そう考えると、政治と行政の改革を置き去りにしたままでは、新しい日本の創造という課題に取り組むことは不可能だという思いがこみ上げてきた。現在の仕組みのなかでこの災害からの「復興」を行おうとすれば、将来に禍根《かこん》を残すことになる。そうなる前にもう一度、これまで唱え続けてきた改革の必要性を世に訴えるべきだと思った。

本書は震災前に原案をほぼ書き終わっていた。この大震災を通して見えてきたこともある。それを踏まえて全面的に書き直そうかという迷いもあったが、大幅に加筆するにとどめた。結果、この本に書いたことを読み返してみて、むしろ震災後のいまにふさわしい内容ではないか、そういう思いに至った。

「やはり、この本を出そう」――改めて決意を固めた。

この未曾有の危機のなかで政府を批判することに対しては、逆に非難の声が上がるかもしれない。しかし、このまま見過ごすことはできない。震災以前から続いていた大きな危機が、確実に、日本を奈落の底に突き落とそうとしているのだから。

二〇一一年五月

古《こ》賀《が》茂《しげ》明《あき》

著者略歴

古賀茂明（こが・しげあき）

一九五五年、東京都に生まれる。経済産業省大臣官房付。一九八〇年、東京大学法学部を卒業後、通商産業省（現・経済産業省）に入省。大臣官房会計課法令審査委員、産業組織課長、OECDプリンシパル・アドミニストレーター、産業再生機構執行役員、経済産業政策課長、中小企業庁経営支援部長などを歴任。二〇〇八年、国家公務員制度改革推進本部事務局審議官に就任し、急進的な改革を次々と提議。二〇〇九年末に審議官を退任したあとも省益を超えた政策を発信し、公務員制度改革の必要性を訴え続けたためか、二〇一〇年秋、参議院予算委員会で仙谷由人官房長官から「恫喝」を受ける。

日本中枢《にっぽんちゅうすう》の崩壊《ほうかい》

二〇一一年五月二三日　第一刷発行
二〇一一年六月　二日　第二刷発行

著者――古賀《こが》茂明《しげあき》
カバー写真――乾晋也（著者撮影：小川光）
装幀――鈴木成一デザイン室

発行者――鈴木　哲　発行所――株式会社講談社
東京都文京区音羽二丁目一二―二一　郵便番号一一二―八〇〇一
電話　編集〇三―五三九五―三五二二　販売〇三―五三九五―三六二二　業務〇三―五三九五―三六一五
印刷所――慶昌堂印刷株式会社　製本所――島田製本株式会社

落丁本・乱丁本は購入書店名を明記のうえ、小社業務部あてにお送りください。送料小社負担にてお取り替えいたします。なお、この本の内容についてのお問い合わせは、生活文化第三出版部あてにお願いいたします。

ISBN978-4-06-217074-1
定価はカバーに表示してあります。